Современная

классика

мировой

литературы

ИЛЛЮМИНАТОР 080

*Лучшие книги
в лучших переводах*

מאיר שלו

כימים אחדים

Меир Шалев

Как несколько дней...

р о м а н

перевод с иврита

Рафаила Нудельмана,

Аллы Фурман

Москва

ИНОСТРАНКА

2007

УДК 811.411–3Шалев
ББК 84(5Изр)–44
Ш18

This edition published by arrangement with The Harris/
Elon Agency and Synopsis Literary Agency

Ответственный редактор серии В.Бару

*Художественное оформление
и макет серии* А.Бондаренко

На обложке: фрагмент картины
Марка Шагала «Суккот», 1917

Шалев М.

Ш18   Как несколько дней... : Роман / Меир Шалев ; пер. с иврита
Р.Нудельмана, А.Фурман — М. : Иностранка : 2007. — 464 с. —
(Иллюминатор).
ISBN 978—5—94145—453—2

Всемирно известный израильский прозаик Меир Шалев принадлежит к третьему поколению переселенцев, прибывших в Палестину из России в начале XX века. Блестящий полемист, острослов и мастер парадокса, много лет вел программы на израильском радио и телевидении, держит сатирическую колонку в ведущей израильской газете «Едиот ахронот». Писательский успех Шалеву принесла книга «Русский роман». Вслед за ней в России были изданы «Эсав», «В доме своем в пустыне», пересказ Ветхого Завета «Библия сегодня».

Роман «Как несколько дней..» — драматическая история из жизни первых еврейских поселенцев в Палестине о любви трех мужчин к одной женщине, рассказанная сыном троих отцов, которого мать наделила необыкновенным именем, охраняющим его от Ангела Смерти.

Журналисты в Италии и Франции, где Шалев собрал целую коллекцию литературных премий, назвали его «Вуди Алленом из Иудейской пустыни», а «New York Times Book Review» сравнил его с Маркесом за умение «создать целый мир, наполненный удивительными событиями и прекрасными фантазиями»...

УДК 811.411–3Шалев
ББК 84(5Изр)–44

ISBN 978—5—94145—453—2

Как несколько дней...[1]

Первая трапеза

1

В теплые дни от стен моего дома поднимается слабый запах молока. Стены давно уже затерты и покрыты штукатуркой, и земля под плитками пола тоже плотно утрамбована, но слабый запах молока все равно сочится из мельчайших пор и трещин, упрямый и вкрадчивый, как испарина забытой любви.

Когда-то здесь был коровник. Жилище жеребца, ослицы и нескольких дойных коров. Большие деревянные ворота были в нем, перехваченные по всей ширине железным засовом, бетонные кормушки, бычья упряжь, хомуты, стойла, доильные клети, молочные бидоны.

И жила в том коровнике женщина — работала там, и спала там, и видела там сны, и плакала во сне. И там же, на мешках из-под корма, родила себе сына.

Голуби важно расхаживали по гребню крыши, а в углах под стропилами трудились ласточки, склеивая свои гнезда из комочков глины и грязи, и непрестанное трепетанье их крыльев было таким упоительным, что я слышу его и по сей день, — оно поднимается из колодцев моей памяти и размягчает мое лицо, разглаживая борозды, прорезанные возрастом и гневом.

По утрам солнце вычерчивало на стенах квадраты окон и золотило танцующие в воздухе пылинки. Роса сгущалась в крышках бидонов, и по кучам соломы юркими серыми молниями проносились полевые мыши.

Ослица, — пересказывала мне мать воспоминания, которые хотела сохранить во мне, — была своевольная и очень себе на уме, она лягалась даже во сне, а когда ты, Зейде, забирался к ней на спину, она тут же мчалась к выходу, нагибалась и протискивалась под засовом, и если ты не успевал спрыгнуть, Зейделе, *майн кинд*[1], железная полоса сваливала тебя на землю. А еще эта ослица умела воровать ячмень у лошади, хохотать во весь голос и стучать копытом в дверь, требуя конфету.

И могучий эвкалипт рос там во дворе, широко раскинув над ним вечно шелестящую душистую крону. То ли кто неведомый когда-то посадил его здесь, то ли невесть какой ветер занес сюда его семя. Куда громадней и старше годами всех своих собратьев из ближней эвкалиптовой рощи, высился он здесь и ждал в одиночестве задолго до основания деревни. Я не раз забирался на его вершину, потому что там гнездились вороны, а меня уже тогда интересовали повадки ворон.

Сейчас моя мать давно уже умерла, и то могучее дерево срублено, и тот коровник стал моим домом, и те прежние вороны давно сменились другими, а те тоже обратились во прах, и новые вылупились из яиц им на смену. Но несмотря на все это, те, былые вороны, и те рассказы, и тот коровник, и тот эвкалипт — все они заякорены в моей памяти, все они врезаны в нее навсегда.

---

[1] Мой мальчик (*идиш*). (*Здесь и далее — прим. перев.*)

Дерево было метров двадцати в высоту, вороны гнездились у самой его вершины, а в развилке нижних ветвей еще можно было разглядеть остатки «тарзаньей хижины», сооруженной когда-то ребятишками, которые забирались сюда и прятались здесь задолго до моего рождения.

На старых аэрофотоснимках британских пилотов и в рассказах деревенских стариков этот эвкалипт виден еще отчетливо и резко, но сегодня о нем напоминает лишь чудовищный пень с выжженной на нем, точно дата смерти человека, датой кончины дерева: 10 февраля 1950 года. В тот день Моше Рабинович — человек, во дворе которого я вырос и в коровнике которого живу, человек, который дал мне свою фамилию и завещал свое хозяйство, — вернулся с похорон моей матери, наточил большой топор и предал проклятое дерево смертной казни.

2

Три дня подряд рубил он этот эвкалипт.

Снова и снова взлетал топор и опускался — снова и снова. Человек шел по кругу, и врубался со всех сторон, и со стоном поднимал топор, и опускал — с хаканьем и стоном.

Невысокого роста он, Моше Рабинович, но плотный и широкий, с толстыми короткими руками. За силу и выносливость, даже под старость, в деревне называют его Быком, и вот уже третье поколение детей играет с ним в «страшного медведя»: он загребает в свою широкую ладонь сразу три тонкие детские ладошки, а дети, крича и хохоча, пытаются вырваться из его тисков.

Разлетались в стороны щепки и надсадные стоны, капали пот и слезы, взметались и танцевали вокруг снежные хлопья, и хоть у нас в деревне чуть не о каждом воспоминании идут бесконечные споры, но об этой страшной мести никто не спорит, и даже малые дети знают о ней во всех подробностях:

Дюжину полотенец перевел Рабинович, вытирая лицо и затылок.

Восемь топорищ сломал он и сменил.

Двадцать четыре литра воды и шесть кувшинов чая он выпил.

Каждые полчаса он заново затачивал топор на точильном круге и правил лезвие стальным напильником.

Девять буханок хлеба с колбасой он за это время умял и целый ящик апельсинов.

Семнадцать раз ложился он на снег и шестнадцать раз поднимался и начинал рубить снова. И все это время все тридцать два его зуба были стиснуты, и десять пальцев плотно сцеплены друг с другом, и плачущее дыхание сталось туманом в холодном воздухе, пока не раздался сильный, скрежещущий треск и послышались негромкие вздохи стоявших вокруг людей, похожие на тот шумок, что поднимается в Народном доме, когда гаснет свет, только громче и тревожней.

А потом — испуганные возгласы и топот разбегающихся ног, и за ними — тот смертный шум, который не с чем сравнить, кроме как с ним самим: шум падения и смерти огромного дерева, который никто из слышавших никогда не забудет, — внезапный, как взрыв, треск

разламывающегося ствола, и нарастающий гул падения, и хлещущий, свистящий звук удара о землю.

Конечно, смерть человека сопровождают другие
звуки, но ведь и при жизни звуки, сопровождающие дерево и человека, тоже различны, и разную тишину
оставляют они после своего ухода.

Тишина после падения срубленного дерева — она
как темная завеса, которую тут же разрывают тревожные возгласы людей, секущие порывы ветра да испуганные крики птиц и животных. А тишина, что заполнила мир после смерти моей матери, — чиста и светла
была она, словно прозрачный хрусталик глаза, и такой
же светлой остается, не истаивая, и поныне.

Вот она — всегда со мной, рядом со всеми прочими
звуками мира. Она не вбирает их в себя, и они не смешиваются с нею.

3

> Фликт ди маме федерн,
> Федерн ун пух,
> Зайделен — а кишеле
> Фун хелн-ройтн тух.

Эту песенку я напевал куда раньше, чем понял, о ком в
ней говорится. А говорится в ней о матери, которая
щиплет перья, чтобы сделать сыночку Зейделе перинку
из пуха и розового полотна.

Эту песенку, я думаю, напевали многие матери, и
каждая вставляла в нее имя своего ребенка. «Зейделе» —
это как раз мое имя. Нет, не прозвище, а настоящее имя.

«*Зейде*», то есть на идише «дедушка», «старичок», — так назвала меня мать при рождении.

Многие годы я носился с идеей сменить себе имя, но так и не сделал этого. Поначалу мне недоставало решимости, потом — сил, а под конец мы оба отчаялись — я и мое имя — и примирились друг с другом.

Мне было несколько месяцев, когда мать шила мне перинку, напевая эту песенку, но мне кажется, что я хорошо помню те вечера. Холодными были вечера и ночи в коровнике Моше Рабиновича, и мать еще летом договорилась с нашим соседом — Элиэзером Папишем, который разводил гусей, и в обмен на пух, который он ей дал для моей перинки, сшила перины ему и всем его домашним.

Этого гусиного Элиэзера Папиша, кстати, называли у нас в деревне не иначе как Деревенский Папиш, чтобы отличить от брата-богача, который торговал в Хайфе разным инструментом и строительными материалами — того прозвали Городским Папишем, и я еще, может быть, расскажу о нем потом.

Ну вот, меня, стало быть, зовут Зейде, Зейде Рабинович. А имя моей матери — Юдит, но в деревне ее называли не иначе как «Юдит нашего Рабиновича». Мамины руки приятно пахли лимонными листьями, голубая косынка всегда была повязана на ее голове. Она плохо слышала левым ухом и сердилась, когда с ней говорили слева.

Как звали моего отца, никто не знает. Я безотцовщина, тот сын-молчун, что, по Талмуду, умолкает, когда у него спрашивают отцовское имя, хотя меня считали своим сыном сразу три человека.

· От первого из них, Моше Рабиновича, я унаследовал хозяйство, коровник и соломенные, золотистые волосы.

От второго, Якова Шейнфельда, — великолепный дом, красивую посуду, пустые клетки для канареек и вислые плечи.

А от Глобермана — перекупщика, который скупал у людей скот, а потом продавал его на бойню, за что его прозвали в деревне «Сойхером», «торгашом», — *«а книпеле мит гельд»*, то бишь узелок с деньгами, да огромные, не по росту, ступни.

Но при всей этой путанице с отцами от своего имени я страдал куда больше, чем от обстоятельств рождения. В нашей деревне, а уж в Долине подавно, были и другие дети, родившиеся от чужих отцов или от неведомых людей, но во всей Стране, а может, и во всем мире не было другого мальчика, которого звали бы Зейде. В школе меня дразнили Мафусаилом и старикашкой, а дома, в ответ на все мои жалобы и расспросы, мать говорила только: «Если Ангел Смерти увидит, что Зейде — это маленький мальчик, он сразу поймет, что пришел не по адресу, и пойдет к какому-нибудь другому человеку».

И поскольку у меня не было выхода, я поддался этим уговорам, поверил, что мое имя защищает меня от Ангела Смерти, и превратился в бесстрашного сорванца. Даже тех древних страхов, что таятся в душе каждого человека еще до его рождения, я был начисто лишен.

Я без всякого опасения протягивал руку к змеям, которые гнездились в щелях нашего птичника, и те следили за мной, с любопытством поворачивая длинные шеи, но не шипели и не кусали меня. Я не раз поднимался на крышу коровника и, зажмурив глаза, бежал по крутому черепичному скату. Я смело приближался к деревенским собакам, которых всегда держали на привязи, отчего они становились жадными до крови и мести, и эти псы лизали мне ладонь, дружелюбно помахивая хвостами.

А однажды на меня, восьмилетнего старичка, напала пара ворон, к гнезду которых я подбирался. Тяжелый и темный удар обрушился на мой лоб, все вокруг стало медленно кружиться, и я отпустил ветку, за которую держался рукой. В обморочном наслаждении летел я все ниже и ниже, но мягкие объятья молодых побегов замедлили мое падение, а моей беззащитной спине были заботливо подостланы плотный ковер листьев, рыхлая земля и мамино суеверие.

Я вскочил и помчался домой, и мать смазала мои царапины иодом.

— Ангел Смерти все делает по правилам. У него есть карандаш и тетрадка, и он все-все записывает, — смеялась, как смеялась каждый раз, когда меня обходила стороной очередная верная погибель. — А вот на *«Малах-фун-Шлаф»*, на того ангела, что распоряжается нашими снами, — на него никогда нельзя полагаться. Этот ничего не записывает и ничего не помнит. Бывает, что он приходит вовремя, а бывает, что сам засыпает и забывает прийти совсем.

Ангел Смерти всегда обходил меня стороной, и лишь лицо мое то и дело овевали в невидимом взмахе полы его плаща. Впрочем, как-то раз, осенью сорок девятого года, за несколько месяцев до смерти матери, я увидел его лицом к лицу.

Мне было тогда лет десять. У огромной кобылы Деревенского Папиша началась течка, наш жеребец услышал ее возбужденное ржание и принялся крушить ограду. То был добродушный, покладистый конь каштанового цвета. Моше Рабинович, который делал все «как положено» и посему не брался со своими животными больше, чем было принято и необходимо, этого своего коня баловал поглаживаниями и сладкими рожками[1], и однажды я даже подглядел, как он заплетал ему хвост в толстую золотистую косу, вплетая в нее для красоты синие ленты.

Он даже отказался его кастрировать, несмотря на все доводы и советы. «Это жестоко, — сказал он. — Это издевательство над животным».

Иногда жеребец выпрямлял свой член и с размаху бил им по животу. Он мог делать так часами, с тяжелой и отчаянной настойчивостью. «Мучается, несчастный, — говорил тогда Сойхер. — Яйца ему оставили, бабу не дают, и рук у него нет, — что ему остается?»

В ту ночь жеребец перескочил через ограду и присоединился к кобыле, а наутро Моше дал мне уздечку и велел привести его обратно.

— Ты просто посмотри ему прямо в глаза, — наставлял меня Моше, — и скажи: «Поди-поди-поди-поди». Но если он глянет таким особенным взглядом, так ты не заводись с ним, Зейде, слышишь? Тут же оставь его и позови меня.

Стояло раннее утро. Нетерпеливое мычание голодных телят наполняло воздух. Крестьяне сердито выговаривали своим размечтавшимся коровам. Деревен-

[1] Сладкие рожки — плоды рожкового дерева, имеющие сочную питательную мякоть.

ский Папиш уже бегал вокруг загона с криками и бра-
нью, но влюбленная пара не обращала на него никакого внимания. Их глаза были мутны от желания, с их
чресел капали пот и семя, к их обычному лошадиному
запаху прибавились новые, незнакомые оттенки.

— Ты что — пришел забрать жеребца?! — воскликнул Деревенский Папиш. — Этот Рабинович просто
сдурел — посылать мальчишку по такому делу!

— Он доит, — сказал я.

— Он доит? Я бы тоже мог сейчас доить! — Он нарочно кричал так громко, в надежде, что Моше услышит.

Я вошел за ограду.

— А ну, выходи сейчас же! — крикнул Деревенский
Папиш. — Это очень опасно, когда они вместе!

Но я уже занес уздечку и пропел волшебное заклинание:

— Поди-поди-поди-поди... — И жеребец подошел
ко мне и даже позволил набросить на него уздечку.

— Он сейчас взбесится, Зейде! — крикнул Папиш. —
Немедленно оставь его!

Мы с жеребцом уже выходили за ограду, когда кобыла заржала. Жеребец остановился и толкнул меня на
землю. Его глаза взбухли и налились кровью.

— Брось веревку, Зейде! — закричал Деревенский
Папиш. — Брось и быстрее откатись в сторону!

Но я не бросил.

Жеребец поднялся на задние ноги, веревка натяну-
лась, и меня подбросило и швырнуло навзничь. Его пе-
редние копыта ударили по воздуху и взметнули грязь.
Меня окружила стена пыли, за которой я увидел Ангела
Смерти с тетрадью в руке. Он смотрел на меня в упор.

— Как тебя зовут? — спросил он.

— Зейде, — ответил я, но веревку не бросил.

Ангел Смерти отпрянул, словно оглушенный невидимой пощечиной. Он послюнил палец и принялся листать свою тетрадь.

— Зейде? — раздраженно переспросил он. — Как это может быть, чтобы маленького мальчика звали Зейде?

Мое тело дергалось и моталось по земле, страшные копыта свистели рядом, как те ножи, которые в цирке швыряют в девушек с завязанными глазами. Руки, вцепившиеся в веревку, выворачивались из плечевых суставов, комья земли сдирали кожу с ладоней, но я ощущал лишь спокойствие и уверенность.

— Зейде! — повторил я, глядя на Ангела Смерти. — Меня зовут Зейде.

В столбе сверкающего белого пламени я видел, как он облизывает карандаш, снова перелистывает тетрадь и понимает, что произошла ошибка.

Потом он гневно лязгнул челюстями и исчез, угрожающе и злобно фыркнув, — видно, направился в другое место.

Громкие вопли Деревенского Папиша заставили Моше Рабиновича броситься мне на помощь. Тяжелым бегом он одолел те десять метров, что разделяли оба двора, и то, что я увидел потом, запомнилось мне навеки.

Левой рукой Рабинович схватил жеребца за уздечку и потянул его вниз, так что их головы оказались на одном уровне, а кулаком правой ударил прямо в белую звездочку в центре конского лба — ударил всего один раз, и на этом все было кончено.

Жеребец дернулся назад, пораженный и изумленный, и все его мужское великолепие разом опало, как будто его подрубили под корень. Он опустил голову, глаза его затянулись мутной пеленой, и он медленным пристыженным шагом вернулся в наш двор и вошел прямо в свой загон.

Все это заняло каких-нибудь полминуты. Но когда я поднялся на ноги, целый и невредимый, оба моих других отца были уже тут как тут: Яков Шейнфельд прибежал бегом из своего дома, а Сойхер Глоберман примчался в своем зеленом пикапе, по пути врезавшись, как обычно, в ствол эвкалипта, и торопливо выпрыгнул из машины, крича и размахивая утыканной гвоздями палкой.

Но мать пришла спокойным шагом, сняла с меня рубашку, отряхнула пыль, промыла и смазала иодом царапины на спине и все это время смеялась:

— Если маленького мальчика зовут Зейде, с ним ничего не случится!

Так удивляться ли, что за многие годы я уверовал в правоту матери и в силу имени, которое она мне дала? Вот и стараюсь теперь соблюдать те меры предосторожности, к которым оно обязывает. Помню, я жил какое-то время с женщиной, которая в конце концов сбежала от меня, оскорбленная и отчаявшаяся, после нескольких месяцев моего воздержания.

— Сын родит внука, а внук приведет Ангела Смерти, — объяснил я ей.

Сначала она смеялась, потом сердилась, а затем ушла. Я слышал, что она вышла замуж и оказалась бесплодной, но к тому времени я уже постиг весь словарь гримас и насмешек судьбы и ничему больше не удивлялся.

Вот так мое имя спасло меня в тот раз и от смерти, и от любви одновременно. Однако эта история не имеет отношения к рассказу о жизни и смерти моей матери, а рассказы, в отличие от действительности, следует защищать от любых прибавлений и излишеств.

Я не исключаю, что моя манера рассказывать может показаться несколько мрачноватой, но в жизни я совсем не таков. Я как все — и у меня порой бывают грустные минуты, — но мне совсем не чужды маленькие житейские радости, я сам себе хозяин, и к тому же, как я уже говорил, трое отцов щедро одарили меня от доброты своей.

От Сойхера Глобермана я получил в наследство *а книпеле мит гельд*, кошелек с деньгами, и его старый зеленый пикап.

Канареечник Яков Шейнфельд завещал мне великолепный дом на Лесной улице в Тивоне.

А в деревне у меня есть свое хозяйство — хозяйство Моше Рабиновича. Сам Моше еще живет в нем, но уже переписал все на мое имя. Он живет в своем старом доме, глядящем на улицу, а я — в маленьком красивом домике, что во дворе, том самом, что раньше был коровником, где бугенвиллии разноцветными бакенбардами вьются по беленым щекам, крылья ласточек трепещут тоской под окнами и неприметные трещины в стенах все еще выдыхают мягкий запах молока.

В давние времена здесь ворковали голуби и доились коровы. Роса собиралась в крышках бидонов, пыль танцевала в золотистых хороводах. В ту пору жила здесь женщина, смеялась и мечтала, работала и плакала и здесь привела меня в мир.

Вот, в сущности, и весь рассказ. Или, как любят говорить омерзительным басовитым голосом практичные люди: вот что мы имеем в итоге. А если что прокрадется сверх того, отныне и далее, — так это всего лишь детали, не имеющие иной цели, кроме как насытить пару маленьких и прожорливых бестий, живущих в каждой душе, — жгучее любопытство и жадный интерес к чужой жизни.

4

В 1952 году, года через полтора после ее смерти, Яков Шейнфельд пригласил меня на первую трапезу.

Он пришел в наш коровник — вислые плечи, сверкающий шрам на лбу, мшистые, серые тени одиночества в морщинах.

— С днем рождения, Зейде. — Его рука легла на мое плечо. — Сделай одолжение, загляни ко мне завтра на ужин.

Вымолвил, повернулся и ушел.

Мне исполнилось тогда двенадцать лет, и Моше Рабинович устроил по этому поводу мой очередной день рождения.

— Кабы ты был девочкой, Зейде, мы бы сегодня устроили тебе *бат-мицву*[1] — улыбнулся он, и я удивился, потому что Рабинович не имел привычки говорить «если бы» да «кабы».

---

[1] Бат-мицва («дочь заповеди»; *ивр.*) — обряд совершеннолетия; девочка, достигшая двенадцати лет, обязана блюсти все заповеди, предписанные женщине еврейской религиозной традиции.

Одед, первенец Моше, который уже тогда был водителем деревенского молоковоза, подарил мне на день рождения посеребренного бульдога с капота своего дизеля. Номи, дочь Рабиновича, специально приехала из Иерусалима, чтобы привезти мне книгу под названием «Старое серебристое пятно», в которой были изображения ворон и их крики, записанные нотными знаками. Она так долго целовала, и всхлипывала, и тискала, и приговаривала, лаская, что под конец мне стало неловко, жарко и страшно разом.

Потом появился зеленый пикап, врезался, по своему обыкновению, в огромный пень эвкалипта, уже исполосованный грубыми рубцами всех их предыдущих свиданий, и во двор ворвался еще один мой отец — скупщик скота Глоберман.

— Хороший отец никогда не забывает день рождения сына! — возвестил Сойхер, за которым и впрямь никогда не пропадал ни один из родительских долгов.

На этот раз он принес нам несколько кусков отборного мяса на ребрышках, а мне сунул изрядную сумму наличными.

Глоберман давал мне деньги по каждому случаю. К дням рождения, к праздникам, к окончанию учебного года, в честь первого дождя, в ознаменование самого короткого дня зимы и по поводу самого длинного дня лета. Даже в годовщину маминой смерти он ухитрялся сунуть мне в руку несколько шиллингов[1], и эта его привычка смущала и раздражала всех, но уже не

---

[1] В Палестине во времена британского мандатного управления (1924—1948 гг.) имели хождение английские деньги — фунты и шиллинги. До 1917 г. Палестина входила в состав Оттоманской империи.

удивляла никого, потому что во всей Долине его знали как человека жадного и корыстного. У нас в деревне рассказывали, что когда во время войны англичане выселили немецких колонистов из близлежащего Вальдхайма[1], Глоберман заявился туда со своим пикапом буквально по теплым еще следам, взломал замки на покинутых домах и прикарманил брошенный хозяевами хрусталь и фарфор.

— Так обобрал, что когда мы приехали туда со своими телегами, там уже и взять было нечего, — возмущались рассказчики.

И как-то раз я слышал, как Деревенский Папиш срамил Глобермана, припоминая ему эту давнюю историю. Слово «грабитель» я знал; что означало «башибузук» — догадался, а вот «аспид» так и остался для меня загадкой.

— Ты украл! Ты приложил руку к грабежу! — наскакивал Папиш.

— Ничего я не крал, — криво усмехнулся Глоберман. — Я утащил.

— Утащил? Как это «утащил»?!

— А так: часть — волоком, а часть — на спине. Но красть — нет, я ничего не крал! — взревел Сойхер, расхохотавшись так, что этот его смех я помню по сей день, спустя много лет после его смерти.

Теперь он сказал мне — громко, чтобы все слышали:

[1] Вальдхайм — одно из пяти сельскохозяйственных поселений, основанных в Палестине в 1907 г. немецкими колонистами-темплерами из «Храмового общества» (осн. в 1868 г.), имевшего целью возрождение Палестины и Иерусалимского храма для ускорения Второго Пришествия. В 1939 г. колонисты были депортированы британскими властями за активную поддержку гитлеровского режима.

— Давай я тебе объясню, какая разница между просто подарком и подарком наличными. Разница тут такая: когда ты думаешь, что бы такое купить человеку в подарок, ты делаешь себе «а лох ин коп», дырку в голове, а когда ты даешь человеку деньги наличными, то ты делаешь себе «а лох ин арц», дырку в сердце, точка.

Он втиснул деньги мне в руку и объявил:

— Этому меня научил мой отец, а теперь я учу тебя, чтобы ты был как все те, что родились прямо у мясника на «клоце», на мясницкой колоде.

Он вытащил из кармана плоскую фляжку, которую всегда носил с собой, и я почувствовал запах граппы, которую очень любила мама. Глоберман сделал изрядный глоток, потом плеснул немного граппы в огонь и стал быстро и ловко жарить принесенные ребра, напевая:

> Шел себе Зейделе, задравши нос,
> Шел, чтоб за грошик купить абрикос,
> Ой, Зейде, беда, абрикос не найдешь —
> Выпал грошик, теперь не вернешь.
> Мамеле будет бить теперь прутом,
> Папеле будет пороть теперь кнутом,
> Ой, Зейделе, Зейде, теперь тебе капут —
> Ту еще взбучку тебе зададут.

А потом Моше Рабинович, самый сильный и старый из моих отцов, схватил меня и стал подбрасывать, раз за разом швыряя в воздух и снова и снова принимая мое тело в свои толстые короткие руки. А потом Номи закричала:

— И еще раз, на следующий год! — И я взлетел в воздух для своего тринадцатого полета и увидел шевелящуюся тучу, угрожающе нависшую над нашей деревней.

— Смотрите!, — закричал я. — Скворцы летом!

Эта дрожащая нетерпением темная грозовая туча на первый взгляд и впрямь напоминала стаю скворцов, что сбилась со счета годичных сезонов. Лишь после выяснилось, что сильные руки Моше Рабиновича позволили мне первым увидеть знаменитую тучу саранчи, вторгшуюся в Долину в тот летний день тысяча девятьсот пятьдесят второго года.

Моше помрачнел. Номи испугалась. А Глоберман, в который уж раз, произнес:

— *А менч трахт ун а гот лахт.* — Человек хочет, а Господь хохочет. Человек замышляет, а Господь посмеивается себе в бороду.

Не прошло и пяти минут, как из-за холмов послышались далекие глухие звуки арабских барабанов — это феллахи, вооружившись визжащими женами, длинными палками и пустыми, грохочущими жестянками из-под бензина, бросились в поля, чтобы испугать врага.

Глоберман то и дело прикладывался к фляжке и все подавал да подавал Моше куски жареного мяса, а вечером, когда деревенская детвора вышла в поля с факелами, мешками, лопатами и метлами, чтобы уничтожить саранчу, пришел мой третий отец, Яков Шейнфельд, положил руку мне на плечо и пригласил к себе на ужин.

— Все эти подарки ничего не стоят, Зейде, — сказал он. — Деньги все равно потратятся, одежда сносится, игрушки сломаются. Зато хорошая еда останется в памяти. Оттуда она уже не пропадет, не то что другие подарки. Наше тело еда покидает быстро, зато из памяти она выходит очень-очень медленно.

Так сказал Яков, и его голос, как и голос Сойхера, прозвучал достаточно громко, чтобы все могли услышать.

5

— Странная птица, — говорили про Якова Шейнфельда в деревне.

Жил он уединенно, и все его хозяйство составляли маленький дом, небольшой садик со следами былой ухоженности да несколько пустых канареечных клеток — память об огромной, теперь уже разлетевшейся птичьей семье.

Свой земельный надел, который когда-то щедро рождал апельсины, виноград, овощи и кормовые травы, он давно уже сдал в аренду деревенскому кооперативу. Инкубатор, который был у него тогда, уже заколотил. Жену, которая от него ушла, уже забыл.

Жену Якова звали Ривка. Я знал, что она покинула его из-за моей матери. Я сам никогда ее не видел, но все говорили, что она была самой красивой женщиной в деревне.

— В деревне? — возмущался Деревенский Папиш. — Да она была самой красивой женщиной в Долине! Самой красивой в Стране! Одной из самых красивых во всем мире и во все времена!

Деревенский Папиш принадлежал к числу тех людей, которых женская красота влекла к себе, как наркотик, и дома у него хранился альбом с репродукциями, который он имел обыкновение листать бережно вымытыми, ласкающими руками, вздыхая при этом: *«Шеннер фун ди зибн штерн. — Красивее, чем семь звезд»*.

Словно далекая сияющая туманность, запечатлелась Ривка в памяти Деревенского Папиша и в коллективной памяти всей нашей деревни. По сей день — даже после того, как она ушла, и вновь вышла замуж, и вернулась под старость, и перед смертью еще успела вернуть Якова себе, — о ней у нас всё еще рассказывают легенды. И стоит появиться в деревне какой-нибудь уж очень симпатичной гостье или у кого-то из наших родится какая-нибудь уж очень красивая девочка, как деревенская память тут же сравнивает их с тем смутным обликом прекрасной женщины, которая когда-то давным-давно жила здесь, среди нас, и ушла, узнав о предательстве мужа, и покинула деревню, и оставила нас «утопать в грязи, среди мерзости и запустения».

Двенадцать лет было мне тогда, и путем, в начале неясным и кружным, а под конец до боли отчетливым и резким, я пришел к пониманию, что это я виноват в постигшей Якова беде и в его одиночестве. Я понял, что когда бы не я и не тот мой ужасный поступок, мама ответила бы на его ухаживания и мольбы и вышла бы за него замуж.

Как в заветную шкатулку, упрятал я от своих трех отцов секреты, касающиеся их и ее. Я не открыл им, почему она поступила так, как поступила, и выбрала того, кого выбрала. Я не рассказал им, что, сидя в своей наблюдательной будке, замаскированной среди ветвей или высокой травы, я видел также людей, а не только ворон.

О насмешках и мучениях, пережитых в школе, я им тоже не рассказывал.

— Как тебя зовут? — смеялись малыши.

— Кто твой отец? — подначивали большие и, не понижая голоса, гадали вслух, кто из троих мой настоящий отец.

А поскольку Рабиновича и Глобермана они боялись, то сосредоточились на Якове Шейнфельде, которого одиночество и печаль сделали удобной для нападок мишенью. У него была к тому же странная привычка, которая вызывала у всех презрительную жалость, — он мог целыми часами сидеть на пустынной автобусной остановке, что на главной дороге, и бормотать, обращаясь то ли к самому себе, то ли к поникшим в пыли казуаринам, то ли к проезжающим легковушкам, а может — и к гостям, которых только он и видел: «Заходите, заходите, дорогие, спасибо, что пришли, заходите, друзья...»

Время от времени его лицо как будто освещалось изнутри, и тогда он торжественно вставал, выпрямлялся и, словно бы повторяя какую-то древнюю формулу, возглашал: «Заходите, друзья, заходите, сегодня у нас здесь свадьба!»

Я не раз видел его там, когда сопровождал Одеда на его молоковозе.

— Ты только посмотри на этого старика! — говорил Одед. — Будь он лошадью, его бы уже давно пристрелили.

Но и Одеду, и даже Номи, его сестре, я не открыл, какое зло сделал Якову в детстве.

Вечером следующего дня, закончив домашние уроки, я помог Моше подоить коров, потом умылся, надел

белую рубашку и отправился в гости к Якову Шейнфельду.

Я открыл маленькую калитку, и меня тут же окружили дивные запахи незнакомой еды, которые выскольз-
нули из окон дома, но не смогли пробиться сквозь живую изгородь и теснились в пределах двора.

Яков открыл мне дверь, произнес свое «Заходите,
заходите», и запахи тут же усилились и стали льнуть к
моей шее и щиколоткам, обвили их, втянули меня
внутрь дома и наполнили мой рот взволнованной
слюной.

— Что это ты наварил, Яков? — спросил я.

— Хорошую еду, — ответил он. — Мой тебе подарок
в тарелке.

Подарки Якова не были такими частыми и напоказ,
как подарки Глобермана, зато они были более инте-
ресными. Когда я родился, он принес желтую деревянную канарейку, которую подвесили над моей колыбе-
лью. В три года он показал мне, как складывать желтые
лодочки из бумаги, и мы вместе пускали их вплавь по
вади. На мой восьмой день рождения он приготовил
сюрприз, который привел меня в восторг, — большой
наблюдательный ящик, настоящую будку, всю заляпан-
ную зелеными маскировочными пятнами, с отверсти-
ями для наблюдений и вентиляции, с двумя ручками и
парой колес.

— Из этого ящика ты сможешь смотреть на своих
ворон, чтобы они тебя не видели, — сказал он. — Но ты
не пользуйся им, чтобы подглядывать за людьми, это
очень некрасиво.

Внутри ящика Яков укрепил прищепки для бумаг и
карандашей и устроил место для бутылки с водой.

— И для веток и листьев, повтыкать их со всех сторон, тут у тебя тоже есть места, Зейде, чтобы вороны не почувствовали тебя и не улетели из-за этого, — сказал он. — У меня канарейки сидят в клетках, а я снаружи, а у тебя ты будешь в клетке, а вороны снаружи.

— Они не улетают от меня, — сказал я. — Они меня уже знают, и я их тоже.

— Эти вороны, они совсем как люди, — улыбнулся Яков. — Не удирают на самом деле, а только делают для тебя вид, как будто удирают. Но если ты спрячешься в этом ящике, они будут вести себя обыкновенно.

Назавтра я попросил Глобермана взять меня с ящиком в его пикапе в эвкалиптовую рощу.

Роща находилась на восточном краю деревни, вблизи деревенских полей, а за ней располагалась бойня. Густая и мрачная это была роща, и пересекала ее всего одна тропа — та самая, по которой Сойхер уводил животных навстречу их судьбе.

Вороны гнездились на высоких верхушках эвкалиптов, и в это время года можно было уже разглядеть их потомство, ростом почти с родителей. Воронята начинали учиться лёту, и старые вороны показывали им всякого рода приемы. Молодые, которых в первый год жизни легко было опознать по растрепанным, торчащим перьям, группками сидели на ветках, и каждый раз кто-то из них срывался с места, пару секунд в ужасе барахтался в воздухе, а потом собирался с силами и возвращался на свое место, тесня соседа по ветке, пока и этот не сваливался, чтобы немного полетать.

Я сидел в ящике и видел все, а вороны не чувствовали меня. Вечером, когда Глоберман приехал забрать меня домой, все мои конечности скрючились от усталости, но сердце мое ширилось и пело от счастья.

Яков усадил меня за большой и гладкий кухонный стол, на котором сверкали — каждая как полная луна — белые тарелки и тускло поблескивали серебром столовые приборы.

— В честь твоего дня рождения, — сказал он.

Пока я ел, его глаза неотрывно следили за выражением моего лица, а я не мог, да и не хотел скрыть свое удовольствие.

К двенадцати годам я уже знал, какая пища мне нравится и что я терпеть не могу, но еще не мог себе представить, что еда может доставлять такое глубокое и острое наслаждение. Маленькие вкусовые сосочки радостно выпрыгивали не только на моем языке и нёбе, но и в горле, во внутренностях и даже, кажется, на кончиках пальцев. Запахи заполняли мне нос, слюна заливала рот, и хотя я был еще ребенком, но уже знал, что никогда не забуду эту трапезу.

Странно, но наслаждение это сопровождалось какой-то тонкой печалью, которая приправляла едва ощутимой горечью то счастье, и вкусы, и запахи, что наполняли мое тело.

Я вспоминал нашу простую еду, которую ел с другим моим отцом, Моше Рабиновичем. Тот обычно довольствовался вареной картошкой, крутыми яйцами и куриным бульоном, приготовленным с такой стремительностью, словно ему не терпелось удостовериться, что теперь-то уж курица, которой он только что свернул голову, ощипал и разрезал на куски, наверняка не воскреснет.

Человек привычек и накатанной колеи — Моше Рабинович. Он и сейчас, как всю жизнь, ест молча, пережевывает пищу усердно и тщательно, перекатывая ее во рту, и когда его рука нагружает вилку, я твердо знаю, что и эта порция будет проглочена ровно через шесть жевков.

Теперь только он и я остались в доме. Мама уже умерла, Номи вышла замуж и живет в Иерусалиме, Одед, хоть и не покинул деревню, но живет в другом доме. Как и тогда, мы сидим сегодня вдвоем — Моше и я, едим и молчим. После еды он выпивает одну за другой несколько чашек обжигающего жаром чая, а я мою посуду и убираю кухню — точно так, как это делала мама.

А закончив, я говорю:

— Спокойной ночи, Моше, — потому что ни одного из трех моих отцов я никогда не называл и не называю «отцом», — и выхожу, и иду к своему маленькому дому, что во дворе, и там лежу себе один. В моей постели, которая была ее постелью. В ее коровнике, который стал моим домом.

6

Яков не сидел со мной за столом. Он хлопотал вокруг меня, подавал, смотрел, как я ем, непрерывно говорил, и лишь временами, когда у него во рту возникал просвет меж двумя словами, совал туда кусочек яичницы, которую приготовил для себя.

Я боялся, что он будет говорить о матери, потому что многие из деревенских словно бы ощущали потребность рассказывать или расспрашивать меня о ней, но Яков говорил о своем детстве на Украине, о котором я уже немного слышал, о своей любви к птицам, о тамошней реке, где девушки стирали белье, а парни посылали к ним маленькие бумажные лодочки со словами любви, упрятанными в их складках.

— Кораблик любви, — говорил он.

Река называлась Кодыма, и это название показалось мне смешным, потому что напоминало крики Деревенского Папиша: «*Кадима! Кадима!*»[1] — которыми он подбадривал наших ребят на соревнованиях с командой соседней деревни. Я прыснул, и Яков тоже улыбнулся.

— Я тогда был маленький, даже меньше, чем ты, Зейде, и наша речка Кодыма была для меня как большое море. Ведь у детей глаза, они совсем как увеличительное стекло. Я это однажды услышал от Бялика[2]. Он приезжал к нам сюда с лекцией и сказал так: «Горы Альпы в Швейцарии — действительно высокие горы, но не такие высокие, как та куча мусора, что была во дворе моего дедушки в деревне, когда мне было пять лет». Он сказал все это на красивом иврите, не таком, как у меня, Зейде, но у меня нет бяликовских слов, и я не могу говорить так, как он.

Большие клены росли на берегах той Кодымы. В тени ветвей копошились утки с блестяще-зелеными головами. В камышовых зарослях шелестел ветер, и крестьяне говорили, что он повторяет тоскливый шепот утопленников.

---

[1] Вперед! Вперед! *(ивр.)*
[2] Бялик Хаим Нахман (1873—1934) — выдающийся еврейский поэт.

На изломе реки нависла над водой могучая черная сланцевая скала, и плакучая ива склонялась над ней. Тут стояли на коленях девушки, полоща в воде белье, — ноги их упирались в темный камень, руки багровели от ледяной воды, а из носа капало от холода. Яков прятался на берегу, за цветущими ветвями, чтобы подглядывать за ними. Мал он был тогда, и с того речного излома, за которым прятался, да еще из-за движения воды, девушки казались ему плывущими по золотисто-зеленоватому морскому простору, которому нет ни конца, ни края.

Пара за парой отрывались от неба аисты, спускаясь на свои насиженные трубы и гнезда. Шеи свои они отклоняли назад и забавно подпрыгивали в пируэтах обхаживаний и заверений, словно бы показывая друг другу, что вот еще год кончился, а их любовь нескончаема. Они стучали красными клювами, преподносили друг другу весенние дары, и их ноги розовели от страсти.

— Потому что любовь — это одна и та же любовь, что у этих уродов-аистов, что у моих красавиц-канареек.

Весенний ветер играл девичьими платьями, то присобирая, то взметая их на бедрах, и солнечные лучи вычерчивали голубоватый рисунок вен на тыльной стороне рук, выжимавших мокрое белье. Свет, прозрачный и хрупкий, как фарфор, рисовал картину, которую Яков много позже, с неожиданной для него высокопарностью, назовет «Вечной картиной любви».

— Мальчик, который смотрит на красивых женщин, ищет совсем не того, чего ищет взрослый человек, — объяснял он мне. — Ты ведь и сам еще мальчик, Зейде, но скоро ты станешь парнем, и тебе лучше знать все эти вещи. Мальчик ищет не *«цицес»* и *«попкес»*, ему нужно намного больше. Не красоту той или этой женщины он ищет, а красоту всего мира сразу, это ему нужно. Все звезды с неба он хочет сорвать, всю землю, и всю жизнь, и все большое море он хочет обнять сразу. А женщина — она не всегда может дать все эти вещи. Когда-то у меня был в доме работник, и я рассказал ему то, что тебе сейчас. Так он мне ответил: «Во всем мире есть, может быть, всего шесть женщин, которые могут дать человеку все это, Шейнфельд. Но дети этого еще не знают, а взрослым это уже не попадается». Помнишь того моего толстого работника?

Громкие любовные постукивания аистов доносились сверху, словно точки и запятые, которыми какой-то невидимый грамотей разделял взрывы хохота стирающих девушек. Выше по реке собирались холостые парни, чтобы спускать на воду любовные кораблики. Каждый из них писал на бумаге что-то свое, а потом каждый складывал из этой бумаги свою лодочку.

— Вот, Зейде, вот так они складывали. — Яков вынул из ящика лист желтоватой бумаги. — Вот так, и так, а потом вот так, теперь переворачиваем и открываем — тут и тут, и опять вот так, потом разглаживаем ногтем, и пожалуйста — готовый кораблик, — и он протянул мне бумажную лодочку, красивую и гладкую, — из тех, что отцы складывают для своих маленьких сыновей.

Иногда кораблик нес на себе целое письмо, а иногда — только изображение пронзенного сердца, истекающего кровью соловья или неуклюжие символы желаний — дом, дерево, корова, младенец.

Парни спускали свои бумажные кораблики на воду, и течение уносило их вниз. Примерно двести шагов отделяли их от девушек, и многие кораблики успевали хлебнуть воды и развалиться, другие переворачивались и тонули или утыкались в берег и застревали в камышах. Те немногие, что доплывали до цели, тотчас попадали в руки девушек, каждой из которых так хотелось заполучить такой кораблик, что они готовы были выцарапать друг дружке глаза.

— Кораблик любви, — снова пояснил Яков.

Никто из парней не подписывал письма, потому что все знали, что судьба, которая спасла жалкий бумажный кораблик от гнева речной стихии, и привела к суженой, и дала ей силу выхватить его из рук подруги, — эта судьба сама позаботится сообщить ей, кто тот писавший, что ей предназначен.

Воспоминания разгладили высохшие борозды разочарования на его лице. Его подбородок затрясся.

Только по прошествии лет я понял, что так он пытался проверить меня, объяснить мне, уговорить и, может быть, извиниться за тот грех, которого не совершал, и за ту вину, которая лежала не на нем, а на мне, чего он не знал.

— Может быть, выпьешь со мной капельку, а, Зейде?

Он тоже говорил «капельку», как говорили мама, и Глоберман Сойхер, и Моше Рабинович.

— Моше будет сердиться, — сказал я. — Мне всего двенадцать лет.

— Во-первых, я тоже твой отец, Зейде, не только Рабинович. А во-вторых, мы можем ему ничего не говорить.

Он достал из кухонного шкафчика две бокала. Они были такими тонкими и прозрачными, что я различил их скругленную форму лишь после того, как он налил в них коньяк. Даже сегодня, когда они уже мои и стоят в моем шкафчике, я страшусь брать их в руки.

Я отпил немного и закашлялся. Меня передернуло, и странное тепло разлилось по моим костям.

— Ну как, хорошо?

— Печет ужасно, — простонал я.

— Твоя мама очень любила выпить, — сказал Яков. — Она пила крепкий ликер, из гранатов, и коньяк тоже, но даже больше, чем коньяк, она любила граппу. Это такой напиток, у итальянцев. Глоберман иногда приносил ей бутылку, а раз в неделю они сидели и выпивали, и он клал ей в рот маленькие шоколадки. Больше половины бутылки они могли прикончить, а потом вставали и шли на работу как ни в чем не бывало. Чтоб я так был здоров. Полбутылки посреди дня — это не так чтобы очень много, но это и совсем не мало. Вначале она его ненавидела, как смерть, этого Сойхера, торгаша этого, она ему глаза готова была выцарапать, если встречала на улице или в поле, но из-за этой граппы они сделались друзья на один день в неделю. Чтоб ты знал, Зейде, не так уж много нужно, чтобы сделаться друзьями. И чтобы ненавидеть, тоже хватает совсем маленьких причин, и даже чтобы любить.

Его голос дрогнул:

— Тут в деревне все спрашивали, почему я в нее влюбился, и за спиной спрашивали, и в лицо тоже. Почему ты влюбился в Юдит нашего Рабиновича, Шейнфельд? Как ты мог позволить своей Ривке уйти, Шейнфельд?

Он сказал это, как будто повторял чей-то вопрос, хотя я его ни о чем не спрашивал — ни вслух, ни про себя.

— Это как раз то, что я тебе только что сказал, Зейде. Чтобы любить женщину, не нужно каких-то особенных причин, и сила любви — она тоже никогда не связана с размером причины. Иногда достаточно одного слова, а иногда — только линии талии, которая словно стебель мака. А иногда достаточно увидеть, как выглядят ее губы, когда она говорит «восемь» или «три». Смотри, когда ты говоришь «восемь», твои губы складываются как будто для поцелуя, и тогда немного видно, как они касаются друг друга, чтобы сказать «в». А потом они чуточку открываются... вот так... и получается «во-семь», видишь? А для «три» язык должен сначала упереться в зубы, чтобы сказать «т», а потом рот немного открывается еще и язык переходит чуть выше, и выходит «р», а за ним все остальное.

И он посмотрел на меня так, словно хотел увидеть, понял ли я, что он имеет в виду.

— Чтобы понять это, я часами стоял против зеркала. Стоял и выговаривал все эти цифры, медленно-медленно, и смотрел, как выглядит каждая цифра во рту, а один раз я даже спросил ее: скажи мне, Юдит, сколько будет «три» и «четыре», — только чтобы увидеть, как ее губы выговорят «семь», но она, наверно, подумала, что я сумасшедший. А иногда, чтобы ты знал, Зейде, только брови, одни только брови женщины могут привязать мужчину на целую жизнь.

Он налил мне еще чуточку коньяку, закрыл бутылку и вернул ее в шкаф.

— Больше ты сегодня не получишь, Зейде. Это только чтобы сейчас попробовать и когда-нибудь вспомнить. Я оставлю эту бутылку для тебя, пусть стоит себе здесь и ждет вместе со мной до следующей нашей трапезы. Коньяку полезно ждать, а бокалы, и посуду, и все, что здесь есть, ты еще когда-нибудь получишь от меня после моей смерти. А пока продолжай себе расти, и играть, и бегать за воронами, а мы втроем, я, и Раби-нович, и Глоберман, мы втроем постараемся, чтобы у тебя было хорошее детство, потому что у ребенка — что у него есть, кроме детства? Силы у него нет, и ума у него нет, и женщины у него нет. Только любовь у него есть, чтобы ломать ему тело и поломать ему жизнь.

7

Яков сполоснул оба бокала, осторожно протер и про-верил их прозрачность на свет.

— У меня тоже всегда была слабость к птицам, — сказал он, — и моя мать тоже умерла, когда я был еще ребенком, но у меня, Зейде, у меня не было детства. Мой отец женился на другой женщине, и она сразу от-правила меня к своему брату, моему неродному дяде. У него была мастерская в большом городе, далеко-да-леко от нашего дома и деревни. Она сказала: пусть луч-ше выучится на кого-нибудь, чем крутится на речке возле этих прачек. У этого ее брата в мастерской как раб я работал, с утра до ночи. Его дети учились себе в школе и носили красивые костюмчики с гимназиче-скими пуговицами, а я с трудом научился писать и чи-тать, и иврит у меня ломаный до сегодняшнего дня, та-кой ломаный, что я стесняюсь выступать на деревен-ских собраниях. А если разок и вставлю какое-нибудь красивое слово, чтобы украсить свою речь, так все сра-зу начинают смеяться. Как-то я сказал «ваш покорный слуга» вместо просто «я», так Деревенский Папиш сказал мне при всех: «Твой покорный слуга, Шейнфельд, вместе со всем остальным твоим ивритом — как жемчужина в куче навоза». От него самого воняет гусиным *«квечем»*, выжимкой этой от его гусей, а на меня он говорит «навоз»! Когда он проходил здесь, бывало, с той тачкой, в которой возил своим гусям бочки с отбросами из лагеря для пленных итальянцев, так птицы от вони падали с неба мертвые, а на меня он говорит «навоз»! У меня, когда я был мальчиком, птицы были мое единственное утешение. Потому что для чего еще созданы птицы, если не для утешения людей? Что, еврейскому Богу нужно, чтобы животные летали в небе? Мало им места на земле? Там, у этого моего дяди, во дворе были несчастные воробьи, утром они были такие замерзшие, совсем как я. Такие маленькие серые шарики, и все перья у них торчали от холода. У них тоже были такие маленькие черные ермолки сверху на голове, и тоже ни капли ума внутри. Недаром же говорят, что у дурака птичьи мозги, но если кто может летать, так зачем ему ум? Эти воробьи — мы себе думаем, что они такие серые-серые, но когда муж-воробей кормит птенцов, мадам-воробей прямо на его глазах уже крутит с новым кавалером. Ты знал об этом, Зейде? Так я брал хлеб, кусок хлеба они мне давали, и держал во рту, вот так, и ложился с ним на землю во дворе, на спину, — вот так, Зейде, смотри, как я ложился, — и эти воробьи подходили и стояли у меня вот здесь, на лбу и на подбородке, и клевали хлеб прямо с моих губ. Дай мне руку, Зейде, помоги своему отцу подняться с пола.

А один раз соседский мальчик поймал в ловушку зяблика и сказал, что выколет ему глаза иголкой, чтобы зяблик не переставал петь. Ты знал об этом, Зейде? Ты знал, что певчая птица, когда ты выкалываешь ей глаза, она поет и поет, не переставая, пока умирает без капли сил? Тогда я украл у дяди копейку, чтобы выкупить эту птицу, и он меня поймал, мой дядя, и прямо срывал с меня куски, так он меня бил: «Шмендрик! Ты хочешь, чтобы мы все умерли с голода?!» — он мне кричал, и тогда я убежал на речку и два дня не приходил обратно. Вместо еды я ел растения, воду пил с реки, сидел себе и делал бумажные кораблики, и писал на них: *Tate, тате, кум аэр ун нэм мир аэйм!* Ты можешь это понять, Зейде? Из-за этого твоего имени я совсем забываю, что ты не знаешь идиш. «Папочка, папочка, приди сюда и забери меня домой!» — вот что я там писал. И пускал кораблик за корабликом по воде, пока дядя нашел меня, и потащил меня за руку обратно в свою мастерскую, и снова бил меня до смерти затрещинами: «Будешь знать, как писать про меня такие вещи!» — кричал он на меня. А сыновей своих он послал выловить мои кораблики, потому что он тоже знал, как далеко они могут заплыть. Что тебе сказать, Зейде? Ребенка можно побить и можно наказать, но его дух ты не сломаешь и мечту ты в нем не убьешь. Чтобы рассказать тебе все, что со мной было у этого бандита, моего дяди, человек должен быть как сам Достоевский. Но одну вещь я тебе все-таки скажу, Зейде, чтобы ты знал: с птицами я не расстался. Я рос с ними. И у меня всегда была птица, чтобы пела для меня. Это только нужно для себя решить, и все. Я просто решил, что каждая птица, которая летает в воздухе, это она для меня машет крыльями, и каждая птица, которая поет на дереве, она поет для меня. Дядины дети уже были гимназисты, а я — я был только помощник жестянщика, маленький мальчик с ожогами от горячего олова, кожа на руках белая и серая, как у мертвеца, и кашель от карбида и угольной пыли, и через окно этот мальчик видел, как они шли в своих гимназических костюмчиках с пуговицами. Но птицы, Зейде, — они пели для этого мальчика. Через окно я видел их и говорил: как ты мог сделать такое, Господи, — птицу, которая поет и летает, и почему ты не сделал меня таким же? Вот он я перед тобой, Господи, вот он я, объясни мне?

— Вот он я перед тобой, вот он я, объясни мне, — повторил Яков, как будто смакуя вкус этих слов вместе с яичницей, а потом произнес их снова, но уже на идиш, с трогающей сердце слезной интонацией и с теми же идишистскими ударениями на первых слогах, как произносила слова моя мама.

8

— И вот так я им всем завидовал, и вот так я хотел для себя. Ой, как я завидовал! Этим детям из-за их костюмчиков, и птицам — из-за их крыльев, и воде нашей Кодымы, что девушки окунают в нее свои руки, и даже той черной скале я завидовал, что ее касались их колени. И даже сегодня — отнять у кого-нибудь я не отниму и украсть не украду, но хотеть, Зейде, я хочу и завидовать я завидую. Потому что хотеть что-нибудь и со всей силы чего-нибудь желать, Зейде, — это такие две птицы, которых никто не может поймать и никто не может отрезать им крылья. На черной скале они стирали, и ветер заглядывал им под платья, а парни приходили, и стояли с ногами в воде, и пускали им бумажные лодочки со словами любви. Когда ты вырастешь и тоже станешь парнем, Зейде, ты поймешь: можно бегать за девушкой, можно посылать ей всякие маленькие подарки, можно петь ей ночью песни, как итальянцы с гитарой, можно послать ей бумажный кораблик по воде, а лучше всего, наверно, сделать это все вместе, потому что ты никогда не знаешь, что она на самом деле любит. Вот сын нашего мельника увидел как-то коляску на дороге, которая шла вдоль той Кодымы. Он как раз стоял возле большого мельничного колеса, и два зеленых глаза посмотрели на него из той коляски таким взглядом, что даже ты, в твоем возрасте, Зейде, понял бы этот взгляд. И вот он сидел целый день и думал, что ему сказали эти глаза, пока под конец совсем сошел с ума и начал бегать за каждой коляской и каждым фургоном, что проезжали по улице, и однажды побежал так за коляской, в которой сидела любовница казачьего офицера. Это была такая еврейка, которая ездила за своим офицером всюду, куда его отправляли вместе с его эскадроном. У нее был фургон с лошадьми и в нем всякие люксусы, которые нужны для любви, все это было у нее там, кровать с бархатной занавеской, и постель из шелка, который делает мужчину сильным на целую ночь. Может, ты еще не в том возрасте, когда можно уже слушать такие истории, а, Зейде? И всякие колбасы, и продукты, и бутылки у нее там тоже были, потому что любовь вызывает большой аппетит, и каждая вещь лежала на своем месте в своем ящике, потому что женщина, которая очень-очень любит, становится очень-очень аккуратной, точно наоборот, чем мужчина, у которого вместе с любовью тут же начинается балаган. И у нее были красивые брови, такие брови, что ради них понимающие мужчины могут даже убить. Женщине, чтобы удержать мужчину, ей не нужно, чтоб у нее было больше чего-то одного очень красивого. Мы, мужчины, должны стоять, как скотина на рынке, и показывать все, что у нас есть внутри и снаружи, но женщины — это другое дело. Можно любить всю женщину, целиком, в течение всей жизни, за что-то одно, даже очень маленькое, но очень красивое, что у нее есть. Только запомни — женщины не знают об этом, и нельзя им про это рассказывать ни в коем случае. Я уже говорил тебе такое раньше, да, Зейде? Уже говорил? Ну, все равно. Это не страшно. Есть вещи, которые можно сказать и дважды. Первый раз ты говоришь, когда только подумал о чем-то, а второй раз, когда понял тоже. А если ты думал, что еврейский Бог как-то старается ради нашей любви, так ты представь себе такую картину: идет эскадрон казаков, скачут кони, шум, пыль, топот, и за тем эскадроном фургон, и в нем еврейка со своим офицером в их шелковой постели. А этот глупый сын мельника, который из-за тех зеленых глаз бегал за каждой коляской и фургоном, бежит и за этим ее фургоном, ну, а тот казачий офицер долго не думал, и, ты меня извини, Зейде, даже не вынув свой *шванц*[1] из своей еврейки, он оперся — вот так, на одну руку, — а вторую руку с саблей высунул из окна фургона и прямо, не отрываясь от своего дела, одним ударом расколол ему голову, как арбуз, так что мозг выплеснулся на землю вместе со всей его любовью, и с его вопросами, и со всем, что там у него было. Потому что любовь, как

---

[1] Шванц — сленговое название мужского полового члена.

я тебе уже сказал, Зейде, она в уме, в голове она, а не в сердце, как в твоем возрасте еще думают и ищут ее там. Ну, а теперь ешь, *майн кинд*, ешь, моя сирота. Жаль, что твоя мать не здесь и не может нас увидеть — отец и мальчик радуются и кушают вместе. Извини, если я, может быть, перебил тебе аппетит такой *майсой*[1]. Эс, *майн кинд*, ешь!

И я ел.

9

Моше Рабинович, тот из моих отцов, который дал мне свою фамилию и завещал свое хозяйство, родился в маленьком городе неподалеку от Одессы. Он был последним ребенком в семье, младшим из семи сыновей.

Его мать, потеряв надежду родить дочь, наряжала своего меньшенького как девочку, отращивала ему длинные волосы, заплетала их в золотистую косу и вплетала в нее синие ленты, и Моше не противился этому.

Он рос в кухне, в окружении женщин и запахов, и годы, проведенные за шитьем и вязаньем, под разговоры служанок и кухарок и в играх с кружевными куклами, превратили его в крупную молчаливую девочку, которая чудесно вышивала гладью и знала, что ей суждено разочаровать свою мать.

И действительно, уже в одиннадцать лет эта Моше, засучив рукава своего кружевного платья, швыряла старшего брата на пол и дубасила его, когда он пытался дергать ее за косу и дразнил *«мейделе»*, то бишь девчон-

---

[1] История, рассказ *(идиш)*.

ка. А когда этой *мейделе* исполнилось двенадцать, то есть к тому времени, когда у других девочек уже начинают подниматься груди, ее грудная клетка вырастила на себе одни только курчавые побеги. Светлый мужской пушок зазолотился на ее щеках, кадык выдался вперед, голос огрубел, а скрытая мужественность была уже всем очевидна.

Вначале мать сильно обиделась на дочь за ее предательство, но однажды утром, увидев, как та уставилась на задницу служанки, наклонившейся над колодцем, поняла, что в этой обиде так же мало логики, как мало было смысла в ее прежних надеждах. В ночь перед *бат-мицвой* она прокралась к спящей дочери и отрезала великолепие ее косы. Она положила возле кровати мальчиковый костюм, а одному из возчиков велела научить Моше мочиться стоя.

В ту ночь Моше увидел сон, который никогда не снится девочкам, а наутро проснулся раньше обычного из-за холодка, который ощутил на затылке. Он потрогал там рукой, и неопровержимое прикосновение обрубка косы наполнило его ужасом. Оттуда рука его пространствовала ниже и пощупала между ногами, и запах, который приклеился к кончикам его пальцев, был таким чужим и пугающим, что он спрыгнул с кровати как был, голышом. И поскольку вместо снятого накануне вечером платья он обнаружил у постели лишь новехонькие брюки какого-то чужого мальчика, то прикрыл свое мужское естество двумя руками и с голым задом бросился к матери.

Но у входа в кухню была поставлена здоровенная служанка, которая угрожающе поигрывала черной сковородой, и голый мальчик был отброшен, метнулся снова, получил затрещину, упал, поднялся и, приняв приговор, отступил. И, как это свойственно низкорослым и широкоплечим мужчинам, его плач со временем сменился рычанием, а тоска превратилась в силу. Украденную косу ему не вернули, новую он уже не вырастил, и на кухню своего детства больше не возвращался, разве лишь во снах.

На той же неделе в дом был приглашен учитель, чтобы научить Моше молитвам, чтению и всему прочему, чего, будучи девочкой, он не должен был знать. Большим знатоком священных книг он не стал, но спустя несколько лет, когда умер его отец, был уже достаточно опытным и знающим парнем, чтобы участвовать в семейных делах.

Только две особенности остались у него с девичьих дней: он не благословлял Господа за то, что Тот не сделал его женщиной[1], и не забыл золотистую косу своего детства. Иногда, незаметно для себя самого, он подымал руку к макушке и проводил ладонью по затылку, проверяя там с той же надеждой и желанием, с какими проверяет по сей день.

А порой он начинал в нетерпении искать утраченное и тогда принимался лихорадочно обшаривать погреба и чердаки, кладовые с продуктами и сундуки с постельным бельем — совсем как он это делает и сегодня.

Но украденную у него великолепную золотистую косу он так и не нашел.

Однажды, однако, Моше прибыл по делам в Одессу, на рынок, где торговали зерном. И там, возле одного из

---

[1] Молитва, которую должен каждый день произносить правоверный еврей-мужчина.

греческих ресторанов на портовой улице, он увидел
еврейскую девушку, которая была так похожа на него
своим видом и движениями, как будто явилась прямиком из давних надежд его матери.

Моше понял, что видит свое женское отражение, ту
прославленную женскую половину, что заключена в
теле каждого мужчины и о которой все мечтают и тол-
куют, но увидеть удостаиваются лишь немногие, а по-
трогать — считанные единицы.

Целый день он ходил за ней следом, гладил в воображении заплетенное золото ее волос и вдыхал воздух,
сквозь который прошло ее тело, а потом она заметила
его, улыбнулась ему и села с ним на скамейку в общест-
венном парке. Ее звали Тоня. Моше лущил для нее жа-
реные тыквенные семечки, вытащил перочинный нож,
чтобы нарезать ей астраханские яблоки, которые купил для них обоих, и разделил с ней кусок твердого
сыра, который мать дала ему с собой в дорогу.

— Ты сестра мне, — сказал он ей с волнением, которое не вязалось с грубой тяжеловесностью его тела. —
Ты моя сестра, которой у меня никогда не было.

Стояло лето. В жарком воздухе плыли ароматы
рынка. В порту кричали чайки и пароходы. Тонино лицо сверкало от любви, от солнца и от радости.

Моше сказал, что хочет привезти ее в подарок своей матери, и Тоня засмеялась и сказала, что приедет.

Неделю спустя Моше вернулся в Одессу с двумя
старшими братьями и забрал Тоню, в сопровождении
двух ее старших братьев, в материнский дом.

Когда мать увидела Тоню, у нее перехватило дыхание. Она назвала ее «доченькой», и шесть облачков
тотчас омрачили лица шести ее предыдущих невесток,

ни одна из которых не заслужила у нее такого обращения.

Вдова смеялась, потом плакала, а потом сказала, что теперь сможет наконец спокойно присоединиться к своему умершему супругу.

И действительно, через семь дней после свадьбы она попрощалась со своими сыновьями и невестками и умерла, как это было принято в семействе Рабиновичей: на кровати, вынесенной во двор и поставленной там под липой. Свой капитал и свое имущество она разделила по чести и справедливости между всеми сыновьями, драгоценности — между невестками, а Тоне завещала вдобавок запертую деревянную шкатулку, оклеенную мелкими морскими ракушками.

Моше, догадавшись, что находится в шкатулке, весь задрожал, но не осмелился произнести ни слова.

На тридцатый день после смерти свекрови Тоня ушла в угол и там, оставшись одна, открыла шкатулку. Прелесть детских мужниных прядей ослепила ее глаза и наполнила их слезами. Такими шелковистыми и переливчатыми были они, что ей на миг показалось, будто коса эта сама собой движется и ползет по ее рукам.

Тоня испугалась и захлопнула шкатулку, но когда дыхание вернулось к ней, снова осторожно открыла.

«Спрячь от него эту косу, — гласила свернутая записка, плывшая на сияющих волнах золотистых волос, — и отдай ему только в случае крайней нужды».

Вместе с годом траура кончилась также Первая мировая война, и в гости к Рабиновичам приехал Менахем, самый старший брат Моше, со своей женой Батшевой. Менахем еще до войны уехал в Страну Израиля, долго работал там в поселениях Иудеи и Галилеи и в конце концов осел в Изреэльской долине.

Его рассказы и песни вызвали большое волнение, а огромные сладкие рожки кипрской породы, которые он привез в своем ранце, были такими мясистыми, что капали медом на пол и побудили Тоню с Моше последовать за братом.

Они приехали в Страну Израиля и купили себе дом и участок в поселении Кфар-Давид, неподалеку от деревни Менахема. Гигантский эвкалипт высился во дворе их дома, и Моше хотел было сразу его срубить. Но Тоня, в первой и единственной ссоре, возникшей между ними, прижалась всем телом к стволу, кричала и била по нему кулачками, пока не заставила мужнин топор снова опуститься.

В Кфар-Давиде тоже были поражены сходством между мужем и женой. Все говорили, что их будто одна мать родила. Оба невысокие, круглолицые, с широкими затылками, сильные и прожорливые, как два медвежонка. Только по ранней лысине Моше да по Тониным грудям и можно было их различить.

Эта пара, добавляли соседи, никогда не уставала, даже от того, от чего обычно устают все другие, — ни от непрестанной работы, ни от обманутых ожиданий, ни от совместной жизни. Моше, сразу же заслуживший в деревне прозвище Бык, по силе и трудолюбию мог один заменить трех мужчин, а Тоня стала разводить кур, вырастила, привив к апельсинам, душистые деревца помелы, которая в те дни еще не была так широко известна в Стране, и посадила во дворе два гранатовых дерева разных сортов — кисловатого и сладкого. Моше соорудил во дворе печь для выпечки хлеба, и Тоня топила ее вместо дров кукурузными кочерыжками и корой, слущенной со ствола гигантского эвкалипта.

Под хорошее настроение соседи, бывало, называли их «моя Тонечка» и «мой Моше», потому что так Рабиновичи называли друг друга сами. Со временем у них родились сын и дочь — сначала мальчик Одед, а за ним девочка Номи. И в тот дождливый день, зимой тысяча девятьсот тридцатого года, когда Моше и Тоня отправились на телеге в апельсиновую рощу, что за вади, Одеду было шесть лет, а Номи четыре, и они не могли знать, что еще до восхода солнца станут сиротами и мир перед их глазами померкнет.

10

Некоторые люди утверждают, будто цель всякого рассказа — упорядочить действительность. Упорядочить ее не только во времени, но также организовать по важности событий. Однако другие полагают, что всякий рассказ рождается на свет лишь для того, чтобы ответить на наши вопросы.

Учитель в школе как-то сказал нам, что история Адама и Евы в раю объясняет, почему мы ненавидим змей. Я тогда подумал: зачем придумывать такую сложную историю и такие серьезные вещи, как сотворение мира, древо познания, человек, и бог, и змий, и все это только для того, чтобы объяснить такую маленькую и простую вещь, как ненависть к змеям?

Так или иначе, мой рассказ — не история райского сада, а нечто куда меньше и правдивей. И мое древо познания, что было когда-то таким большим, и шумным, и шелестящим, уже срублено, его не существует. Животные моего сада — коровы, а его птицы — вороны и канарейки, и единственная змея, которая в нем появляется, — это та гадюка, которая укусила Симху Якоби во время большого деревенского пожара, и сейчас я намерен рассказать о ней. Укус той змеи тоже имел весьма дурные последствия, но в нем не было злонамеренности и козней ее райского предка.

— Тот пожар у Якоби был началом моей любви, — говорил мне Яков Шейнфельд, пересчитывая на пальцах главные события своей жизни. — Потому что для всего, Зейде, нужна точка, где все начинается, и у любви тоже есть такая начальная точка. К примеру, Зейде, когда ты вырастешь, и устроишь свадьбу, и захочешь подарить своей невесте свадебное платье, ты сможешь пойти в магазин и купить там платье для нее, но ты можешь также сшить ей это платье собственными руками. Ты можешь посадить тутовое дерево, и вырастить на нем шелковичных червей, и сам вытащить из них шелковые нити, и сам сплести материю, и сам покрасить ее, и сам скроить, и сам сшить. И тогда ты сам будешь решать, откуда все начинается. Ты понимаешь, Зейде?

Я не понял. Но Яков, увидев заинтересованную улыбку, которая расползлась по моему лицу, наклонился ко мне и спросил снова:

— Тебе вкусно?

Я посмотрел на него. Глаза Якова улыбались, но уголки его губ испуганно дрожали в ожидании моего ответа.

Мал я был, сын трех живых отцов и одной умершей матери. Талмудический сын-молчун, живот которого был полон вкусных вещей, а в голове не было никаких ответов. Я смотрел на Якова, улыбался ему, но свою давнюю вину перед ним по-прежнему скрывал в шкатулке своего сердца.

11

Симха и Иона Якоби пришли в деревню и покинули ее много-много лет тому назад.

Симха приехал в страну из города Сен-Луиса, что в Америке. Там он был слесарь и холостяк, а здесь женился и стал разводить птицу. В жены он взял девушку из Галилеи по имени Иона. Кстати, выражение это — «девушка из Галилеи» — произвело на меня в детстве сильное впечатление, и я по сей день ощущаю особое волнение, если на моем пути встречается девушка из Галилеи, будь то в рассказах или в жизни.

Вскоре выяснилось, что имена «Симха» и «Иона» путают деревенских, потому что оба этих имени могут принадлежать и мужчине, и женщине, и случалось, что его звали именем жены, а ее именем мужа, так что вполне возможно, что и я здесь ошибся, и это Симха была девушка из Галилеи, а Иона — слесарь из Сен-Луиса.

Когда эти ошибки стали повторяться, решено было называть их по фамилии, а для точности Симху назвали «Якоби», а Иону — «Якуба». А может быть, и наоборот, не могу поручиться. Так или иначе, в тот большой пожар гадюка укусила именно Якоби, но настоящее свое дело, — которое касалось Якова Шейнфельда, — пожар и змея совершили через много лет после того, как первый был погашен, а вторая сбежала.

Большой птичник семейства Якоби был гордостью деревни и одной из достопримечательностей, которые показывали гостям. В те времена в большинстве еврейских дворов еще бегали хлопотливые арабские пеструшки. Они дважды в неделю клали мелкие яички и день-деньской рылись в мусорных кучах. Но белые американские несушки Якоби и Якубы уже тогда сидели в роскошных деревянных клетках, неслись на деревянные наклонные сетки, с которых яйца скатывались сами собой в силу хитроумного уклона, и к их услугам уже тогда были жестяные поилки, искусно подвешенные кормушки и передвижные клетки для цыплят.

Однако беде, по ее обыкновению, было в высшей степени наплевать на все это, и она набросилась на свою добычу неожиданно. Однажды ночью из птичника Якоби послышалось испуганное кудахтанье. Якоби зажег керосиновую лампу и поспешил из дома. Вбежав в птичник, он наступил на гадюку, вспугнувшую кур, и та немедленно укусила его в пятку.

Был весенний сезон, когда гадюки переполнены ядом и злобой, накопленными за долгие зимние месяцы. Якоби упал навзничь, лампа выпала и разбилась, керосин вытек, и птичник вспыхнул. Перья и решетки воспламенились, кудахтанье и дым взметнулись к небу, а змея, по своему змеиному обыкновению, тут же незаметно исчезла.

— Сделала свое дело и ушла, — объяснил потом Яков. — А чего ей еще было там искать?!

Соседи прибежали на помощь, но в возникшей суматохе никто не мог понять, что произошло. Вместо того чтобы спасать Якоби, все пытались сбить языки пламени и спасти несушек.

Только когда все было кончено, Якуба нашла мужа, лежавшего среди головешек и обгоревших птичьих трупиков. Каким-то чудом огонь лизнул только его руку и бедро, но дым вошел ему в легкие, а змеиный яд чуть не убил.

Могучее здоровье, крепость и везенье спасли Якоби от смерти. Но вылечиться он уже не вылечился. Он потерял силу и живость, отказывался работать и целый день напевал детскую песенку, монотонные звуки которой раздражали всю деревню.

Якуба, работящая и настойчивая, пыталась сама поддерживать хозяйство, но пырей и терновник завладели садом, двор превратился в мусорную свалку, все их четыре коровы перестали доиться и были одна за другой проданы Глоберману, а ужаленный Якоби боялся отойти от своей жены.

Змеиный яд продолжал бурлить в его сосудах. Он целыми днями ходил следом за женой, напевал ей свою глупую песенку и домогался ее внимания с докучливой и похотливой настойчивостью четырехлеток, ухаживающих за любимой воспитательницей.

Якуба промучилась два года, а потом заколотила дом и пошла себе через поля прочь из деревни, ни разу не оглянувшись назад. Якоби ковылял за ней, похныкивая свою песенку и время от времени пытаясь задрать ей платье. Так они дошли до главной дороги, пересекли ее и растворились среди деревьев на северных холмах. Больше их не видели в деревне никогда.

Многие месяцы дом Якоби стоял пустой, в ожидании новых хозяев, и никто не знал почему.

Кусты роз одичали и превратились в заросли стелющихся колючек. Их цветы измельчали и издавали дурной запах, а сорокопуты развесили по этим колючкам трупики ящериц и мышей.

Побеги страстоцвета расползлись по полу веранды, забили водостоки и под конец выбили окна и заполнили комнаты.

Пырей и дикая акация буйно цвели во дворе, как во всяком заброшенном месте, и постепенно скрыли остатки сгоревшего птичника. Живая изгородь напоминала непролазную чащу, где шипели ужи и куда коты волокли свою добычу.

Стаи маленьких убийц — ящерицы гекко и пауки, богомолы и хамелеоны — подстерегали добычу в одичавшем кустарнике. Листва кустов непрестанно шевелилась и дрожала, и не раз, когда туда залетал случайный детский мяч и кто-то из детей протягивал руку, чтобы вытащить его, он тут же ощущал короткий укус или жжение острого жала, а порой и то и другое сразу.

Кое-кто уже предлагал сжечь весь этот двор вместе со всеми его дикими насельниками, но однажды, в теплые летние сумерки, с дороги, ведущей к деревне, послышался и стал приближаться далекий и странный звук громкого птичьего пения.

Люди и животные остановились, прервав работу, подняли усталые головы и навострили уши, удивленно прислушиваясь.

А меж тем звук этот, незнакомый, влекущий, необычный и сладостный, все приближался, усиливался и нарастал.

Затем к нему прибавился скрежет перетруженных пружин, постукивание поршней и старческое пыхтение мотора, уже потерявшего ту способность компрессии, которой он обладал в дни своей далекой юности. Из клубов пыли внезапно появился разбитый зеленый пикап, качающийся на рессорах, точно большой корабль, медленно выплывающий из полей.

На водительском месте сидел толстый человек лет сорока, с белыми, как снег, волосами и с такой розовой и нежной кожей, какая бывает у новорожденных мышат, вывернутых из земли равнодушным плугом. Человек был закупорен в поношенный черный костюм и защищен черными, как смерть, солнечными очками. На локтях сверкали древние замшевые заплаты, а в кузове пикапа болтались большие деревянные клетки с канарейками. Птицы пели все разом, с огромным воодушевлением, точно дети во время своей ежегодной загородной экскурсии.

Яков положил мне руку на плечо и сказал:

— Судьба, Зейде, никогда не преподносит сюрпризы. Она себе делает приготовления, расставляет приметы, и еще она высылает вперед своих шпионов. Но очень мало у кого есть глаза, чтобы увидеть все эти знаки, и уши, чтобы их услышать, и мозги, чтобы их понять.

Странный незнакомец ехал прямо к покинутому дому, как человек, который заранее знает, куда направляется. Приблизившись вплотную к забору, он остановился, накрыл голову широкой соломенной шляпой и лишь после этого вышел из пикапа. И тут шевеление и дрожь, непрестанно пробегавшие по зарослям живого забора, внезапно прекратились.

Гость на миг сдвинул солнечные очки, обнаружив два розовых глаза истинного альбиноса, занавешенные бахромой пшеничных, часто моргающих ресниц, и тут же вернул очки на их место. Низенький человечек с двойным подбородком и располагающей улыбкой, но тем не менее вызывающий какой-то непонятный страх.

Альбинос вытащил из кузова клетку, потом еще одну и исчез со своими птицами внутри дома. И не умолк еще звук закрываемой двери, как испуганные полчища сороконожек, тарантулов и маленьких, рассерженно шипящих гадюк, будто по команде, потянулись со двора, исчезая в полях.

— Потому что животные, — сказал Яков, — чувствуют лучше, чем люди. Я тебе как-нибудь расскажу про корову твоей мамы, и как она чувствовала наперед.

Только после захода солнца альбинос появился снова. Он оглядел двор, словно оценивая предстоящую ему работу, тотчас вытащил из кузова косу, достал из коробки с инструментами напильник и с неожиданной ловкостью наточил кривое лезвие. Широкими округлыми движениями, наличие которых его внешность не позволяла даже заподозрить, он быстро скосил всю растительность, заполнявшую двор, и собрал ее на краю участка. Потом извлек из кармана рубашки жестяную коробку с сигаретами «Плейерс», закурил, с явным удовольствием затянулся, а спичку, не погасив, швырнул на кучу травы. Солома, растения и терн полыхнули, по своему обыкновению, с восторженным шумом, отбрасывая на лица собравшихся зевак багровые отсветы.

Затем все разошлись, а альбинос продолжал работать всю ту ночь и еще несколько следующих. Он подровнял забор, с корнем вырвал побеги страстоцвета, обрезал розы Якубы, привил к ним ростки новых сортов, взрыхлил вилами землю во дворе и всякий раз, когда розовела заря, тотчас исчезал в укрытии своего дома. Вороны, которым любое рыхление и перекапывание сулит обильную добычу, торопливо слетались в его двор, чтобы рыться там в поисках вывороченных на поверхность дождевых червей и медведок.

— И вот так, — сказал Яков, — вот так все началось. Никто не знал. Даже Ривка, моя жена, даже она не знала. И Бык Рабинович не знал тоже. И Сойхер Глоберман. А я — я-то уж точно не знал. Только потом я понял, с чего это все началось.

Он встал из-за стола, подошел к окну и проговорил, стоя спиной ко мне:

— Змея укусила, и птичник сгорел, и альбинос приехал, и Тоня Рабинович утонула. И твоя мать Юдит приехала, и Ривка ушла. И канарейки улетели, и Зейде родился. И пришел работник, и Юдит умерла, и Яков остался. Ну, скажи, что может быть проще этого? Потому что так оно всегда и выходит, в конце всякой любви. Начинается всегда по-разному, и продолжение всегда очень запутанное, но конец — конец всегда такой простой. И такой одинаковый. В конце всегда получается, что кто-то пришел, и кто-то ушел, и кто-то умер, и кто-то остался.

12

Черные тучи сгущались, ветер свистел, вода прибывала, а Моше с Тоней ничего не замечали и ничего не опасались.

Дождь колотил своими ледяными пальцами по крышам и жутко выл в жестяных водостоках. Под навесами прижимались друг к другу животные. Воробьи, встопорщив перья, втиснулись в щели, в ужасе зажмурив круглые глазки. Пара ворон, этих странных существ, в сердце которых нет никакого страха, но одно лишь любопытство, всё упражнялись в лёте, то взмывая, то снижаясь под ударами ветра и уколами дождя.

Тоня и ее Моше, чуть поспав после обеда, поднялись около трех пополудни, съели, как обычно, несколько толстых ломтей хлеба с маргарином и повидлом, заели их апельсинами, выпили, как обычно, несколько чашек обжигающего чая, а когда дождь чуть притих, запрягли мула в телегу и отправились в свой фруктовый сад за грейпфрутами и помелами.

Резкий холодный ветер, рвущийся с горы Кармель, больно хлестал их лица, точно тугое мокрое полотнище. Копыта мула то утопали в глубокой грязи, то с чваканьем выбирались оттуда, оставляя за собой мутные ямки. В полях уже проглядывала редкая сеть новых мелких канальчиков, которые вода, в своем бесконечном влечении книзу, каждый год заново прорывает в земле.

Тоня с Моше проехали через зеленые насаждения и виноградник, пересекли вади и добрались наконец до своего сада. Они быстро погрузили тяжелые ящики, а когда двинулись в обратный путь, Тоня взяла поводья, а Моше зашагал сзади, подталкивая телегу и помогая мулу вытаскивать ее из черной топкой жижи. Тоня то и дело поворачивала голову, чтобы посмотреть на мужа. Пар поднимался от его лица, побагровевшего от усилий.

Она любила его силу и гордилась ею. «А ну, подожди минутку, я сейчас кликну моего Моше», — говаривала она, когда кто-нибудь из соседей не мог управиться со слишком тяжелым мешком или непослушным животным. Неподалеку от их дома, рядом с калиткой, лежал здоровенный валун весом около восьми пудов, и Тоня поставила на нем шуточный указатель со словами: «Тут живет Моше Рабинович, который поднял меня с земли». Деревенские остряки говорили, что такой указатель следовало поставить на ней самой, но, как бы то ни было, слух об этом валуне постепенно разошелся по округе, и время от времени около дома Рабиновичей появлялся какой-нибудь очередной силач из другого поселения или из расположенных поблизости английских военных лагерей, а то даже из друзских деревень, что на Кармеле, и пробовал поднять эту тяжеленную глыбу. Но только Моше был достаточно силен для этого, и только он знал, как нужно присесть и обнять валун с закрытыми глазами, и только ему было известно, как нужно ухнуть, поднимаясь, и нести его, словно младенца, прижимая к груди. Все прочие возвращались по домам удрученные и прихрамывая. Удручены они были своей неудачей, а хромали потому, что все без исключения гневно пинали потом строптивый камень и при этом неизменно ломали большой палец правой ноги.

Дождь снова усилился. Когда они добрались до вади, Моше увидел, что вода заметно поднялась. Он прыгнул на телегу, забрал у Тони вожжи и стал направлять мула так, чтобы тот пересек русло под прямым углом. Но под конец, уже выбравшись было на крутой противоположный берег, мул вдруг поскользнулся, застонал неожиданным женским голосом и упал на колени.

С этой минуты события пошли по накатанному пути всякой беды.

Мул упал меж оглобель. Телега наклонилась на бок и стала переворачиваться — медленно, но неотвратимо. Рабинович упал под нее, и его левое бедро было зажато и раздавлено.

Он закричал от боли. Сломанная бедренная кость прорвала мясо и кожу и открылась холодному прикосновению воды. Он едва не потерял сознание, но ужас, из тех, что леденят душу раньше, чем разум понимает их причину, заставил его бросить взгляд на Тоню.

Она была почти целиком накрыта перевернувшейся телегой. Только голова и шея выступали из воды. Ее затылок утопал в жиже, волосы сбились грязными прядями, лицо, всегда пылавшее румянцем и здоровьем, разом сделалось землисто-серым.

Грейпфруты и помелы плавали в воде, совсем рядом с ее лицом, точно невинные резиновые игрушки в деткой ванночке.

— Вытащи меня, — прошептала она.

Голос ее стал хриплым от страха. Светлый и тонкий язычок крови вытекал из уголка ее рта. Только глаза поворачивались и следили за Моше.

Раздробленная нога приковывала его к месту. Он сунул руки под телегу, прикидывая ее вес.

— Вытащи меня, мой Моше...

Ее голос прервался, словно хотел превратиться в крик, но не сумел.

— Слушай меня,Тонечка, — сказал Моше, — Я сейчас чуть приподыму телегу, а ты попробуй выползти наружу.

Ее голова шевельнулась и кивнула, и глаза прикрылись, выражая понимание и согласие.

— Давай! — крикнул Моше.

Его лицо потемнело от усилия. Тяжелые жилы взбухли на толстых руках. Телега заскрежетала и слегка приподнялась, и Тоня рванулась, изогнувшись, но тут же сдалась.

— Я не могу, — простонала она. — Не могу.

Боль пронзила застрявшую в ловушке ногу Моше, и телега снова опустилась.

Некоторые говорят, будто в такие мгновения время останавливается. Другие утверждают, будто оно, напротив, начинает нестись с удвоенной скоростью. А есть и такие, что твердят, будто оно рассыпается на тысячи крохотных осколков, которым никогда уже не суждено собраться снова. Но в тот дождливый день, с момента падения перевернувшейся телеги, время не обращало внимания на все эти банальные домыслы, — оно не замедлилось и не ускорилось, оно просто продолжало идти своим чередом, громадное и равнодушное, проносясь над миром на своих прозрачных крыльях, как неслось вечно со дня сотворенья.

Мельчайшие градины, примешавшись к дождю, покрыли поверхность воды оспинами маленьких пузырьков, зимнее небо потемнело, а тем временем стоны мула и запах страха, испарявшийся от него, уже привлекли нескольких шакалов, которые упорно выжидали на берегу, не обращая внимания на крики Моше и увертываясь от комьев грязи, которые он швырял в их сторону.

Один из них прыгнул и вонзил зубы меж задних ног мула, и Моше сломал ему хребет ударом шеста, который ему удалось вырвать из борта телеги. Другие испуганно отпрянули, но тут же поняли, что человек не может подняться, и, как существа умные и к тому же понукаемые голодом, который обострял их сообразительность и вселял храбрость в сердца, подобрались к мулу со стороны головы, куда не доставал слишком короткий шест Моше, и, набросившись сразу всей стаей, принялись рвать куски еще живого мяса из его мягкого носа и губ.

— Помелы плавают, — неожиданно сказала Тоня.

— Что? — испугался Моше.

— Грейпфруты тонут, — объяснила Тоня, — а помелы плавают.

— Вот-вот придут наши из деревни, чтобы нас вытащить. Ты держи голову над водой, Тонечка, и не говори много.

Дождь пошел сильнее, уровень потока поднимался, грейпфруты желтели сквозь воду, как маленькие выцветшие луны. Тоне уже трудно было удерживать голову на весу. Она лежала по другую сторону телеги, и когда Моше попытался поддержать ее затылок своим шестом, он не сумел дотянуться.

Испарина страха покрыла его лысину. Он видел, как поднимается вода и как дрожат напрягшиеся мышцы Тониной шеи, и понял, что сейчас произойдет.

Голова Тони вдруг упала, погрузилась в воду, но тут же снова поднялась, как будто вытолкнутая страхом смерти.

— Моше... — послышался тоненький, девичий голосок. — Мой Моше...*Дер цап*... Твоя коса в шкатулке...

— Где? — крикнул Моше. — Где она?

Вода все прибывала, и голова исчезла снова и снова поднялась, и голос вернулся, и на этот раз он был голосом Тони.

— Конец мне пришел, Моше, — медленно выговорила она.

Рабинович отвел взгляд, сжал челюсти и сомкнул веки и не разжимал их, пока последние пузырьки воздуха еще вырывались из ее залитого водой рта. Потом погрузилось в воду и солнце и тоже исчезло, только выцветшая сереющая желтизна еще пробивалась сквозь тучи, и лишь когда исчезла и она и сумеречная тьма с дождем уже стерли последние воспоминания о страшных звуках ее смерти, Моше решился снова глянуть во мрак того места, где исчезла голова его жены. Страшный кашель сотряс его тело. Слезы скорби и поражения застилали ему глаза. Юркие ящерицы тоски, неуловимей любого чувства, уже копошились в нем, прорывая себе ходы в его теле.

В ярости он снова схватился за край телеги и стал с ревом трясти ее:

— Выйди сейчас же, выйди сейчас же, Тоня! — выл он, пугая удивленных шакалов и умирающего мула.

Телега вырвалась из его рук и упала прямо на сломанную ногу. Моше потерял сознание от боли, пришел в себя и снова потерял сознание. Через несколько часов, когда его разбудили собственные стоны, он словно во сне увидел свет приближающихся фонарей и услышал зовущие голоса и лай ищущих собак. Но к тому времени ночь, и тоска, и холод, и боль измучили его настолько, что он уже не в силах был их позвать. Только предсмертный хрип мула указал им дорогу.

13

Года два прошло с той ночи до того дня, когда моя мать поселилась в коровнике Моше Рабиновича, чтобы работать на него, заботиться о его сиротах и доить его коров.

О предыдущих годах ее жизни, где она была и что делала, мне известны лишь немногие детали.

«*А нафка мина!*» — перебивала она, как только я спрашивал об этом. «Не все ли равно!» И ее тут же охватывало раздражение: «А теперь пересядь-ка поскорей на правую сторону, Зейде, слышишь?» — потому что я снова забывал и садился с ее глухой стороны.

Став немного старше, я спросил об этом у трех моих отцов, и они дали мне три разных ответа. Моше Рабинович сказал, что какое-то время она работала в винном погребе в Ришон-ле-Ционе[1], — «и это там она привыкла прикладываться к бутылке», — улыбнулся он.

Сойхер Глоберман, у которого были свои глаза и уши по всей Стране, рассказал, что родители мамы «решили остаться в галуте[2], когда услышали, какие штуки их дочь вытворяет в Стране, потому что не хотели больше ее видеть».

А когда я стал упрашивать его рассказать еще, он сказал, что мужчинам не пристало ковыряться в жизни своих матерей.

— Что там происходило между ног нашей госпожи Юдит до того, как ты, Зейде, появился оттуда, тебя не

[1] Р и ш о н - л е - Ц и о н (букв.: Первый — Сиону) — город в Израиле, к югу от Тель-Авива, основан как поселение в 1882 г. первопоселенцами из России.
[2] Г а л у т (букв.: изгнание) — общее название для еврейской диаспоры вне Палестины.

касается, и знать это тебе не нужно, точка, — объявил он со своей обычной грубостью, к которой мне все еще трудно было привыкнуть, но которая меня уже не обижала.

А канареечник Яков Шейнфельд, поклонник и жертва моей матери, подавая мне одно за другим ароматные блюда, сказал просто:

— Юдит нашего Рабиновича спустилась ко мне с неба и вернулась от меня туда.

Так он сказал и сделал руками широкий жест, словно чертил круги над столом, и белый шрам на его лбу внезапно побагровел, как это случается всегда, когда Шейнфельд бледнеет.

— Ты еще мал, *майн кинд*, но ты вырастешь, и выучишься, и поймешь, что у любви есть свои правила. И лучше, если ты узнаешь эти правила от своего отца, тогда тебе не придется потом самому страдать из-за любви. А зачем еще мальчику отец? Чтобы он учился на папиных неприятностях, а не на своих собственных. Почему все мы, дети Израиля, — сыновья праотца нашего Якова? Чтобы мы все учились от его любви. Люди еще наговорят тебе много слов про любовь. Первым делом они скажут тебе, что это происходит только между двумя людьми и больше никого не касается. Нет, Зейде, это для хорошей ненависти нужны двое, а для любви достаточно даже одного человека. И даже одной мелочи достаточно для любви, как я тебе уже говорил раньше. И когда-нибудь, когда ты влюбишься в женщину из-за такой мелочи, скажем, из-за ее глаз, придет к тебе какой-нибудь человек и скажет тебе так: «Ты влюбился в нее из-за глаз, но ведь жить тебе придется со всей женщиной». Нет, Зейде, если ты влюбился в глаза, то и жить ты будешь с глазами, а вся остальная женщина будет для тебя как шкаф для платья.

Он опустил глаза, заметив мой недоуменный взгляд. Его рука перестала барабанить по столу, но рот продолжал говорить:

— Эти вещи даже Бог не понимает. Еврейский Бог, он очень хорошо понимает одиночество, но любовь он не понимает совсем. Наш Господь единый, он такой единый, что Он совсем один на небе, без детей, без друзей, без врагов, но хуже всего — без женщины, так Он там просто сходит с ума от такого одиночества, и поэтому Он нас тоже сводит с ума и называет Израиль блудницей, и девственницей, и невестой, и всякими другими словами, которыми глупый мужчина называет женщину. А женщина, она совсем не это, она всего-навсего обыкновенная плоть и кровь. Как жаль, что я только сейчас это понял. Может быть, если бы я понимал это уже тогда, если бы я понимал, что любовь — это дело ума, а не сердца, что это дело не мечты и безумия, а правил и законов, я бы больше преуспел в своей жизни. Но ведь понять, Зейде, — это одно, а преуспеть — это совсем другое. Чтобы один мужчина сумел заполучить ту единственную женщину, которую он действительно хочет, для этого кто-то должен управлять всем миром, и все части мира должны для этого сдвинуться и сложиться как нужно. Потому что ничто не случается само по себе. Иногда человек тонет в вади здесь, в Стране Израиля, чтобы в Америке кто-то другой выиграл деньги в карты, а иногда дождевое облако идет всю дорогу от Европы до нас, чтобы здесь мужчина и женщина были вместе в грозовую ночь, и если кто-нибудь кончает с собой, это значит, что кому-то другому очень-очень нужно, чтобы он умер, а когда ворона каркает, кто-то слышит этот ее крик. И когда я увидел Юдит, как она едет себе в коляске, и эта коляска плыла так медленно-медленно с той вот стороны, а солнце светило вот с этой, и я посмотрел на нее и сразу понял: это та женщина, которую мои глаза могут поднять с земли, они могут ее поднять и принести ко мне. В стране Индии есть такие люди, они могут сдвинуть чашку на столе, просто посмотрев на нее глазами, одним только взглядом. Ты знал об этом, Зейде? Я читал об этом в детской газете у нашего Деревенского Папиша. Этот Папиш, он сохранил у себя все старые газеты. Там, в этой Индии, есть такие люди, факиры, они совсем не чувствуют боль, они могут остановить свое дыхание и сердце, и могут глазами подвинуть чашку на столе куда захотят, направо или налево. Чтоб я так был здоров, Зейде, — одними глазами! Направо и налево. Налево и направо. Вот так они ее двигают. А сдвинуть чашку, чтобы ты знал, Зейде, чашку намного труднее сдвинуть, чем женщину.

14

Менахем Рабинович, тот самый, рассказы и рожки которого сладостью своей увлекли Моше и Тоню в Страну Израиля, случайно познакомился с Юдит и посоветовал брату пригласить ее к себе, чтобы помогать по хозяйству и вести дом.

Лишь много позже, когда я подрос, дядя Менахем назвал мне то имя, что было запрещено упоминать у нас и вслух, и на письме, — имя первого мужа моей матери. Назвал имя и рассказал всю историю:

— Они жили то ли в Млабесе, то ли в Ришоне, я не уверен.

Первый муж моей матери был рядовым в Еврейском Легионе[1], и когда Первая мировая война закончилась, он вернулся в Страну, но устроиться там ему не удалось. Каждый день он выходил на главную улицу поселка в поисках работы, но поскольку человек он был заносчивый, то не унижался до просьб, а вперял в хозяев эдакий солдатский взгляд, который усвоил на войне, не понимая, что в мирное время такой взгляд является скорее помехой.

— Люди ведут себя, как они привыкли, даже если это не идет им на пользу, — объяснял мне дядя Менахем. — Улыбаются, когда надо бы всплакнуть, выхватывают револьвер, когда надо просто дать в морду, и ревнуют возлюбленных, вместо того чтобы их рассмешить.

Долгими часами лежал тот человек в кровати и молчал. Они снимали комнату, в которой хозяева раньше держали мускусных уток. От утиных перьев, давно рассыпавшихся в пыль, у него постоянно были красные глаза. Неистребимая вонь птичьего помета обжигала лицо, как обида, которую невозможно забыть.

Юдит предложила ему выращивать овощи на продажу, и он поднялся и засеял за домом несколько грядок. Но и среди растений он не нашел себе покоя. Там во дворе росло большое дерево, и после обеда вороны

---

[1] Еврейский Легион — воинское подразделение британской армии во время Первой мировой войны, состоявшее из еврейских добровольцев; создан для участия в военных действиях за освобождение Страны Израиля от турецкого владычества.

устраивали на его ветвях свои шумные толковища. Они кричали дурными голосами и носились над верхушкой, как дурные вести. Их мрачное карканье и черные крылья лишали его надежды, и он торопился вернуться домой. Иногда, собравшись с силами, он вставал, шел на берег Яркона и подолгу сидел там, обняв колени и закрыв глаза, как будто искал утешения в глубинах своего тела.

Если бы не Юдит, которая продолжала ухаживать за грядками, и выращивала во дворе кур, и варила варенье из паданок с хозяйского лимонного дерева, и на удивление умело латала и обновляла все их поношенные вещи, они оба вместе с маленькой дочерью давно умерли бы от непосильного голода и гордыни.

В конце концов тот человек сказал, что хочет поехать в Америку, поработать там год «в штате Делавер, в литейном цехе в Вилмингтоне, на металлообрабатывающем заводе», принадлежащем отцу одного парня, с которым он вместе воевал в Еврейском Легионе, — сказал он:

— Один год, Юдит, самое большее — два.

Она сидела в эту минуту у стола, перебирая чечевицу для супа, и тотчас повернула к нему свое глухое ухо. Но он схватил ее за плечи и крикнул, и ей пришлось услышать.

— В Америке тоже нет работы, — рассердилась и испугалась она. — И люди там еще будут бросаться с крыш.

Две кучки лежали перед ней, большая оранжевая кучка уже очищенной чечевицы и маленькая, серая кучка выловленных камешков и комочков земли, обрывков кожуры и высохших червяков. Меж ее коленями стояла двухлетняя дочь, наблюдая за быстрыми пальцами матери.

— Не уезжай! — взмолилась Юдит. — Не уезжай! Мы справимся. Все будет хорошо.

Ее рука нашла узел на голубой косынке и затянула его. Пророческий страх звучал в ее голосе. Но тот человек, имя которого мне запрещено упоминать, остался глух к ее страхам. Предстоящее путешествие уже бурлило в его теле и закупоривало кожу.

Вот он — вырисовывается на внутренней стороне моих век: низкорослый, с неясным, стертым лицом, складывает свои жалкие пожитки в маленький деревянный чемоданчик, собирает себе в дорогу убогий провиант нищих путешественников: твердый сыр, пару апельсинов, хлеб и маслины, — прощается с женой и дочерью и отправляется в Яффо. А вот мама — стоит, прислонившись к двери. Вот девочка — прислонилась к ее ноге, моя полусестра, такая же безликая, как ее отец.

В Яффо он купил дешевый палубный билет и отплыл в Англию на небольшом судне, трюм которого был забит ящиками апельсинов сорта «шамути» и сладких лимонов.

Серым был тот день, но запах солнца, скопившийся в апельсинах, поднимался из трюма и сопровождал пассажиров, усиливая их тоску и раскаяние.

Из Ливерпуля тот человек направился в Нью-Йорк. Одолевая страх и толчею, он добрался пешком от причалов Гудзона до Центральной автобусной станции и, поскольку в чужой стране гордыня быстро сходит на нет, долго бродил там по гигантским лабиринтам и, не зная, куда податься, громко и жалобно выкрикивал: «Вилмингтон! Вилмингтон!» — пока какие-то добрые люди не показали ему дорогу к билетным кассам и к платформе.

Часть пути его поезд проделал во чреве земли, а потом, выскочив на свет божий, прогрохотал над большой рекой и пересек полосу заросших камышами болот, подобных которым он не предполагал увидеть в Америке. Человек сидел у окна, считал столбы электропередачи, будто клал крошку за крошкой, чтобы потом найти дорогу обратно, и бормотал про себя названия проносящихся станций: Ньюарк... Нью-Брансуик... Трентон... Филадельфия... — и через три часа, когда кондуктор закричал: «Вилмингтон!» — поднялся и поспешно вышел.

Он брел от трубы к трубе, но литейный цех отца своего приятеля так и не нашел. Однако он походил, поспрашивал и в конце концов нашел улицу Колумба, на которой, по рассказам того парня, жил его отец, и отыскал дом, номер которого помнил.

Красивый это был дом, весь окруженный душистой стеной подстриженных кустов, и хотя жил в нем какой-то голландский купец, торговавший одеждой, дом этот выглядел именно так, как должен выглядеть особняк владельца металлообрабатывающего завода. Тот человек поднял руку и постучал в дверь.

Судьбе было угодно, чтобы именно в этот день голландский торговец заработал большие деньги. Он был в таком приподнятом настроении, что при виде незнакомого гостя ощутил неожиданный приступ великодушия, пригласил его войти и накормил великолепным обедом из рыбы с картошкой, сваренных на пару и приправленных маслом и мускатным орехом.

Я не раз думал, как странно, что дядя Менахем, и Одед Рабинович, и Яков Шейнфельд знают все эти мелкие подробности, которым они не были свидетелями. Неужто Одед в детстве так ненавидел мою мать, что с такой точностью придумал весь ее мир? Неужто Яков так часто прокручивал историю ее жизни в своем воображении, что в конце концов пересоздал ее заново? И что, дядю Менахема переполняло такое огромное чувство раскаяния после ее смерти? А если бы та картошка была сдобрена не маслом и мускатом, а сметаной, грубой солью и нарезанным укропом, — это изменило бы мамину жизнь? А я, — я бы родился?

Так или иначе, голландский торговец и муж моей матери выпили водки, настоянной на лавровом листе, и, покончив с едой, раскурили тонкие сигареты и сыграли в шашки. Хозяин объяснил гостю, что этот дом построил его прадед, и в нем родились его дед, и отец, и он сам, — вот здесь, мой друг, в этой самой кровати, — и что в каждом американском городе есть своя улица Колумба, и что евреи — это тебе тоже полезно знать, многоуважаемый господин из Палестины, — не так уж склонны заниматься литейным производством. Короче говоря, со всей любезностью и вежливостью намекнул, что его приятель из Еврейского Легиона попросту фантазер и обманщик.

И действительно, этот его товарищ по оружию был не более чем жалким выдумщиком и хвастуном, и отец его торговал в Чикаго галантереей с лотка и никогда в глаза не видел Вилмингтона, разве что на географической карте. Подобно большинству мелких обманщиков, этот приятель быстро забыл, что наболтал тому человеку, и по прошествии некоторого времени, как издевательски рассказывал дядя Менахем, сам приехал искать счастья в Страну Израиля, где представился как «адъютант Зеева Жаботинского во времена кровавых сражений на берегах Иордана»[1], снял себе комнату в Тель-Авиве и зарабатывал тем, что посылал оттуда в американские еврейские ревизионистские газетки[2] корреспонденции типа «Писем пионера-поселенца из Галилеи».

Как бы то ни было, размягченный выпивкой голландский торговец дал гостю несколько своих ношеных костюмов и буханку хлеба «из семи злаков», тяжелую и ароматную, как тело младенца, а также вручил ему несколько адресов и рекомендательных писем, и в конце концов, после еще нескольких дней утомительных поисков и унизительных разговоров, первый муж моей матери устроился охранником в универмаге, где продавали дешевые товары.

Там он быстро поднялся по служебной лестнице — от охранника до рассыльного, от рассыльного до продавца — и спустя короткое время стал начальником всех продавцов в своей секции. Тогда он купил себе коричнево-белые туфли, завел дружбу с хозяевами винных лавочек и начал курить тонкие сигареты. Так случилось, что тот один год в Америке, который обещал быть не более чем двумя годами литья стали, растянулся на три года курения и стояния за прилавком.

Несмотря на все это, он не забыл свою жену Юдит. Раз в месяц он посылал ей письмо и немного денег и держался этого правила даже тогда, когда она перестала ему отвечать. О двух женщинах, с которыми он спал

---

[1] Высмеивается хвастун сродни гоголевскому Хлестакову.
[2] Имеются в виду еврейские газеты, которые выпускали в Европе и Америке сторонники Жаботинского; ортодоксальные сионисты называли их «ревизионистами».

за эти годы в Вилмингтоне, он ей не писал, потому что хорошо изучил свою жену и знал, что она наделена трезвым умом и немалой проницательностью. Но от тех двух женщин он не скрывал ничего и все время повторял им, что у него жена и дочь в Стране Израиля и что он собирается к ним вернуться.

15

Шлаф, майн мейделе, майн клейне,
Шлаф, майн кинд, ун эр зих цу
От дос фейгеле дос клейне
Из кейн андере ви ду[1].

Эту песенку мама напевала у кровати Номи.

Одед кипел от злости. Номи жмурилась от удовольствия. Моше молчал. Я еще не родился.

Раньше — так я себе представляю — она напевала эту песенку своей собственной дочери. Потом — себе. А потом эти слова ждали в ней, пока не нашли себе новую девочку.

— Это значит, Зейде, что у тебя где-то в Америке есть вроде бы полусестра, — сказал мне Одед через несколько лет после смерти мамы.

Мы сидели в кабине деревенского молоковоза, совершавшего один из тех ночных рейсов, к которым я иногда присоединялся.

— Хорошо бы и у меня была такая... — добавил он.

---

[1] Спи, дочурка, спи, малышка,
Слушай маму, засыпая,
Птичка, крошка, щебетунья,
Та одна у нас такая *(идиш)*.

Одед мечтает об Америке и об американских машинах, американских дорогах и американских женщинах, и у него дома целую стенку занимают карты дорог всех американских штатов, которые он вырезал из атласа Мак-Налли и покрыл пластиковой пленкой. Он может часами стоять перед этими картами, заучивая маршруты, и втыкать булавки и флажки, планируя свое воображаемое тяжеловесное и многоколесное путешествие.

— Видишь вот эту дорогу, Зейде? Хайвей номер десять, в Америке их называют «интерстейт», дорога между штатами. Глянь на этот участок — Лос-Анджелес, Сан-Бернардино и дальше, до Финикса в штате Аризона, видишь? Тут у них самая большая в мире заправка для грузовиков, со всем необходимым — и бензин, и масло, и пиво, и еда. Как у нас говорят — можно и машину заправить, и человека. Через нее проходят пятьсот трейлеров в сутки!

— Чего ж ты не едешь в эту свою Америку? — спросил я его.

— Еще чего?! — сказал Одед. — Только за мечтами мне не хватает гоняться! Что-то она у меня все время тянет вправо, — пожаловался он, остановил машину и вышел проверить колеса.

Мы обошли цистерну. Одед простучал все шины большим деревянным молотком, прислушиваясь к ответному звуку. Возле одного колеса он задержался, поплевал на палец, мазнул слюной по отверстию вентиля и внимательно проверил, не идут ли пузырьки.

— Пропускает немного... — сказал он. — Кому это нужно — гоняться за мечтами... Ты что, думаешь, я не знаю, что в Америке совсем не на все сто процентов так прекрасно, как я воображаю? Каждый парнишка мечтает вырасти и стать шофером, и даже многие взрослые тоже. Но только такой идиот, как я, на самом деле им стал. Напомни мне через час остановиться и еще раз глянуть на этот вентиль, ладно?

Два года было той девочке, когда уехал ее отец, а когда он вернулся, ей уже исполнилось пять. Это была красивая девочка с упрямым характером и взглядом. Она держала в руках тряпичную куклу и не узнала маленького, расфуфыренного мужчину, который вошел, широко улыбаясь, в старый утиный дом и, помахав пачкой кредиток, воскликнул:

— Я приехал забрать вас в Америку!

Если б не выросшая девочка, можно было бы подумать, что со времени его ухода прошло не больше получаса, потому что, когда он вошел, мать сидела на том же стуле и так же перебирала чечевицу, которая, как это свойственно всем чечевицам, была очень похожа на ту, что она перебирала в день его отъезда. Та же глубокая морщинка тянулась меж ее бровей, и тот же оскорбительный смрад птичника висел в застоявшемся воздухе, и маленькие кучки — одна серая и одна оранжевая — так же лежали перед ней на столе, точно засорившиеся и вставшие песочные часы.

Он хотел было подойти к ней, но Юдит поднялась и с какой-то странной тяжеловесностью, удивившей ее мужа, поставила девочку перед собой, то ли защищаясь, то ли заслоняясь маленьким тельцем. Ее пальцы гладили спину девочки протяжными, испуганными движениями, и тот человек сразу увидел выпуклую округлость ее большого живота.

— Ты беременна! — радостно воскликнул он, но эти
слова и насмешливое сознание, что его три года не было дома, неожиданно ошеломили его самого, и он понял, что означали вопли о помощи в ее первых письмах,
и прохладность в последующих, и отсутствие последних, и опущенные глаза хозяина квартиры, встретивше-
гося ему на входе, и уродливая, вперевалочку, поступь
ворона, что издевательски каркнул ему навстречу, упав с
дерева, точно черная тряпка.

Его колени подогнулись, но он тут же выпрямился,
торопливо сунул деньги обратно в карман, схватил за
руку свою дочь и сказал ей:

— Идем, папа заберет тебя в Америку!

— Я хочу взять мою куклу! — сказала девочка так тихо и спокойно, что удивила обоих родителей.

— Не нужно, — сказал тот человек. — В Америке у тебя будет новая кукла, не нужно брать отсюда ничего.
Идем сейчас же!

Он повернулся к выходу, а девочка взяла свою куклу
и пошла за ним.

Юдит не подняла глаз. Гладившая рука застыла в
воздухе. Ужас пригвоздил ее к месту. Она чуть отклони-
ла голову, и ожидание удара задрожало в ее позвоночнике.

Перед тем как закрыть за собой дверь, тот человек
повернулся к ней, улыбнулся ослепительно вежливой
улыбкой американских продавцов, сплюнул на пол и
произнес: «Шмуциге пирде»[1] — ругательство столь от-
вратительное, что его не решаются перевести и те, для
кого идиш — родной язык. Даже Глоберман, для которого ругнуться — все равно что чихнуть, слегка прока-

---

[1] Грязная п...а *(идиш)*.

шлялся перед тем, как сполна объяснил мне, каким грубым было это выражение.

Тот человек закрыл ворота, пересек соседский огород, хозяин которого стоял на коленях в жирной рыжей грязи и притворялся, будто занят своими луковицами и морковками, и исчез вместе с дочерью в аллее кипарисов. Выйдя на дорогу, он остановил маленький грузовик, шедший из Рас-эль-Айна, сунул потрясенному водителю долларовую бумажку и велел ему везти их прямиком в Яффский порт.

Вечером к Юдит пришел ее любовник и увидел, что она одна — сидит, с побелевшим лицом, словно каменное изваяние, среди рассыпанной вокруг чечевицы.

— Он вернулся? — прошептал любовник.

Юдит не ответила, потому что он говорил с ее глухой стороны.

— И забрал девочку? — закричал тот.

— Пришел и забрал, — вытолкнула она с рыданием.

— Я догоню его, я его найду и верну ее тебе! — яростно воскликнул тот.

Юдит посмотрела на него. Жар его тела, пыл его сердца — все то, что покорило ее и помогало в дни одиночества, вдруг показалось ей жалким, как увядшее жнивье.

— Не беги за ним, не догоняй, не возвращай, — медленно сказала она. — Это тебе не ваши мужские игры.

Перед ее закрытыми глазами пророчески простерлось видение ее опустевшей жизни.

— Она ведь даже не узнала его! — вырвалось у нее со стоном. — И все равно пошла за ним, не сказав мне ни слова! Даже не попрощалась!

Любовник сел рядом с ней, обнял ее, положил голову ей на плечо, а руку — на ее выпуклый живот.

— Теперь мы остались с тобой вдвоем, Юдит, — прошептал он. — Я и ты, и скоро у тебя будет новая девочка.

— Да, — сказала Юдит. — У меня будет новая девочка.

Какая-то огромная ледяная сила внезапно заполнила все ее тело. Полтора месяца спустя она родила, ни разу не вскрикнув и не удивившись, большого и красивого мальчика, который был уже мертвым.

— Мы поедем туда и найдем ее, — сказал ее любовник над могилой и опять закричал: — Мы в суд пойдем! Где это видано — забирать девочку у матери?! В Америке есть суд и есть законы!

— Никуда мы не поедем. Приговор уже подписан и приведен в исполнение, — сказала Юдит.

Тот посмотрел на нее и испугался, потому что увидел, что ее тело затвердевает от жесткости, которая расходится по капиллярам и оседает, точно мел, в трещинах ее кожи. Увидел и понял, что ему надлежит уйти и оставить эту женщину в покое.

16

Вот так враль-ревизионист из Еврейского Легиона повернул ход событий, и каждый, кто кружит среди вечных вопросов «Если бы», да «Кабы», да «Если бы не», как кружу среди них я и как они — вкруг меня, найдет здесь образчик игры судьбы и случая, дающий ответ на эти вопросы. Потому что, если бы отец этого хвастуна действительно имел завод в Вилмингтоне, первый муж моей матери вернулся бы в Страну в обещанное время и я бы не появился на свет, а если б даже и появился, у меня был бы только один отец, и имя у меня было бы другое, и Ангел Смерти уже давно бы меня настиг.

Дядя Менахем, приметив мой детский интерес к этим насмешкам судьбы, рассказал мне историю о трех братьях — «Если бы», да «Кабы», да «Если бы не», которые каждую ночь ходят по следам Ангела Сна: «Когда *Малах фон Шлоф*, Ангел Сна, усыпляет людей, эти братцы «Если бы», да «Кабы», да «Если бы не» тормошат засыпающих, и начинают кружить и кружить вокруг них хороводом вопросов, и уже не дают им больше уснуть».

Но перекупщик Глоберман, ночной покой которого не нарушали никакие сомнения, искания, сожаления или раскаяния, снова повторил мне свой девиз: *«А менч трахт ун а гот лахт».* — Человек замышляет, а Господь посмеивается. Иными словами, ты можешь задавать себе какие угодно вопросы и можешь придумывать какие угодно ответы, и пусть даже эти трое братьев сколько угодно танцуют перед твоими бессонными глазами, — для Юдит это все едино, потому что свою девочку она больше не увидела никогда.

Вот так получилось, что у меня есть полусестра где-то в Америке, но даже имя ее не сорвалось с уст нашей с ней матери. А когда я спрашивал и приставал, мама тут же обрывала разговор своей постоянной присказкой: *«А нафка мина».*

Корабль, уходивший из Яффо, забрал отца и его дочь в Геную. Там они провели несколько дней в убогой гостинице, где пахло рыбой, анисом и чесноком и где большие коты сидели на балконах в ящиках с геранью, точно птицы в гнездах.

Оттуда они отплыли в Лиссабон, оттуда — в Роттердам, а потом — в Америку, и поскольку в их каюте было полным-полно пассажиров, которые весь день напролет валялись на койках, шутили на незнакомых языках, играли в карты и воняли рвотой, потом, калом и табаком, отец с дочерью подолгу ходили по палубе вдоль перил.

Тем временем, как это не раз случается с людьми вроде того человека, маленькая девочка превратилась для него из победного трофея в досадную помеху, и поскольку его раздражение и чувство мести не находили выхода и их змеиное шипение заглушало даже шум морских волн, он то и дело больно бил девочку по лицу. Эти пощечины были такими стремительными, что никто не успевал их заметить, как никто не успевал услышать и те бранные слова, которыми они сопровождались: *«Пункт ви дайне маме а курве»* — «Вылитая курва-мамаша». И если мне будет позволено снова вернуться к героям моей реальной жизни и к образам, созданным моим воображением, я скажу, что в той мере, в какой это будет зависеть от меня, мы больше никогда не встретим этого мерзкого и подлого человека. Если бы он не уехал, то, может, стал бы героем этого рассказа, и другой сын рассказывал бы тогда эту историю, но поскольку он поступил именно так, а не иначе, и тем самым изгнал себя из Израиля, он изгнал себя также из моего жизнеописания и освободил меня от необходимости рассказывать, что с ним было дальше.

Что же касается забытого любовника моей матери, то я не знаю ни его имени, ни происхождения, и поскольку мне вполне достаточно трех отцов, он меня вовсе не занимает. Но однажды, лет через пятнадцать после смерти мамы, во время одного из моих приездов к Номи в Иерусалим, она показала мне старого и очень сутулого человека, который был похож на букву «Г» и опирался на два костыля, — он ковылял, покачиваясь, по улице Бейт а-Керем неподалеку от здания педагогического училища.

— Видишь этого человека? Он был любовником твоей матери, — сказала она.

И словно мало было мне потрясения от самой этой фразы, я тогда же, в первый и единственный раз, понял, что Номи тоже знает что-то о маминой жизни.

Откуда она знала, что это тот самый человек? Не знаю.

Почему она решила сказать мне о нем? Этого я тоже не знаю.

Может, мне следовало обидеться? Номи, почувствовав мое смущение, сказала:

— Пойдем-ка лучше домой, Зейде, и сделаем большущий овощной салат, как когда-то дома.

Я всегда привожу ей из деревни овощи и яйца, банку сметаны и головки сыра и всегда выбираюсь к ней ночами, в большом молоковозе, который ведет Одед.

Я уже повзрослел, Одед уже постарел, но я по-прежнему люблю эти ночные поездки с ним, и его рассказы, и его жалобы, и его мечты, которые он излагает очень громко, почти кричит, чтобы перекрыть рев мотора.

Дороги стали много шире, и Одед уже не раз сменил свой молоковоз, но ночи остались такими же холодными, как были раньше, и Одед по-прежнему проклинает человека, который женился на его сестре и увез ее из деревни, и по-прежнему спрашивает меня:

— Хочешь погудеть, Зейде?

И я снова протягиваю руку к гудку, и меня снова завораживает и умиляет его мощный и печальный звук, плывущий в ночных просторах.

Двое малышей прыгали вокруг того согбенного старца, и незримый страшный груз лежал на его плечах. Но кто поручится, что этим грузом была моя мать? И на чьих плечах нет такого груза? Ведь против нескольких мужчин, которые любили ее, стоит целый мир людей, которые ее не знали и не знали даже о ее существовании, и каждый из них тащится по своей улице, и каждый, сгорбившись, как буква «Г», клонится под тяжестью своей души.

17

— С Тоней это была бо́льшая трагедия, — сказал Яков. — Очень большая трагедия. Тут у нас были еще несчастья, но чтобы такое?! Так вот утонуть в вади?! Разве вади для того, чтобы в нем тонуть? В реке Кодыме можно утонуть, в Черном море можно утонуть, но в нашем вади?! На глубине — сколько там? — тридцать сантиметров? Такое несчастье просто так не случается. Ешь, Зейде, а ну ешь, можно есть и слушать одновременно. Я однажды подумал, что, может, из-за того, что там был дождь и туман, а они были так похожи, и поэтому Ангел Смерти просто ошибся, и Тоня умерла вместо Моше. Но умерла все-таки она, а он себе остался — со всей своей виной и со всей своей тоской, а это уже большое дело, Зейде, потому что по умершей женщине надо уметь тосковать. Это тебе не то, что тосковать по живой женщине. Эти две тоски мне хорошо знакомы, так что я знаю, о чем я говорю. Потому что по твоей матери я тосковал и при ее жизни, и после ее смерти. Сколько тебе лет сегодня, Зейде? Ровно двенадцать, а ты уже сам сирота, и, наверно, и без меня можешь понять все эти вещи, без того, чтобы я морочил тебе голову. Что тебе сказать, Зейде? Как черная тень упала на деревню. Молодой вдовец, двое маленьких сирот, а нашему еврейскому Богу все равно. Это было в конце зимы, когда она умерла, а уже через месяц пришла весна со всеми ее радостями и танцами. Цветы расцветают, жаворонки поют, журавли курлычат: кру-кру... кру-кру... Ты ведь знаешь, как поют журавли в поле, да, Зейде? Голос у них несильный, но слышать его слышно далеко-далеко. Один раз, еще во время Второй мировой войны, я видел одного итальянского пленного, из лагеря, как он танцевал в поле с тремя журавлями. Птицы, они сразу чувствуют, что итальянцы не совсем как другие люди. Издали я думал, что это четыре человека, такие они были высокие и с короной на голове, как у царя. А когда я подошел, этот пленный схватил ноги в руки и исчез в своем лагере, а журавли развернули крылья в три метра шириной и полетели. *А йене махане-швуим!* Тот еще лагерь для пленных! Ты помнишь его, Зейде? Ты был тогда совсем маленький. Там у них, у этих пленных, была дырка в заборе, и они выходили оттуда, как мои несчастные птицы из клетки, когда я оставлял ее открытой, и ходили себе в полях, и никто их не охранял, потому что они сами не хотели никуда убегать. Возьми себе добавки, поешь еще, Зейде. А ну открой рот, *майн кинд.* Я помню, как ел младший сын того моего неродного дяди. У него, с того дня, что он родился, рот был всегда открыт, и первое, что он сказал, это было: «Еще!» Не «мама» он сказал и не «папа», а только «еще». Полгода ему было, так он уже показывал пальцем на кастрюлю и говорил: *«Nox!»* — «Еще!» Кто может сказать «еще» и его поймут, тому уже не нужно много других слов, чтобы хорошо устроиться в жизни. Есть такие люди, что всю жизнь обходятся двумя словами — словом «вот» и словом «еще». Тот мальчик слизывал с тарелки, что корова языком, как говорится, как бездонная бочка он ел, и его мама любила смотреть, как он ест и говорит «еще» и «еще», и вот так он себе рос и рос, пока она не испугалась сглаза и стала звать его к столу, только когда все уже кончили, и тогда она становилась перед ним с большой простыней, растягивала ее вот так, между руками, чтобы не видели, как он ест, и, не дай бог, не сглазили ей его. А сейчас кушай, Зейде, открой рот и кушай, а я спою тебе песенку для аппетита:

> На окошке, на окошке
> Ласточка сидела.
> Мальчик подбежал к окошку,
> Птичка улетела.
> Мальчику обидно,
> Ласточку не видно.

18

Поначалу беда Моше Рабиновича была общей бедой. Жители деревни мобилизовали себя на все семь дней траура — доили его коров и собирали фрукты, оставшиеся в саду. И даже потом — те несколько недель, пока срасталась его сломанная нога, — они то и дело приходили протянуть руку и подставить плечо, одалживали ему кто мула, кто лошадь, пока он купит себе новую тягловую скотину. Одна из соседок пригласила сироток обедать у нее, а Ализа Папиш, жена Деревенского Папиша, вызвалась подмести пол в их доме, стирать и убирать.

Но дни шли за днями, бурный поток помощи постепенно превратился в тонкую струйку, а потом и вовсе иссяк, и муж соседки сказал Моше, что кормить его детей ему не по карману.

Рабинович, все еще закованный в гипс от груди до щиколотки, пришел в бешенство. Он с самого начала предлагал, что будет оплачивать соседу обеды своих детей, а когда сейчас снова спросил его, сколько же тот хочет, сосед, не задумываясь, назвал сумму, достаточную, чтобы накормить полк солдат. Моше выставил его за дверь и договорился с женой деревенского кладовщика, и с того дня и до приезда Юдит Одед и Номи ужинали у нее за вполне терпимую плату. Временами там ужинали и некоторые английские офицеры, а также счетовод-альбинос, который после захода солнца осмеливался наконец выйти из старого дома Якоби и Якубы и присоединиться к людям.

Луковицы нарциссов, которые Моше выкопал на берегу вади и зарыл в земле на могиле своей Тонечки, вскоре проклюнулись и расцвели. Новые воронята требовательно шумели в гнезде на верхушке эвкалипта. Земной шар кружился по старинке, несся по своему привычному пути и тащил на себе своих живых и мертвых, словно ищущий пристанища корабль.

Солнце вставало, воздух прогревался, и каждый день после полудня Моше подолгу лежал, развалившись, как теленок, на зеленеющем поле, грыз кисловатые шарики сунарии[1] и щавелевые листочки и подставлял свое искалеченную плоть весне.

Чибисы и пигалицы легкой поступью прохаживались рядом с ним на своих длинных ножках, демонстрируя элегантные, безукоризненно чистые фрачные крылья. Блаженно попискивали, с шуршаньем копошась в траве, полевые мыши, ухитрившиеся пережить лютую зиму. Запахи цветущих садов широко растекались над полями, ускоряя бег крови в человеческих сосудах и на лету сшибая на землю одурманенных щеглов.

Эта привычка лежать нагишом в поле, впитывая в себя весеннее тепло, так с ним и осталась. Годы спустя я видел, как он выходит в поле, стаскивает с себя одежду и ложится пластом на высокую траву. А однажды, когда я поставил свой наблюдательный ящик на краю поля, чтобы наблюдать за танцующими жаворонками, я вдруг увидел Моше, который разделся и лег почти рядом со мной. Он медленно дышал всем своим плотным коротким телом, и его рука то и дело поглаживала волосы на груди и животе, а когда сильно припекло, стала перекладывать яички со стороны на сторону, то так, то этак.

Две большие мухи расхаживали по его лицу, но он их не сгонял.

Он лежал так близко, так невинно и беззащитно и совсем не чувствовал, что я рядом, потому что ветки и трава скрывали мой ящик даже от птичьих глаз, а я, хоть и задыхался от жары, не осмеливался шелохнуться, потому что Моше вдруг начал бормотать про себя: «Мой Моше... мой

[1] Сунария — куст с кислыми плодами, типа терновника.

Моше...» — потом чуть повернулся на бок, и от него потянуло тем же запахом, что от дяди Менахема, но я был тогда слишком молод, чтобы понять, что это такое, и думал, что эти их запахи похожи, потому что они братья.

Сломанное бедро Рабиновича срасталось быстро, но когда он потребовал от врача снять гипс, тот сказал, что еще не время. Моше не стал спорить. Он вернулся домой, улегся в большой поилке для коров и подождал, пока его гипсовые оковы размягчились и вода в корыте побелела, как молоко. Несколькими днями позже он запряг телегу и отправился с детьми в соседнюю деревню на праздничный пасхальный ужин у дяди Менахема и его жены Батшевы.

Разные были они люди, дядя Менахем и Моше. Менахем был худой и высокий, и хотя был старше своего брата, выглядел моложе. У него были длинные пальцы, изящную тонкость которых не испортила даже работа на земле, густые каштановые волосы, теплый, приятный голос и подстриженные усы, которые в семье называли «американскими», хотя никто не знал, что именно это означает.

И еще у него был сад, где он выращивал сладкие рожки самой сочной и мясистой кипрской породы. Я помню, как он, бывало, разламывал один из своих плодов и с гордостью демонстрировал, как сочная мякоть истекает темным медом.

— Если бы у Бар-Иохая[1] в пещере было такое дерево, одного рожка ему хватило бы от субботы до субботы, — сказал он.

---

[1] Бар-Иохай Шимон (II в. н.э) — один из виднейших еврейских законоучителей. За резкий отзыв о римлянах был приговорен к смертной казни и тринадцать лет скрывался с сыном Элиэзером в пещере; этот период его жизни овеян многочисленными легендами.

Дядя Менахем говорил о своих рожках, как крестьяне говорят о своих животных. Сад у него был «стадо», которое составляли несколько деревьев-«быков» и несколько десятков деревьев-«коров», и он говорил, что если бы мог, то выводил бы свои деревья «попастись», шел бы за ними следом и играл на дудочке.

— Когда-нибудь, Зейде, мы изобретем деревья без корней. И если нам захочется погулять или поработать в поле, мы свистнем им, они побегут за нами, и у нас всегда будет тень, — сказал он мне.

А еще у него была сказка, которую он любил рассказывать снова и снова, а я любил снова и снова слушать, — об одном крестьянине, который кочевал по Украине в сопровождении гигантской и плодоносной яблони, сидевшей внутри большой телеги с землей. Эту телегу тащили четыре быка, а за ней летели пчелы.

Но какие бы сказки он ни рассказывал, на деле дядя Менахем отнюдь не полагался на то, что ветер сам собой перенесет рожковое семя от рожков-мужчин к рожкам-роженицам. В конце лета он забирался на мужские деревья, стряхивал их пахучую пыльцу в бумажные мешки и немедленно посыпал ею ветки женских деревьев. Поэтому его всегда окружал тяжелый, сильный и неистребимый запах семени, который смущал соседок, веселил соседей и сводил с ума его жену, тетю Батшеву.

Тетя Батшева любила своего мужа до беспамятства, великой любовью, и была уверена, что все женщины в мире относятся к нему так же, как она. И поэтому она боялась, что запах семени, который не покидал тело дяди Менахема даже после того, как она заталкивала его в душ и скребла там жесткой щеткой так, что он багровел и кричал от боли, привлечет к нему других женщин.

Вот почему любая другая женщина, которая приближалась к дяде Менахему на расстояние взгляда, немедленно получала у нее прозвище «*а курве*». А поскольку деревня была мала, а ревность велика, эти «курвы» всё размножались, а злость тети Батшевы всё накалялась.

«Такой мужчина, как мой Менахем, весной должен вообще молчать, — говорила она. — Конечно, лучше бы он молчал весь год, но главное, чтобы он молчал весной и не начинал выделывать эти свои штучки — сказочки всякие рассказывать, выдумки выдумывать и откровенности откровенничать... Все эти вещи очень опасны, когда мужчина рядом с «*курве*» именно весной».

И так случилось, что на третий год их совместной жизни настигла дядю Менахема странная аллергия, которая с тех пор нападала на него каждую весну и выражалась не как обычно, в безудержном чихании, расчесах и слезах, а в полном параличе голосовых связок.

Тоня Рабинович в свое время сказала, что тетя Батшева навела на Менахема порчу, но та отвергла такое предположение: «Жене не положено делать такие вещи. Для этого есть Господь на небе». И улыбнулась ханжеской улыбкой человека, чье дело делается чужими руками.

Так или иначе, но каждый год в какое-то весеннее утро между праздниками Пурим и Песах дядя Менахем просыпался безголосым. В самое первое утро этой своей немоты, не услышав произнесенных им слов, он по ошибке подумал, что оглох, но потом понял, что у него только губы шевелятся, а голос начисто пропал.

Вначале эта невольная немота сделала дядю Менахема раздражительным и нетерпеливым, а тетю Батшеву — тихой и довольной. Но в последующие годы дядя успокоился, привык и научился разговаривать с окружающими с помощью записок, а тетя, наоборот, снова наполнилась прежней ревностью и страхами. Теперь она уже боялась, что весна, запертая в горле ее мужа, подскажет ему иные пути, чтобы обхаживать своих *курве*.

— Он ведь та еще птица! — твердила она.

Однажды, когда мне было лет шесть или семь, я сказал дяде Менахему, что знаю теперь, в чем разница между ним и Яковом Шейнфельдом.

«Какая же это разница, Зейде?» — спросил дядя Менахем запиской.

— Вы оба птицы, — сказал я. — Но Шейнфельд птица странная, а ты — та еще птица.

Мама улыбнулась. Номи рассмеялась. Тело дяди Менахема задрожало от удовольствия, а его рука написала мне на записке: «Ха-ха-ха».

— Когда у мужчины нет слов, он начинает скакать, как обезьяна в лесу, и вытворяет всякие обезьяньи штуки, — сказала тетя Батшева, напуганная могучими результатами своей ревности.

Но дядя Менахем не скакал и ничего не вытворял — он молчал и замыкался в себе, как замыкаются в себе худые мужчины в конце лета, когда дни начинают укорачиваться.

У него даже появился тот агрессивный юмор, который обычно отличает немых. «Теперь я не должен декламировать эту вашу постылую Агаду!»[1] — сообщил он

---

[1] Агада пасхальная (букв.: повествование; *ивр.*) — традиционный свод благословений, псалмов и отрывков из священных книг, читаемых во время пасхального седера. Пасхальный седер (букв.: порядок, установление; *ивр.*) — церемониал торжественной трапезы в первую ночь праздника Песах.

с помощью большого праздничного плаката, который поднял перед всеми в тот пасхальный вечер.

Одед, и Номи, и три сына Батшевы и Менахема засмеялись. И даже Моше, который, войдя, обнял брата, расплакался и сказал:

— Вот, Менахем, первый пасхальный седер без жены и без матери, — даже он улыбнулся.

— Менахем считает, что ты должен немедленно жениться опять, — сказала Батшева, и Менахем подтвердил это кивком головы.

Но Моше и слышать об этом не хотел — и, уж конечно, сказал он, не при детях.

Моше и Батшева пропели с детьми все украинские и русские песни, которые они помнили из прошлого, Менахем пробарабанил эти же песни по столу, а Одед нашел афикоман[1] и попросил, чтобы мама вернулась.

Моше затрясся и побледнел, но Менахем похлопал мальчика по затылку и написал: «Это очень хорошая просьба, малыш, но пока ты получишь в подарок перочинный ножик».

19

Временами Моше хотелось страдать и чахнуть, потому что ему казалось, что скорбящей душе не подобает здоровое, цветущее тело. Иногда он готов был даже заболеть, но это ему никак не удавалось. Напротив — похоже было, что со смертью Тони его тело стало еще

---

[1] Афикоман — кусок мацы, который прячут во время пасхального седера. Младший из присутствующих должен найти его и тогда может потребовать за него любой выкуп.

здоровее. Как будто сила, которая покинула ее шею, добавилась к его шее, как будто из праха скорби пробились вдруг светло-зеленые побеги жизни и на них, что стыднее всего, почки облегчения и даже явные и смущающие веточки — все эти очевидные признаки нового цветения овдовевшего мужчины, в которых он не признается сам себе, хотя все кругом видят их и понимают их значение.

Его речь, прежде медленная и тяжелая, теперь стала беглой и легкой, его размеренная крестьянская походка начала временами пританцовывать, и новые тонкие волосики появились на его гладкой голове — не та пышная юношеская грива, а скорее что-то вроде младенческого пушка, который чуть притемнял блеск его лысины.

Тело его уже выздоровело и окрепло настолько, что он вернулся к обычной работе, как будто ничего не произошло. Он косил, и собирал, и пахал, и пас, а вечерами, после дойки, навешивал, как раньше, четыре бидона с молоком на коромысло, сделанное из двухдюймовой стальной трубы, взваливал его на широкие плечи и нес на молочную ферму.

Оттуда он шел за детьми. Пустые бидоны с унылым звоном качались на концах коромысла, и мысли Моше так же уныло отзывались в его сердце.

Он входил в дом кладовщика. Альбинос-счетовод приветствовал его, и Моше отвечал ему невнятным бурчанием. Он терпеть не мог все, что выходило за рамки обычного порядка вещей, и этот счетовод с его совиным образом жизни и непривычным цветом волос, глаз и кожи, вызывал у него смутную тревогу.

Но альбинос и не пытался понравиться — ни ему, ни кому-либо другому в деревне. Он занимался своими птицами, выполнял свои счетоводческие обязанности и никого не беспокоил. Раз в неделю кассир привозил в старый дом Якоби и Якубы полную тачку квитанций и счетов и стучал в дверь. Счетовод открывал щель в ставнях, сверкая в ней розовыми глазами и черным костюмом, и шептал:

— Заходи, только, пожалуйста, без шума, чтобы не испугать моих бедных птичек.

Когда кассир уходил, альбинос набрасывался на бумаги, подбивал счета, точил карандаши и сводил балансы внешнего, залитого светом мира.

Пение птиц и закрытые ставни защищали его от солнечного гнева, и только в сумерки, когда его заклятый враг, обессилевший от усталости и похожий на желток, опускался к горизонту, чтобы на мгновенье передохнуть там, прежде чем распрощаться с миром, он выходил из своего убежища размять кости и вдохнуть чистого воздуха.

Вначале открывалась дверь. Рука в длинном рукаве, пугливая и дрожащая, словно нос слепыша, обнюхивала свет и воздух и медленно поворачивалась туда-сюда, оценивая ярость умирающего солнца и слабеющий жар земли. Удовлетворенная осмотром, она извлекала следом за собой всего альбиноса — он выходил нерешительно, устремив затемненные очки к небу, и, едва возникнув на пороге, опять исчезал внутри, но сразу же появлялся снова, неся в руках клетки с канарейками, как будто выводил на прогулку собак.

Подвесив клетки на буксировочном тросе пикапа, натянутом от угла дома к стволу ближайшего кипариса, он располагался в шезлонге и ставил рядом с собой поднос с очищенными и разрезанными вдоль зелеными огурцами, белым сыром, селедкой, бутылкой пива и потрепанной книгой, которая выдавливала кровавые слезы из его глаз и слабые вздохи наслаждения из его горла.

Тем временем на детях Моше уже начало сказываться их сиротство. Одед мочился по ночам в кровать, а Номи сильно похудела.

— Номинька не ест, — сообщала жена кладовщика.

— Ее еда невкусная, — сказала Номи, когда они с отцом шли домой.

— Скажи мне, что ты любишь, — сказал Моше после долгого молчания, — и я передам ей.

— Мы хотим мамину еду, — сказал Одед.

— Все мы хотим мамину еду, — сказал Моше.

Жаркое стояло лето и благоуханное, как всегда. Деревенский сумрак окружал их молчанием совиных крыльев. Крохотные порошинки летели с гумна, раздражая кожу на шее Моше, как и в минувшее лето, когда его Тонечка была еще жива и выходила с ним на молотьбу.

Три раза еще заполнится и опустеет луна, а потом, это он знал наперед, его сильное тело тоже опустеет, размягчится и наполнится осенью. Аисты соскользнут с крыши и будут парить в небе, росистый ветер придет с гор, стрелки морского лука почуют осень и подымутся, распрямляясь, на краю поля.

Он любил эти годичные кольца памяти, которые аисты вычерчивали в небе, эту ежегодную верность морского лука своей земле и тоскливо колышущуюся волну его тонких стеблей. Он не был красноречив, и эти двое, морской лук и аист, говорили за него — один своими крыльями, другой своими луковицами — о смене времен и о вечности места, которых не могут описать никакие слова.

Последние осы собирались на забытых виноградинах, сгущались все новые тучи, малиновка, отважная кроха, вернулась с севера, снова завладела гранатовым деревом и уже обозначала границы своих владений и терпения яростным боевым щебетом, гремевшим в лиственной чаще.

Холодные сырые ветры раскачивали стволы кипарисов, маленькие упругие шишки падали на крышу и высоко подпрыгивали, ударяясь. Вади снова бурлило, и каждый день, как раненое животное, ищущее исцеления, Моше рыскал по дому и во дворе в поисках шкатулки с косой, той косой, которую ушедшие из его жизни женщины спрятали от него.

Небо над деревней, точно мазками гигантских кистей, было исчерчено огромными тучами скворцов — их тысячные стаи врезались друг в друга и сливались на миг, чтобы тут же разделиться и рассеяться снова. По утрам они тянулись над Долиной на восток, а вечером возвращались. Ночевали они на канарских соснах, которые окружали водокачку, и снижались на ночлег так стремительно, что казалось, будто эти большие деревья жадно втягивают их в свою листву. И потом лишь тихий лепет, еле слышный полусонный щебет засыпающих птиц и детей, долго еще доносился из гущи ветвей, пока и он не умолк.

В доме все еще оставались несколько банок повидла, которое Тоня сварила летом перед смертью. Никто не помнил об их существовании, но Моше, в неутомимых поисках шкатулки с косой, обнаружил их в каком-то углу и принес на кухню. Одед набросился на них, и уже вечером отец обнаружил его в коровнике — он

был весь в повидле и извивался, словно отравленный
шакал, оттого, что объелся сладостью.

— Вкусно, — сказал Одед и протянул отцу полную
ложку. — Открой рот, папа, и закрой глаза.

И Моше, не задумываясь, как не задумывается при таких словах всякий, кто когда-то был ребенком, закрыл
глаза и открыл рот, а Одед положил ему на язык полную
ложку повидла, которое обожгло ему горло и выжало
слезы из-под сжатых век.

Номи, которая незаметно вошла следом за ним в
коровник, посмотрела на них и задрожала.

— Хочешь тоже? — спросил Одед, протягивая ей
ложку. — Это мамино повидло, ешь.

Но Номи вдруг ощутила беспричинный и неисто-
вый гнев сиротства и, прежде чем они успели ее остановить, выхватила у Одеда банку, вдребезги разбила ее
о бетонный пол коровника и выбежала во двор.

20

— *Эс, майн кинд*, ешь.

Его рука поставила передо мной еще тарелку и на
обратном пути, осмелев, погладила меня по голове.

Яков никогда не называл меня «сыном» — только
«майн кинд», как будто идиш пугал его меньше, чем иврит. Я же, со своей стороны, ни одного из своих отцов
не называл «отцом» — ни на иврите, ни на каком-либо
другом языке.

Глоберман не раз корил меня, что я не называю его
отцом, но Якову это было безразлично. Лишь об одном он просил: чтобы я не называл его по фамилии,

«Шейнфельд», как называли все прочие, а только по имени.

— Я расскажу тебе историю про другого Якова, чтобы ты понял, — сказал он. — Не о том нашем праотце Якове, по имени которого называются все остальные Яковы, а о другом Якове Шейнфельде, который был братом отца моего деда. У нас, у Шейнфельдов, в каждом поколении есть такой Яков Шейнфельд. Шейнфельд все время остается, а Яковы меняются. Но если я скажу тебе, с чего жил тот Яков Шейнфельд, ты будешь смеяться. Он пробовал мыло. Ты видел когда-нибудь, как делают мыло, Зейде? Стоит большой бак, размером с эту комнату, и в него бросают всякую гадость, отбросы, и золу, и жир с мертвых животных, и все это воняет и кипит на огне, и из этой каши подымаются такие большие пузыри, величиной с арбуз, и всякий человек, который увидит эту мерзость, ему больше никогда не захочется мыться мылом. И это то, что он пробовал. Ты опять смеешься? Когда я был маленький, такому мальчику, который говорил плохие слова, ему всовывали в рот кусок мыла для наказания, но на фабрике нужно все время пробовать эту мыльную кашу, чтобы знать, когда потушить огонь, иначе мыло не получится. Как узнают? Это секрет. Это не написано ни в какой книге. Такое записано только на языке и в памяти знающего человека. Он нюхает, и он пробует, и он делает недовольное лицо и говорит, чего не хватает, а в конце он говорил: *«Ицт!»* «Сейчас!» — он говорил, и тогда надо было сразу потушить огонь. А пробовать мыло, Зейде, надо с середины бака, не с боков, поэтому тот Яков Шейнфельд висел вот так, на веревке, как обезьяна, чтобы бак кипел прямо под ним, и совал в него такую длинную ложку, а потом пробовал на кончике языка, и выплевывал наружу, и говорил, ждать еще или уже надо тушить. У них эта специальность переходила от отца к сыну, но у этого Якова Шейнфельда не было детей, он был холостяк, и когда он уже начал стареть, хозяин пришел к нему и сказал: «Яков, пришло время, чтобы ты научил кого-нибудь, как пробовать мыло. Ведь если, не дай бог, у тебя что-нибудь случится, кто даст знак и кто скажет «Ицт»?» Яков Шейнфельд выслушал его и не сказал ни слова. А назавтра он пришел, как всегда, на работу, залез на ту веревку над кипящим баком, и попробо-вал, и выплюнул, и сказал: «Не хватает чуть жира от старой падали», — и еще никто не успел понять, а он уже отпустил ту свою веревку и упал в этот бак с кипя-щим мылом. Хочешь чего-нибудь сладкого, Зейде? Жалко, что я рассказал тебе эту историю сейчас. На-верно, нужно было подождать еще несколько лет. Лучше было это рассказать, когда ты будешь кушать у меня в следующий раз. Давай я приготовлю тебе сей-час одну сладость, которой меня научил один италь-янский человек.

Он торопливо поднялся, будто желая стереть впе-чатление от рассказанной истории.

— Это очень просто. Все, что нужно, это желток от яичка, сахар и немножко вина. Иди сюда и смотри.

Он разбил яйцо и вылил его в ладонь, пропустил белок меж расставленных пальцев, а затем осторожно подбросил желток в сложенную чашечкой ладонь.

— Видишь, Зейде, — сказал он, — он не порвался и не вылился. Так всегда получается, если яйцо свежее, а желток крепкий.

Он отделил таким же манером еще два желтка и положил их в миску, добавил немного сахара и ароматного вина.

— Что может быть лучше такой смеси? Желток — это еда от матери и память жизни, а вино — это душа и будущее, а сахар — это желание и это сила.

От быстрого вращения веничек в его руке расплылся и превратился в сверкающий серебром круг, а потом Яков погрузил мисочку в кастрюлю с кипящей водой, но взбивать не перестал.

— Это пахнет намного лучше мыла, а уж куда вкуснее, и когда-нибудь я научу тебя это готовить. Ты понимаешь, о чем я говорю, Зейде? — И он снял миску, сунул в нее палец и велел мне сделать то же самое. — Так делают итальянцы, — и он с удовольствием лизнул свой палец. — Тебе нравится? А? Мне тоже. Рабинович дает тебе что-нибудь сладкое дома?

— Немного, — сказал я.

В те дни люди нечасто ели сладости. В доме Рабиновича мы подслащивали ломоть только повидлом, а чай пили вприкуску, с кубиком сахара. Я пью так по сей день, потому что при этом горечь и сладость не смешиваются друг с другом, а существуют рядом. Моше, для которого любовь к пирожным и шоколаду была верной приметой измены идейным принципам, любил рассказывать, что в дни его детства в доме родителей царила такая нищета, что во время чаепития над столом подвешивали на нитке один-единственный кубик сахара.

— И вы по очереди окунали его в чашку? — спрашивал я.

Моше улыбнулся с гордостью бедняка.

— Нет, — сказал он. — Мы пили чай вприглядку.

— Не слушай его, Зейде, — сказала Номи. — У них в России были тонны денег. У них были леса, и склады, и мельницы, и торговля, и папа, когда он был ребенком, ел больше сладостей, чем все его дети, вместе взятые, включая тебя тоже, Зейде.

21

Мягкий и нескончаемый, сеялся дождь, мелкий и упрямый. Моше соорудил себе и детям накидки из мешков и сколотил маленькие деревянные сани в виде неглубокого корыта с днищем, обитым жестью. Каждый вечер он ставил туда свои бидоны с молоком и волочил их по грязи на молочную ферму, и каждый вечер, потолковав там с соседями о том о сем, возвращался, заходя по дороге в дом кладовщика, чтобы забрать детей.

Дети усаживались в санях на пустые бидоны, и Моше тащил их домой. Поначалу они смеялись и понукали его: «Н-но, папа, н-но, айда, айда!» — но вскоре им это надоело, да и терпение Моше тоже кончилось. Ремни саней врезались ему в плечи. Его короткие надежные ноги проваливались в грязную жижу и вырывались оттуда с тошнотворным чваканьем. Он целыми днями работал во дворе и в поле, и вечером у него уже не было сил откликнуться на просьбы детей и поиграть с ними в «страшного медведя» — он лежал навзничь и стонал, дожидаясь, пока придет Номи, пройдется по его спине своими маленькими ножками в чулочках и потопчет его тело своими пятками.

Потом дети отправлялись спать, а Моше варил яйца и картошку в мундире, крошил стиральное мыло, разводил костер во дворе и кипятил мокрые, вонючие простыни Оdeda. Он чистил, и убирал, и искал свою косу, и в постель сваливался только после полуночи, с ломотой в теле и ожесточением в душе.

Благословен удачами был тот год, но благословение это не коснулось хозяйства Моше Рабиновича. Два выкидыша случились у него в коровнике, мангуст отыскал дыру в стене птичника и прикончил десятки цыплят, отводные канавы в саду засорились, и дождевая вода размочалила корни нескольких деревьев.

Целыми днями Моше топал по своим полям, а по ночам его сны проникали в могилу жены, прикасались к ее костям и подымались оттуда к изукрашенной деревянной шкатулке с золотистой косой, чтобы заново вернуть ему силы.

Потом сны кончались и возвращались в свои норы, а Моше просыпался, потому что Одед заползал к нему в кровать и прижимался к его телу. Он ждал, пока сын уснет, и тогда подымался и относил его назад в кроватку, где он спал рядом с Номи. Но Одед снова просыпался, и Моше опять слышал скрип кровати, и ложечка с повидлом снова позванивала, точно язычок, по стенкам стеклянной банки, и маленькие ножки опять топотали по полу, направляясь к его кровати и взбираясь на нее.

А утром, когда Моше просыпался, вся его кожа была пропитана холодной детской мочой сиротства и заброшенности, и сердце его кричало и вопрошало: где она, Тоня, его жена, его близняшка? И где они, его маленькие вышитые платьица? И его отрезанная коса? Пряди его детства и силы?

22

Вот так сложилось, что осенью тысяча девятьсот тридцатого года в деревне Кфар-Давид, в Изреэльской долине, маялся вдовец, которому доводилось самому и пахать, и варить, и шить, и играть со своими детьми, и читать им книжки. Да еще каждую ночь вставать и следить, чтобы они не сбросили с себя одеяло, да каждое утро отправлять их в школу — умытых, причесанных и накормленных, и каждый день зарываться лицом в платья умершей жены, что висели в пещере платяного шкафа, подобно спящим летучим мышам, сотканным из тканей и воспоминаний, — и как бы ни велика была сила его тела, ее уже явно недоставало.

А в поселке Петах-Тиква, а может быть, Ришон-ле-Цион, жила женщина, вдова при живом муже, покинутая и несчастная, у которой украли дочь, и сердце ее было с той поры намертво стиснуто в клетке ребер, а слезы прорыли борозды в ее лице.

— Что же тут еще рассуждать? — спросил Яков Шейнфельд и убрал со стола большие тарелки. — Видишь, Зейде, как тут все ясно? Сама судьба хотела, чтобы они встретились.

И действительно, отныне и далее прибытие моей матери в деревню оставалось уже только вопросом времени.

— Но я хочу тебя спросить, Зейде, — и ради этого надо забрать маленькую девочку у ее матери? Ради этого надо утопить другую женщину в вади?

Но судьба, с той же смутной горечью добавил он, никогда не склонна оставлять такого рода встречи на волю случая и даже не на волю удачи. Выполнить предначертанное было вверено руке дяди Менахема.

Дядя Менахем прослышал о судьбе Юдит и достаточно деликатно и умно поговорил о ней с Моше, рассказав ему то, что следовало рассказать, и опустив все, что требовало умолчания, а потом сам же и отправился за ней. Он бы вообще сохранил все это дело в тайне, но Батшева закатила ему страшный скандал прямо в центре деревни и орала при всех, что ее муж едет «запрыгнуть на новую *курве*».

Менахем предложил Юдит перебраться в Кфар-Давид. Она будет работать у его брата, и у нее будет хлеб, чтобы было что есть, и одежда — в чем ходить, и дом — где жить, и дети — растить, и коровы — доить, и кастрюли — ставить их на огонь, и мужчина, чтобы было с кем пить чай, и читать его мысли, и смотреть ему в глаза.

— Это будет хорошо для вас обоих, — сказал он ей.

Но ни Моше, ни Юдит не поспешили принять его предложение. Каждый из них укрылся в броне своей беды, и оба сказали: «Может быть», и «Зачем», и «Поживем — увидим», и еще много таких же осторожных слов, как будто сердца предсказывали им что-то и указывали:»Ждите!»

И так прошел год со смерти Тони, и снова наступил праздник Пурим. Во всех домах распахнулись шкафы и сундуки, появились наружу платья и ткани, пошли в ход краски, кисти и украшения. Затем состоялось великое состязание маскарадных костюмов, и три кандидата вышли в финал.

Первой была непонятная голубоватая фигура, назвавшая себя «Царем Индийского океана».

Вторым был счетовод-альбинос, который удивил всю деревню самим фактом своего участия. Он нарядился в «девушку, стирающую в реке», вышел на сцену с обнаженными коленями, на белизне которых резко проступали багровые пятна, с бельевой корзиной в одной руке и ребристой стиральной доской в другой, и не сводил своих розовых глаз с Якова Шейнфельда.

Третьим был, разумеется, Деревенский Папиш. Он каждый год удивлял всю деревню очередным необычным костюмом и в тот год изображал из себя сиамских близнецов — накрасил глаза, закутался в разноцветные тряпки и к большому оживлению зрителей сообщил, что его брата-близнеца охватил страх перед публикой и он остался дома.

Но аплодисменты быстро умолкли, потому что на сцену вдруг поднялась Тоня Рабинович.

Одетая просто, по-будничному, покойница протиснулась сквозь толпу и встала рядом с тремя другими финалистами. Она была так похожа на себя, что ведущий уже собрался было сделать ей замечание, что она забыла нарядиться и потому должна сойти со сцены, но тут все вдруг тяжело задышали от ужаса и возмущения, потому что вспомнили, что Тоня давно умерла, и поняли, что это не кто иной, как Моше Рабинович, нарядившийся в память своей жены. Они были так похожи, что вдовцу оказалось достаточно натянуть на себя женское платье, сунуть под грудь пару больших мотков шерсти и повязать на голову косынку.

— Убирайся со сцены, Рабинович, давай убирайся! — крикнул кто-то.

— Постыдился бы! — гневно процедил Деревенский Папиш, стиснув сиамские зубы.

Но Тоня вперила в него жуткие мертвые глаза, подошла вплотную, так что он даже отшатнулся, вытерла руки о передник тем знакомым движением, которого не сумели стереть ни смерть, ни время, и сказала низким голосом:

— Сейчас я кликну моего Моше, и он сделает из тебя котлету.

— Довольно, Бык, слазь! — зашумели в публике. Послышался свист, и несколько озлобившихся мужчин стали протискиваться вперед.

Тоня раскланялась с медвежьей грацией и сошла со сцены. Она прорезала толпу, словно лезвие тяжелого плуга, и покинула празднество. И тут же толпа разбилась на маленькие, возбужденно гудящие группки, которые тоже начали поспешно расходиться.

Придя домой, Моше не сразу снял платье умершей жены. Он принялся, как безумный, искать в шкафах и в углах, а потом стал рвать волосы на затылке и кричать, взывая к деревянным стенам. Дети молча и со страхом смотрели на отца.

В конце концов он выбежал из дома, направился к своему валуну, обхватил его руками, поднял, прижав к шерстяным грудям и могучим мышцам, что под ними, и стал с ревом и стоном ходить с ним взад-вперед, пока не бросил обратно на место.

— Что тебе сказать, Зейде? Это-таки была большая трагедия, потому что люди — они ведь не только горевали и сочувствовали ему, но они его жалели тоже. А у людей — у них ведь расстояние от жалости до жестокости очень маленькое, и они начали у него за спиной говорить, какой он несчастный, а отсюда до разговоров, что он сумасшедший, тоже маленькое расстояние, а ведь у нас в деревне каждый старается вести себя так, как люди о нем думают. Поэтому я веду себя сегодня, как дурачок, а Рабинович вел себя тогда, как сумасшедший, и мы еще посмотрим, как ты сам будешь себя когда-нибудь вести.

В одну из последующих ночей Рабинович забрался во двор Деревенского Папиша и унес одного из папишевских гусей. Дома он отрубил своей жертве голову, содрал с нее кожу, поджег кору и ветки, которые всегда скапливались у ствола эвкалипта, и поставил на огонь большую закопченную кастрюлю Тони. Когда кастрюля раскалилась, Моше положил в нее обрывки гусиной кожи и долго переворачивал их со стороны на сторону, а выплавленный жир каждый раз выливал в стоявшую рядом большую миску. Он продолжал варить, пока кусочки кожи не съежились и не зажарились до коричневости, а потом всыпал их в миску с застывающим жиром.

С восходом он помчался в пекарню, принес буханку хлеба и стал отрывать от нее куски, макая их в не совсем еще застывший шмальц с поджаристыми хрустящими шкварками.

Не из голода и не из мести или раскаяния сделал он то, что сделал, а из-за своего горя, которое отказывалось притупиться, и из-за своего тела, которое отказывалось успокоиться.

Слезы растворили комок в его горле, жир смешался с едкостью тоски в его желудке, и он начал выть и блевать. Номи, разбуженная этими страшными звуками, стояла рядом и плакала от испуга.

А когда пришел и Одед, мокрый и вонючий от мочи, и сказал:

— Я опять сделал пи-пи в постель, папа, — Моше поднялся с земли и крикнул:

— Почему? Почему? Сколько еще я должен буду стирать за тобой всю эту вонь? — и вдруг замахнулся и открытой ладонью ударил мальчика по лицу.

Добрый запах шмальца привлек ко двору Рабиновича многих деревенских. Они собрались вокруг большой черной кастрюли и поняли, откуда пришли в их сны воспоминания о покинутой ими стране, которые разбудили их сегодня на рассвете. Помимо своей воли они стали свидетелями и этого страшного удара.

Все были потрясены. Рабинович никогда не поднимал руку на человека. Только раз он швырнул на землю местного мясника, одного из грубых, мрачных приятелей Глобермана. Этот мясник славился тем, что мог одним ударом топора разрубить берцовую кость быка, и пришел во двор Моше, чтобы помериться силами с его валуном. Когда ему это не удалось, он разозлился и, вместо того чтобы, как все, пнуть камень и сломать себе большой палец ноги, вызвал Моше побороться и мигом оказался на земле.

Удар отбросил Одеда к стволу, его глаза закатились и побелели, а тело обмякло и стало сползать на землю, и Моше, побледнев, бросился к нему, поднял и начал было качать на руках. Но Номи крикнула:

— Не смей его трогать! Не смей! — и Одед пришел в себя, вырвался из рук отца и стал прятаться то за сестру, то за эвкалипт.

Люди за забором начали перешептываться, и тогда Рабинович, пытаясь укрыться от укоризненных взглядов соседей и испуганных глаз своих детей, бросился на сеновал и принялся колотить там все, что попадалось под руку, пинать и рвать мешки с комбикормом, расшвыривая их содержимое с такой яростью, что в конце концов весь комбикорм, к великому изумлению коров, превратился в порхающие над стойлами клочья, а сам Моше обессиленно свалился на землю.

— Выйди, выйди сейчас же, Тоня! — разносился по деревне его страшный рев, собравший ко двору тех немногих, кого еще не созвал запах. Все теснились на том почтительном расстоянии, на которое отодвигается толпа, когда вдруг появляется бешеная собака или нехолощеный бык вырывается из ограды. Опасаясь приблизиться, они пытались издали успокоить Моше своими криками, призывая его вернуться в дом.

В конце концов Одед пришел в себя и поднялся на сеновал, и когда он схватил отца за руки и потянул на себя его широкое тяжелое тело, оно вдруг стало легким, как перышко, и поднялось с земли.

Моше позволил мальчику привести себя домой и там рухнул на кровать и уснул. Он проснулся лишь наутро, под рассерженное мычанье коров. Закончив дойку и отослав детей в школу, он оседлал коня и поскакал в соседнюю деревню.

— Скажи той своей женщине, чтобы она приезжала, — сказал он Менахему, даже не спешившись.

— Подожди, Моше, дай коню поесть и попить, присядь, поговорим немного, — предложил Менахем.

— Не сегодня, Менахем, — попятил коня Моше. — Напиши побыстрей, пусть приезжает.

— Весна приближается, Моше, — засмеялся Менахем. — Если мы не поговорим сегодня, тебе придется ждать, пока не кончится Песах.

— Я подожду. Напиши ей сегодня же. Пусть приезжает.

Он пнул коня пятками в живот и поскакал домой.

23

— Еще сладкого?

— Да, — сказал я.

Снова кипятится вода, и отделяются желтки, и отдает свой аромат вино, и окунается палец.

— Каждый раз получается немного иначе, — усмехнулся Яков. — Может быть, недостает немного жира от старой падали, а?

Он поставил на стол бокал, сияющий и прозрачный, как крыло стрекозы, вложил в него ложечку и пододвинул ко мне.

Не дожидаясь его указаний, я закрыл глаза и открыл рот. Я слышал, как он вздыхает, выливая содержимое ложечки мне на язык.

Слова не могут описать ту сладость, которую мне по сей день так и не удалось ни разу воспроизвести. Много лет уже прошло с нашего первого ужина, но воспоминание о его заключительном блюде и сегодня еще ласкает мое нёбо, и притом так отчетливо и сильно, что порой, ковыряя в зубах зубочисткой, я то и дело выковыриваю из-под коренных зубов схоронившуюся там одинокую молекулу тогдашней сладости.

— Знаешь, что ты ешь? — спросил Яков.

Я помотал головой из стороны в сторону.

— Эта итальянский десерт.

Я боялся, что если открою рот, весь этот хороший желтоватый вкус сразу же улетучится.

— Когда-то у меня было много канареек, — сказал Яков.

Я кивнул, снова закрыл глаза, и Яков вылил мне в рот еще ложечку счастья и потрясения.

Он испытующе посмотрел на меня, как будто хотел узнать, что еще мне известно. Я ожидал, что он спросит: «Почему ты сделал мне это зло, Зейде?», — но он не знал, и не подозревал, и не спросил, ни во время того ужина, ни во время последующих, и только поинтересовался:

— Тебе вкусно?

Вот и наступила та минута, когда я вынужден был проглотить то, что держал во рту.

— Очень вкусно, — сказал я. — Самое вкусное, что я ел в жизни.

— Может, хочешь послушать музыку? — спросил Яков.

Он окунул два пальца в миску и с удовольствием облизал их.

— Сколько сил дает этот желток, — сказал он. — И сколько жизни.

Было уже поздно. Со стены на меня смотрела пугающими глазами самая красивая женщина в деревне. Десерт Якова навеял на меня сонливость.

— Хорошо, — согласился я.

Он положил пластинку на свой граммофон, покрутил ручку, и скрипучая танцевальная музыка разлилась по комнате.

— Это танго, — сказал Яков. — Здесь, в деревне, это не танцуют. Это танец любви и свадьбы, для мужчины и женщины. Танго — это трогать, прикасаться. Ты знал это, Зейде?

Он продолжал сидеть, но два его пальца танцевали по столу, как две маленькие ноги, оставляя желтоватые следы сладости на дощатой поверхности.

— Если хочешь, Зейде, я научу тебя этому танцу.

— Не сейчас, — сказал я.

— Это танго, — сказал Яков, — это такой танец, что никакой другой на него не похож. Это единственный танец для двух людей, который человек может танцевать в одиночку. Его и сидя можно танцевать, и лежа можно, и даже во сне. Деревенский Папиш сказал о нем когда-то, не забуду, как он красиво тогда сказал: «Танец, где нет ведущего, танец подавляемой страсти и нарастающей тоски». Этот Папиш, он временами говорит так красиво, что прямо болит сердце его слушать.

Двенадцать лет мне было тогда, и я немного испугался и хотел уходить.

— Я не хочу учиться сейчас танцевать, — объявил я и поднялся с места.

— Конечно, не сейчас, Зейде, — засмеялся Яков. — Ты ведь еще мальчик. Когда-нибудь, когда у тебя будет свадьба, я тебя научу. Мужчина должен уметь танцевать танго на своей свадьбе. Я научу тебя всему, что нужно знать перед тем, как человек женится.

— Я никогда не женюсь. Мне нельзя! — решительно сказал я, и мои ноги уже вели меня к двери.

Мы вышли в маленький садик. Большие маки уже увяли. Высокая желтеющая трава щекотала ноги, медленно танцуя под ветром. Яков Шейнфельд положил руку мне на плечо и наклонился ко мне так, что его щека коснулась моей. Его губы прикоснулись к моему виску, словно в поисках ответа и успокоения, тотчас отпрянули, почувствовав, что я весь напрягся, и Яков снял руку с моего плеча.

— Ты не обязан навещать меня, Зейде, — сказал он. — Ты не обязан даже здороваться со мной на улице. Я уже привык. С тех пор как Ривка ушла, а Юдит умерла, я остался один. Но через несколько лет я приглашу тебя на наш следующий ужин, так ты приходи.

Тонкий белый шрам на его лбу, заметный даже в темноте, вдруг стал не заметен, и я понял, что он покраснел.

— Хорошо, — сказал я.

Я шел домой. Теплая ночь начала лета окутывала мое тело. Ощущение было таким приятным, что мне казалось, будто я плыву. Сладость вина и сахара дышала у меня во рту, и я знал, что она уже никогда оттуда не исчезнет, даже после того, как исчезнет из моей памяти.

Запах дыма и гари поднялся в воздух. Вдали загорелся костер, и в его свете танцевали черные и красные силуэты.

Я побежал к ним. Это были мои одноклассники. Они плясали вокруг огня, швыряя в него личинки саранчи.

— Так ты придешь? — крикнул откуда-то сзади Яков.

— Приду! — крикнул я в ответ.

Я водил языком по зубам, справа налево и слева направо, туда и сюда. Я бежал от него, прижимая язык к нёбу и глотая сладкую слюну, а она все натекала и натекала мне в горло.

Вторая трапеза

1

На второй ужин он пригласил меня лет через десять, когда я вернулся из армии.

В армии я не произвел сенсацию. Мое имя мешало мне на любом смотре, а неуязвимость, вместо того чтобы сделать бравым воякой, превратила в солдата ленивого, ворчливого и вечно не в ладах с дисциплиной.

Накануне моего ухода в армию Яков встретил меня вечером возле дерева, где всегда собирались вороны, и предложил пойти на могилу матери.

— Не морочь мне голову, Шейнфельд, — сказал я.

Я уже не был мальчиком и мог распознать выражение боли и обиды, но еще недостаточно повзрослел, чтобы раскаиваться и извиняться.

Яков отпрянул, как от пощечины, а потом сказал:

— Только будь осторожен, Зейде, и не говори там своим командирам, что означает твое имя. Потому что тогда они пошлют тебя через границу на всякие опасные дела.

Я рассмеялся и сказал, что он зря беспокоится, но совет его принял и никому в армии не стал разъяснять смысл своего имени, даже после той дорожной аварии, когда джип, на заднем сиденье которого я дремал, перевернулся, а я, как обычно, вышел целым и невредимым. Водителя, седого, уже с брюшком, офицера-резервиста, который в начале поездки показывал мне фотографии своих внучек, раздавило насмерть. Меня вышвырнуло в ближайшую канаву и даже не поцарапало.

На курсах молодого бойца у меня обнаружился талант к стрельбе по мишеням, о котором я даже не подозревал. Меня послали на курсы снайперов, а потом я остался там уже как инструктор.

Тренировочная база представляла собой небольшой военный лагерь — этакий прямоугольник, обозначенный побеленными камнями. Его окружали эвкалиптовые деревья, и их сильный запах нагонял на меня воспоминания и уныние. Старые, покинутые вороньи гнезда чернели на вершинах деревьев, и когда я спросил, почему вороны покинули это место, один из инструкторов сказал мне:

— А ты бы согласился жить рядом со снайперами, будь ты птицей?

Мои дни проходили с заглушками в ушах, в полном одиночестве и в непрерывной стрельбе по тысячам картонных врагов, среди которых не было ни одного живого. День за днем я без конца настраивал прицелы, без конца всаживал пули в одну и ту же дыру и без конца писал письма, часть которых отправлял Номи в Иерусалим, а часть оставлял у себя. Природа наделила меня способностью одинаково легко писать справа налево и слева направо, письмом обычным и зеркальным, и это мое странное свойство побудило Глобермана однажды предположить, что, может быть, вовсе не они трое мои отцы, а кто-то неизвестный четвертый. Так или иначе, мне больше всего нравится писать тем способом, который Меир, муж Номи, назвал «бустрофедоном», или «ходом быка», когда одна строка пишется справа налево обычным письмом, а следующая — слева направо зеркальным, совсем как бык пашет в поле — идет и возвращается обратно вдоль предыдущей борозды. Я так упорно держался этого способа письма, что Номи наконец взвыла, что ей надоело стоять перед зеркалом, чтобы читать мои послания.

Она отправляла мне из Иерусалима посылки со смешными рисунками, замечательными маковыми пирогами и рассказами о ее муже и маленьком сыне, которые меня не интересовали. Яков тоже присылал мне письма — короткие и редкие, написанные наклонным почерком и с ошибками, которые соответствовали его манере речи. Глоберман, по своему обычаю, отправлял деньги, и на каждой кредитке, возле подписи управляющего государственным банком, добавлял свою собственную и еще одно-два слова. А Моше не посылал мне ничего, но всегда провожал до самой молочной фермы, когда я на исходе субботы уходил, чтобы вернуться на базу. Теперь я уже был намного выше его. Он обнимал меня на прощанье, долго тискал мою руку в своей шершавой медвежьей ладони, а потом я взлетал в заоблачные выси одедовской кабины и уезжал.

В тысяча девятьсот шестьдесят первом году я закончил службу, сдал свой снайперский маузер и телескопический прицел, вернулся в деревню и отказался от предложения Глобермана учиться торговать скотом.

— Это приличная работа. Зейде, — сказал он мне. —
И это специальность, которая всегда переходит от отца к сыну. Я научу тебя всему, что нужно, и сделаю из
тебя *«а файнер сойхер»*, скупщика первый сорт, как если бы ты сам родился на *«клоце»*.

При всей моей симпатии к Глоберману меня вполне
не устраивало, что я родился на полу коровника. И я не
думал, что родись я на мясницкой колоде, это как-то
улучшило бы мою родословную. Но Глоберман был
щедрый отец, увлекательный собеседник и неистощи-
мый источник занятных историй, оценок и суждений,
и я то и дело присоединялся к нему на денек-другой —
поработать и послушать его рассказы.

— Мама перевернулась бы в гробу, — сказал я ему, —
если бы знала, что я еду с тобой на бойню.

Мы ехали в его старом зеленом пикапе по просе-
лочной дороге Долины, и Глоберман в очередной раз
щедро делился со мной поучениями и назиданиями.

— *Гиб а кук*, Зейде, погляди, — сказал он. — Вот тут
был когда-то лагерь итальянских военнопленных. Вон
там, где тот маленький холмик, — там была их кухня.
А те красные кирпичи — это все, что осталось от печ-
ной трубы. Они тут целыми днями пили, и варили, и
плясали, и из этой их трубы шли самые лучшие в мире
запахи. А в заборе была большая дыра, о которой все
знали, и пленные могли спокойно выходить через нее
и спокойно возвращаться, не мешая охранникам.
Спроси при случае Шейнфельда, — добавил он. —
Шейнфельд знал этих итальянцев еще лучше, чем я.

Какая-то хитринка послышалась мне в его голосе.
Я знал, что он имеет в виду, но понимал, что он меня
испытывает, и не подал вида.

Пикап шел виляя, переваливаясь на своих изношенных рессорах, и несчастную корову, стоявшую в кузове, швыряло от борта к борту. Глоберман был бездарный водитель. Его то и дело заносило на обочину, и он всякий раз таранил какое-нибудь несчастное животное или дерево, которые не успели увернуться. Одед, который за много лет до того учил его вождению, как-то сказал мне: «Ты будь осторожен, когда едешь с ним. Он уверен, что переключатель скоростей — это чтобы масло в двигателе размешивать».

Глоберман спросил, были ли у меня в армии какие-нибудь «цацкес».

— Меня не так уж интересуют «цацкес», — сказал я.

— Не важно, каждый человек в конце концов получает в точности ту «цацу», ту женщину, которую он заслуживает. Как это у нас говорили? Рувим получает «а цацке», Шимон получает «а клавте», а Леви получает «балабусте». Одному достается красотка, другому ведьма, а третьему — хорошая домохозяйка. Может, мне стоит самому подыскать для тебя приличную цацку, а, Зейде? Такую поядреннее, чтобы у нее тело было — как плечо годовалого бычка, представляешь?! Когда такая «цаца» держит тебя обеими ногами и смеется, у тебя все тело поет, как птица. Когда-нибудь, когда ты научишься разбираться в мясе, ты поймешь, что я имею в виду. А пока придется ждать — может, нам еще повезет найти такую.

— А если не повезет?

— Э-э, в мире полным-полно баб-редисок, и баб-картошек, и баб, которые как крутое яйцо. Я ведь тебе уже говорил — каждый получает то, что ему причитается, точка.

От близости к крови и деньгам суждения Глобермана о разных сторонах жизни сделались весьма категоричными, особенно когда речь шла о том, как бы набить брюхо и побаловаться в постели.

— Люди ни хрена не понимают! — провозгласил он. — Красивая баба, если она глупая, так уж такая дура, что не приведи господь, а если умная, то уж самая умнющая. Потому что у женщины красота идет вместе с умом, а у нас, у мужиков, — вместе с глупостью.

Он посмотрел на меня с улыбкой, я вернул ему ее, а старый пикап, который только и ждал, чтобы мы отвлеклись, на полном ходу влетел в чей-то сад и сломал очередную яблоню.

Глоберман обстоятельно и с удовольствием выругался, заглушил двигатель и в наступившей тишине сказал:

— А кроме того, Зейде, у каждой женщины есть несколько секретов, известных только глазу и руке человека, который всю жизнь торгует мясом. Тебе пора это знать, потому что тебе уже как-никак двадцать два, и если бы ты работал, как следовало бы, не с молоком коровы, а с ее мясом, ты бы уже давно все это знал. Другие люди смотрят у женщины на всякие глупости — губы там, глаза, — а если и осмеливаются на что-то большее, так смотрят еще, как двигается ее *тухес*[1], когда она ходит, и как пляшут ее *цицес*[2], когда она работает. Но человек, который родился на *клоце,* знает, к примеру, что у всякой женщины в конце спины, точно в том месте, где у нее рос бы хвост, если бы он был, есть такой маленький мясистый бугорок. Ты, Зейде, при первом

---

[1] Зад, попа *(идиш).*
[2] Груди *(идиш).*

удобном случае — например, когда будешь с ней танцевать, — ты ее похлопай там, вот так.

Он протянул быструю ловкую руку и похлопал мою спину по тому месту, где у меня не было хвоста.

— *Пинкт* здесь, в точности. У мужчин там ничего нет. Но у женщины по этому маленькому бугорку на спине ты можешь сразу узнать, какой у нее второй маленький бугорок — в тех райских кущах, что на теле впереди. Там у нее холмик должен быть плотный, и красивый, и веселый, понимаешь? *А зискайт шель басар.* Самая сладость тела. А если у нее нет там такого бугорка, так и все остальное тело будет такое же невеселое, точка.

Он вышел из машины, чтобы проверить причиненный ущерб.

— Бампер у этого пикапа — никакой бычий лоб не сравнится, — гордо объявил он.

Мир Глобермана был прост и надежен, признаки и приметы — однозначны, намеки — очевидны и недвусмысленны, и все его предложения заканчивались громкими точками.

— И еще одно ты можешь выучить сейчас у своего отца, Зейде, — что если у нее на верхней губе есть немного волос — не то чтобы, не дай бог, усы, а так, вроде тени от травы, — это тоже хороший признак, это признак, что она женщина горячая, с пышным лесом на этом ее пышном холме.

Он вытащил из кармана мятую банкноту и прикрепил к стволу сломанной яблони.

— Хватит с них, — сказал он. — Чтоб знали, что Глоберман человек честный и за ущерб платит наличными. Так ты понял, что я тебе сказал насчет бугорка? Она еще не успеет раздеться, а ты уже можешь знать о ней такие вещи, что даже ее родная мать о них не знает.

Пикап вернулся на проселочную дорогу, покатил дальше, царапая железным брюхом гряду жестких колючек между колеями, и мы пересекли эвкалиптовую рощу. Давняя тропа, на которой Глоберман и его очередная жертва когда-то оставляли следы сапог и копыт, расширилась за эти годы от ширины коровы до ширины пикапа, и теперь в нее были впечатаны только следы резиновых шин.

— Этот ворюга уже на месте, — сказал Глоберман, когда мы выехали из рощи и увидели мясника, поджидавшего у ворот бойни. — Ты, Зейде, ничего ему не говори. Ты только присматривайся и мотай себе на ус. Этот тип — он тот еще мошенник, и у кого, ты думаешь, он этому научился? Как все мы — у своего папаши. А откуда, ты думаешь, я знаю, что вся эта семейка — мошенники? От своего отца. Это он научил меня, кого нужно остерегаться. Когда к ним в лавку заходил кто-нибудь из этих набожных гнид за кошерным мясом, отец этого ворюги заводил руку за спину, засовывал ее глубоко в штаны и клал себе на *тухес*. Клиент смотрел на мясо и спрашивал: «*Дос из глат?*»[1] А этот мошенник, его отец, он гладил рукой свой *тухес* и говорил: «*Йо, йо, дос из глат!*»[2] А если ты его спрашивал потом, почему он врет, он тут же снимал штаны, поворачивался к тебе задом и говорил: «Попробуй сам, разве это не гладко?»

---

[1] Это гладкое? *(идиш).* По еврейским ритуальным законам мясо, пригодное для еды (т.н. кошерное), должно быть от животного с гладкими легкими.

[2] Да, да, это гладкое (т.е. абсолютно кошерное) *(идиш).*

Все еще улыбаясь тому, как он меня рассмешил, он припарковал пикап и вывел из него корову.

— Сейчас ты услышишь, как он говорит, — шепнул он мне, не разжимая челюстей. — Этот тип гундосит. Говорит себе в нос. Это тоже важный признак, Зейде: если человек говорит в нос, он мошенник, точка. Но мы с тобой сделаем все честно и по правилам, верно? Ты только не вмешивайся. Главное — не говорить, сколько мы за нее дали.

Гундосый мясник осмотрел корову, поводил ее взад-вперед, похлопал по костистому хребту, пощупал зад и железы на шее и проделал все те проверки, которые делал сам Глоберман, когда покупал коров у нас в деревне.

— Сколько ты хочешь за эту доходягу? — спросил он наконец, и каждый из них обхватил ладонью запястье другого, обозначая этим начало торга.

— Семьдесят! — воскликнул Глоберман и со всей силой ударил по ладони мясника.

— Тридцать пять! — прогнусавил мясник, и его ладонь шлепнула по руке Глобермана.

— Шестьдесят восемь! — отчаянно крикнул Глоберман, в свою очередь хлопнув по руке мясника.

— Сорок! — воскликнул в ответ мясник, и его рука хлестнула по руке Глобермана.

— Шестьдесят пять! — ответил Глоберман столь же же звучным ударом.

Ладони били одна о другую тяжело и громко. Едва приметные гримасы боли пробегали по лицам торгующихся.

— Сорок три с половиной!

— Шестьдесят четыре!

Наступила короткая пауза. Они стояли, уставившись друг на друга, и их побагровевшие руки явно хотели уже расстаться.

— *Бенемунес парнусе?* — спросил Глоберман.

— *Бенемунес парнусе!* — согласился мясник.

Они расцепили руки и потерли натруженные ладони.

— Ладно, — сказал мясник. — Пусть тебе будет семь от меня, грабитель.

— Это получается пятьдесят девять, — сказал Глоберман.

Мясник уплатил, Глоберман снял с коровы свою веревку, уложил на ее постоянное место на своем плече и сказал:

— Как только он крикнул: «С половиной», — я уже знал, что дело кончится на *бенемунес парнусе.*

И мы уехали.

— Ты понял, что ты видел? — продолжал он, когда мы отъехали. — Ты вообще знаешь, что это такое, *бенемунес парнусе?*

— Нет.

Он покачал головой.

— Тогда слушай. *Бенемунес парнусе* — это честный навар с продажи. Если мы с мясником не сходимся в цене, он называет, какой навар он мне дает на мою корову. И если я купил ее за пятьдесят два, а он сказал «*бенемунес парнусе* семь», то он должен мне уплатить пятьдесят девять.

— Почему же ты не сказал, что купил ее за пятьдесят пять?

— Нет. Набавлять не разрешается.

— Не разрешается? Это что, твой отец так тебя научил, а теперь ты меня так учишь?

— *А флейш-хендлер ун а фиш-хендлер ун а ферд-хендер*, Зейде, все те, кто торгуют мясом, или рыбой, или лошадьми, — это люди таких профессий, которые не пользуются особым уважением у других, но передаются от отца к сыну, — сказал Глоберман. — И если ты хочешь быть настоящим торговцем, *а сойхер*, ты должен знать, что у нас, у перекупщиков, тоже есть свои принципы. Ты можешь обманывать во всем — какой вес у твоей коровы, и здорова ли она, и сколько ей лет, ты можешь налить ее водой, или накормить солью, или поморить голодом, или откормить, или сделать ей понос, или воткнуть ей гвоздь в ногу, даже сделать *глат* на собственном *тухесе* ты можешь. Но в *бенемунес парнусе* врать запрещено, точка.

2

Мне нравились эти его наставления, и его рассказы, и поездки с ним, но торговать скотом я не хотел.

Я читал книги и работал в хозяйстве вместе с Моше, возобновил свои наблюдения за воронами и завязал платонические отношения с одной девицей из соседней сельскохозяйственной школы, которая занималась откармливанием гусей у Деревенского Папиша и выглядела настолько опасной и готовой к немедленному материнству, что я не разрешал ей прикасаться ко мне ниже пояса.

В те дни меня донимала бессонница. Я никак не мог понять, откуда она приходит — изнутри или снаружи, но помнил слова матери: «Ангел Смерти — очень аккуратный ангел, у него все разложено по полочкам, а вот

Малах фон Шлоф, наш Ангел Сна, этот все забывает и всегда обманывает, и на его обещания нельзя полагаться». Я воспользовался своей бессонницей, чтобы подготовиться к университету, и много ночей провел, лежа, читая и заучивая, — желтая деревянная птичка неподвижно парит надо мной в вечном полете, маленькая лампа горит в изголовье кровати.

А иногда, под утро, когда книга наконец падала мне на лицо и я засыпал, в комнату заходил Моше Рабинович и принимался что-то искать в темноте, рыться, высматривать и щупать. Я просыпался, но он не обращал на меня внимания и продолжал заглядывать в шкафы, копался в кухонных ящиках, открывал коробки и банки.

— Что ты там ищешь, Моше? — не выдерживал я наконец, хотя заранее знал, что он ответит.

— *Дер цап*, — отвечал он. — Мою косу.

В его голосе грубая сила, сохранившаяся в жестких волокнах тела, была прошита тонкими нитями слабоумия, которое по-настоящему поразило его под старость, но уже и тогда вплеталось в произносимые им слова едва ощутимым предзнаменованием.

— *Дер цап*, — повторял он голосом, который был старше его тела на многие годы. — Где коса, которую отрезала мне мама? Моя Тонечка не сказала тебе, куда она ее спрятала?

Дрожь озноба пробежала по моей спине. Я знал, конечно, что живые тоскуют по своим умершим, говорят с ними и оплакивают утрату, но я не знал, что и мертвые ведут себя так же по отношению к своим любимым живым.

Даже сегодня, когда коса уже нашлась, он продолжает приходить ко мне по ночам и пугать своими словами. Ничего не изменилось: я по-прежнему лежу там и читаю, *Малах фон Шлоф* по-прежнему задерживается с приходом, и Моше Рабинович по-прежнему приходит ко мне, бормоча: *«Дер цап... дер цап...»* — и ищет косу, «которую отрезала мне мама».

Странно слышать, как такой старый человек произносит «мама». Но я не говорю ему ничего и не напоминаю, что совсем не знал его мать и родился спустя многие годы после смерти его Тонечки. Он уже старик, и зачем мне тревожить его напоследок всеми этими мелочами? Он так стар, что я больше не забочусь прятать от него ту косу. Вначале ее прятала его мать, потом жена, а сейчас, когда она лежит, открытая любому взгляду, ее прячет от него беспамятство слабоумия.

Яков уже умер, и Глоберман уже умер, и моя мама тоже умерла, а Моше все еще жив. Его память день ото дня слабеет, ноги отяжелели, но руки по-прежнему сильны, как стальные тиски.

Каждый день, как охотник, возвращающийся к останкам льва[1], он приходит к гигантскому пню того эвкалипта, что когда-то срубил во дворе, обходит его и тщательно осматривает, выдирая любой зеленый побег, который на нем появился.

— Это твое наказание, убийца! — бормочет он, обращаясь к мертвому пню. — Умереть совсем ты не умрешь, но вырасти еще раз ты не вырастешь!

А потом он усаживается на пень, кладет себе на колени деревянную доску, а на нее — кучку ржавых погнутых

---

[1] Имеется в виду история Самсона, библейского богатыря, который растерзал молодого льва голыми руками, а спустя несколько дней пошел посмотреть на его труп и обнаружил в нем рой пчел и мед; отсюда его знаменитая загадка «Из горького вышло сладкое» (Книга Судей 14:6—14).

гвоздей, которые подобрал во дворе и на улице. И я, хоть и привык уже к этому зрелищу, снова не верю своим глазам, когда вижу, как старый Рабинович выравнивает эти гвозди толстыми пальцами и укладывает в другую кучку. Потом он драит их песком и отработанным машинным маслом, так что они начинают блестеть, как новые.

Я поднимаюсь с кровати, беру украшенную ракушками деревянную шкатулку, открыто стоящую на своем обычном месте на полке, и открываю ее.

— Вот твоя коса.

Волосы отливают золотом в сумеречном свете. Рабинович протягивает трясущуюся, толстую руку и говорит:

— *А шейне мейделе*[1], а, Зейде? — И поглаживает пальцами свои детские пряди.

Потом он говорит мне:

— Закрой коробочку, Зейде, и больше не прячь ее от меня.

И Зейде закрывает, и Рабинович уходит, и снова наступает тишина.

3

Приглашение на второй ужин мне привез всегдашний таксист Якова, который возил его, куда ему захочется. Таксист подъехал ко двору Рабиновича, постучал в дверь бывшего коровника и вручил мне конверт.

В те дни Яков жил уже не в деревне, а на Лесной улице в соседнем Тивоне, в том большом доме, который

---

[1] Красивая девочка *(идиш)*.

сегодня принадлежит мне. Мы не раз видели, как такси ждет его в тени казуарин, что на главной дороге, пока он сидит на деревенской автобусной остановке и повторяет идущим мимо людям и машинам свое: «Заходите, заходите!» Но в деревню он больше не приходил.

Я решил отправиться к нему пешком и вышел из дому утром, после дойки, чтобы идти не спеша, вволю останавливаться по дороге и прийти к нему еще до захода солнца.

Было начало осени. На линиях электропередачи, тянувшихся вдоль дороги, чернели сотни ласточек, нанизанных на провода, точно нотные знаки на линейках музыкальной тетради. Дорожная пыль уже была перемолота тысячью летних колес, и в воздухе летали склеившиеся щетинки сжатых колосков.

Первые дожди еще не прошли, и вода в русле вади стояла так низко, что из высохшей грязи на берегах торчали рыбьи скелеты. Немногие выжившие рыбки теснились в нескольких оставшихся лужицах и были так заметны, что вороны и цапли выклевывали их из воды с ловкостью зимородков. Тут росла в изобилии малина, подмигивая мне темными спелыми глазами конца лета, и я, от жадности, даже порвал рубашку об ее колючки.

Я прошел вдоль вади до экспериментальной фермы, неподалеку от нашей деревни — в ту пору агрономы занимались там выращиванием пряных трав, и оттуда постоянно доносились влекущие запахи еды, — потом пересек небольшую долину, что за фермой, поднялся на север, по тропе, шедшей меж больших дубов, которые остались от лесов, в давние времена покрывавших эти холмы, и под одним из этих дубов решил прилечь и заодно глотнуть воды из захваченной с собой фляги.

Место это не было мне чужим. Два леска сопровождали все мое детство. Ближайшим была та эвкалиптовая роща, что отделяла нашу деревню от бойни. Там гнездились несколько вороньих пар, а перед восходом пела рыжая славка — я научился следовать за мельканьем ржавого хвоста и таким манером нашел ее гнездо, спрятанное среди старых эвкалиптовых пней. Новые побеги, которых никто не выдирал, поднялись здесь из-под среза, разрослись и образовали укромный зеленый шатер — лучшее прибежище для птиц, ищущих одиночества и укрытия. Орлы и стервятники парили в небе над этой рощей в поисках останков животных, которых оттаскивали сюда с бойни, и несколько раз я видел там дядю Менахема, когда он показывал свои весенние записки каким-то смеющимся женщинам, иногда знакомым мне, иногда незнакомым. Я думал, что это его знаменитые *«курве»*, но приказ Номи был для меня нерушимым, и я ничего не рассказывал тете Батшеве.

Второй лес, подальше, дубовый, лежал как раз на том пути, которым я шел сейчас к Якову. Сюда я тоже приходил в детстве, но этот лес был слишком далеко, чтобы тащить туда наблюдательный ящик. Здесь я просто лежал на сухих листьях и подолгу смотрел в небо.

Тут жили сойки с принципами, раз и навсегда отказавшиеся подбирать объедки с человеческого стола. Они были такие же наглые и любопытные, как и их сородичи, давно перебравшиеся в окрестные деревни, но казались поменьше тех, и голубизна их крыльев вы-

глядела не так нарядно, а птенцы были более жилисты-
ми и дикими. Эти сойки прятали про запас желуди,
меньше летали и предпочитали незаметно прыгать
меж веток. Самцы, как я не раз видел, еще сохранили
обычай, давно забытый их деревенскими братьями, —
они строили сразу несколько гнезд и предоставляли
самке выбрать одно из них.

Мои старые друзья-вороны здесь не жили, но черных дроздов я видел и слышал, — франтоватых самцов,
что кичились своим черным опереньем и оранжевыми
клювами, и скромных самок, маскировавшихся в серое
и коричневое.

«Мальчик опять ушел в лес!» — кричал Моше Рабинович.

«Там опасные звери», — приходил ему на помощь
Яков Шейнфельд, в душе которого еще текла река его
детства и не исчезли страхи северных лесов и вой го-
лодной волчьей стаи.

«А ну, хватай побыстрее свой пикап и отправляйся
искать парня!» — торопил Глоберман Одеда.

А мама смеялась. «Если Ангел Смерти придет в лес и
увидит маленького мальчика, которого зовут Зейде, —
напоминала она моим трем обеспокоенным отцам, —
он тут же поймет, что произошла ошибка, и отправит-
ся в другое место».

Тихий, деятельный шорох непрестанно стоял в лесу —
шуршание листьев и голоса птиц, торопливые шажки
мелких животных и посвист ветра. Но стоило мне приблизиться к опушке, как тотчас послышались звонкие
предупреждения дятла, и все звуки разом смолкли, будто по приказу. Я лег на землю и растянулся на спине.

Огромный полог тишины спустился с вершин дубов и укрыл мое тело.

Нити паутины сверкали на солнце, жучки волочили по земле свою добычу, из-под настила листьев парило сырым теплом — верный признак медленного брожения гнили. Мало-помалу мои уши освоились с тишиной, и вот я уже начал различать тончайшие прослойки меж ее пластами: неумолчное шуршание высохшей дубовой листвы, неутомимый жор червя, вгрызающегося в древесный ствол, скрип перетираемых зерен в зобах горлиц, отъедавшихся перед перелетом в Африку.

Прошло несколько минут настороженности и приглядывания, прежде чем лесные твари привыкли к моему присутствию и успокоились. Дятел снова взял на себя роль герольда, быстрым барабанным боем распоров тишину. Вслед за его перестуком раздался раздраженный металлический голос синиц, и их тут же поддержали и усилили все прочие лесные жители. Мир распался на тысячи тонких звуков, словно вывалившихся из разодранного нараспашку мешка. Все колесики природы разом затикали вокруг меня, как в часовом магазине. Маленькие стрелки сезонов показывали конец лета — криком последних цикад, сухим пыльным запахом вспаханных полей, громким хлопаньем крыльев каменной куропатки, чья расцветка, смелость и величина отмеряли те несколько дней, что прошли с момента ее вылупления. А большие стрелки показывали время дня — солнцем, которое уже начало опускаться, да западным ветром, который нашептывал: «уже-четыре-часа-после-обеда-и-сейчас-я-усиливаюсь», да громким криком стрижей, ищущих добычи и объявляющих о приближении вечера.

Я помню, как мама впервые учила меня читать по этим стрелкам. Я был тогда шести лет от роду и попросил купить мне часы.

«У меня нет денег на часы», — сказала она.

«Тогда я попрошу Глобермана, и он мне купит. Он мой отец, и у него куча денег».

Несмотря на малолетство, я уже хорошо понимал статус трех мужчин, которые заботились обо мне, приносили мне подарки и играли со мной в разные игры.

«Ты никого ни о чем не будешь просить, — тихо и жестко сказала мама. — У тебя нет отца, Зейде, у тебя есть только мать, и то, что я смогу, я куплю тебе сама. У тебя есть еда, чтобы поесть, и одежда, чтобы носить, и ты не ходишь босиком, без обуви».

Но потом, чуть смягчившись, взяла меня за руку, вывела во двор и сказала: «Тебе не нужны специальные часы, Зейде. Посмотри, сколько часов есть в мире».

Она показала на тень эвкалипта, которая своей длиной, направлением и прохладой говорила: «Девять утра», на красные листики граната, которые говорили: «Середина марта», на зуб, который шатался у меня во рту и говорил: «Шесть лет», и на маленькие морщинки в углу ее глаз, которые разбегались с криками: «Сорок!»

«Видишь, Зейде, вот так ты весь внутри времени. А если у тебя будут часы, ты всегда будешь только рядом с ним».

Я услышал странный шорох. Он вполз в мои уши и как будто открыл мне глаза изнутри. То был кот. Сбежавший из дома, он важно прошествовал мимо меня — один из тех котов, которые время от времени покидают человеческое общество, чтобы испытать свои силы в лесу и в поле. Это был огромный котище, настоящий гигант, с черно-белой шерстью. Лесная жизнь уже успела вернуть его хребту древний разбойный изгиб, но в нем все еще ощущались былая грациозность, томная лень и сытое барство тысячелетий одомашнивания.

Я, умевший беззвучно подкрасться даже к строящим гнездо воронам, не шелохнулся, и кот не заметил меня, пока я не позвал его искушающим «ксс-ксс-ксс».

Он застыл на месте, повернул ко мне узкие зеленые глаза и с трудом сдержался, чтобы не подойти и не отдаться моей ласкающей руке.

«Ксс...Ксс... Ксс...» — шепотом пропел я, но кот опознал мой человеческий голос, пришел в себя, отпрыгнул и исчез.

Я тоже поднялся и пошел дальше.

4

— Ты вырос. Яков распахнул дверь.

За время моей армейской службы мы обменялись несколькими письмами, но лицом к лицу не встречались уже больше трех лет.

— Ты тоже вырос, Яков, — сказал я.

— Я постарел, — с улыбкой поправил он меня и тут же сказал свое постоянное: — Ну, заходите, заходите...

Его новый дом был красив — огромный и просторный, большая лужайка впереди и маленькая за домом. Больше всего мне понравилась кухня. В центре стоял внушительных размеров обеденный стол, кастрюли и сковородки висели на стенке под полками, а не прятались в шкафчиках. Тут я и расположился. Я из тех людей, которые любят сидеть на кухне — и у себя дома, и у других.

— Я беспокоился за тебя, когда ты был в армии. Ты не отвечал на мои письма.

— Обо мне не надо беспокоиться. Я маленький мальчик по имени Зейде, разве ты забыл, Яков?

Он заметил порванную рубаху.

— Быстренько снимай рубаху, — сказал он. — Я тебе починю. Человек не должен ходить по улице в таком виде.

И не отстал от меня, пока я не снял рубаху, несмотря на все мои протесты.

Он вдел нитку в иголку и за несколько минут затянул дыру маленькими быстрыми стежками, до того одинаковыми по размеру и с такими равными промежутками, что я даже удивился.

— Где ты так наловчился? — спросил я.

— Когда припечет, научишься.

Большие белые тарелки, которые запомнились мне с нашего первого ужина, уже стояли на столе, отражая свет большой лампы с круглым, зеленым, как над карточными столами, абажуром.

— Еду, Зейде, подают только в белой тарелке, напитки — и воду, и чай, и сок, и вино, — наливают только в стакан из стекла без цвета, — наставительно сказал Яков. — В этих делах есть правила. Если ты видишь ресторан со свечами, туда нельзя заходить. Свечи — это не для романтики, это признак, что повар хочет что-то скрыть. Человек должен хорошо видеть, что он кладет себе в рот. Он видит и нюхает, и у него выделяется слюна. Во рту есть шесть маленьких краников для слюны, и они тут же начинают работать. Слюна, Зейде, это замечательная вещь, даже больше, чем слезы, больше, чем все, что течет в теле. При еде она для вкуса, при поцелуе она для любви, а когда ты плюешься, она для ненависти.

Пока я ел, Яков стоял возле раковины и продолжал говорить, колдуя над следующим блюдом для меня или отправляя в рот из своего блюда — все того же салата из овощей с яичницей и большим количеством лимонного сока, черных маслин и белого сыра, — которое почему-то вызывало у меня зависть, несмотря на здоровенный кусок говядины, который он положил на мою тарелку.

— Помнишь наш первый ужин? Скоро уже десять лет с того времени.

— Помню, но я так и не знаю, что мы ели тогда.

— Бедный повар, а? — сказал Яков. — Нельзя насвистеть то, что он сварил, или мясо его продекламировать, или суп его станцевать.

— Книгу тоже нельзя насвистеть, а мелодию нельзя съесть, — пытался я утешить его.

— Можно, — убежденно сказал Яков. А потом добавил: — Мелодия — это всегда что-то новое, что никогда еще не было в мире, потому что из скрипки или флейты выходят такие звуки, что даже птицы не умеют их пропеть, а художник, он как Бог, потому что он может нарисовать такое, что этого вообще в мире нет. Но еда? Еда есть и без повара. Он будет целый день стоять и варить, а в конце концов даже первый огурец после Песах окажется вкуснее, чем все его жаркое, и черная слива Санта-Роза, с маленькой трещинкой в кожуре, перекроет весь его соус, и даже просто тоненький кусочек сырого мяса будет лучше всего, что он сварил.

На стене висел портрет Ривки. Я то и дело посматривал на нее, но ничего ей не говорил.

Когда-то, еще до моего рождения, Ривка Шейнфельд была самой красивой женщиной в деревне. Она была такой красивой, что даже те, кого тогда еще не было на свете, и те говорят о ней с придыханием. Такая красивая, что никто уже не помнит ни ее лица, ни оттенка волос, ни цвета глаз, — одно лишь чистое очарование как таковое. В молодости она отказывалась фотографироваться из-за своей красоты, а когда по прошествии многих лет вернулась в Страну, отказывалась фотографироваться из-за старости. Только один ее портрет сохранился с тех дней — тот, что и поныне висит в кухне дома в Тивоне, — но оскал времени не пощадил и его, потому что та Ривка, что в рамке, уже не такая красивая, как Ривка в рассказах, в воспоминаниях и в снах.

— Повар, — подытожил Яков, — он всего-навсего как сват.

— Между мясом и приправами? — спросил я.

— Нет. Между едой и тем, кто ее ест, — сказал Яков, вытер руки о передник и сел напротив меня. — Вкусно тебе, Зейде? — спросил он, помолчав.

— Очень вкусно.

— Значит, сватовство удалось. *Эс, май кинд.* Кушай, мой мальчик.

5

Дядя Менахем получил ответ Юдит через одного человека из торгового кооператива, который покупал у него рожки.

Менахем открыл конверт, прочел письмо, поспешил к брату и сообщил:

— Она приедет на следующей неделе.

Моше смутился.

— Надо для нее приготовить что-то специальное?

— Никогда не готовь ничего особенного женщине, которой ты не знаешь, — сказал Менахем. — Ты не угадаешь, и вы оба останетесь недовольны. Она просила только, чтоб у нее был свой угол и свободный день время от времени. А теперь позови детей, я хочу поговорить с ними.

Он посадил Номи и Одеда себе на колени, сообщил, что скоро к ним приедет женщина вести хозяйство, и добавил:

— Я знаю эту женщину, она очень хорошая. Она не будет вам матерью. Она только будет жить и работать у вас. Будет варить вам еду, и стирать вещи, и помогать во дворе и в коровнике. Вам будет легче. И отцу, и вам, и этой женщине — всем будет легче. Она скоро приедет, и мы все вместе поедем к поезду ее встречать.

В ту ночь Рабинович проснулся оттого, что за стеной что-то стучало и громыхало, и, выйдя во двор, увидел, что Одед настилает себе пол из досок на первой развилке гигантского эвкалипта.

— Что ты делаешь? — спросил он.

— Строю себе гнездо на мамином дереве, — сказал Одед.

— Почему посреди ночи?

— Я хочу успеть, — сказал мальчик серьезно. — Нужно успеть, пока эта женщина еще не приехала, чтобы у меня был свой дом.

Один за другим слущивались дни, и в последний вечер, когда его отделяли от нее каких-нибудь несколько часов, Моше достал из шкафа чистую одежду, разжег печь и согрел воду, чтобы помыть детей.

— Вам надо хорошенько помыться! — сказал он и стал скрести детей своими большими добрыми руками.

— Чтобы эта женщина не подумала, что здесь живут какие-то несчастные грязнули, — сказала Номи.

Одед был угрюм, замкнулся в себе, и его отвердевшее тело сопротивлялось воде, а Номи наслаждалась мытьем и прикосновением отцовских рук. Жаркий пар, запах мыла, махровое полотенце на коже — все пробуждало в ней приятную дрожь ожидания.

На следующее утро Моше не послал детей в школу, а после дойки помылся и сам, как моется еще и сегодня: стоя на деревянном ящике под навесом коровника и поливая себя из резинового шланга. Он стоял на ящике, как медведь на речном камне, вода текла по его телу, большая мочалка в руке, вспенившийся куб стирального мыла у ног. Потом он уселся на табуретку для дойки, поставив ее в душистой тени эвкалипта, и Номи ножницами срезала ему соломенные завитушки, которые беспорядочно росли у него на затылке, и аккуратно расчесала венчик волос вокруг лысины.

— Теперь мы все красивые, — встал Моше с табуретки. — Ну, нам пора! В дорогу!

Он бросил в телегу охапку соломы, Номи положила сверху несколько сложенных мешков и уселась возле него, а Одед согласился спуститься с дерева и присоединиться к ним в обмен на обещание, что ему всю дорогу разрешат держать вожжи.

— Всю дорогу, кроме вади, — согласился Моше.

Одед был помешан на колесах, езде и вождении. Ему было всего три года, а он уже бегал по деревенским улицам и рулил железным обручем, а когда ему исполнилось пять, он научился ездить на деревянном самокате с подшипниками и несся на нем с безумной скоростью по спуску от продовольственного склада к въезду в деревню.

— Да и сегодня — что такое этот мой полуприцеп, как не телега с лошадью? — смеется он. — Ну, чуть побольше, конечно, но реверс я научился делать уже тогда, на телеге с оглоблями и с настоящей лошадью.

Уже многие годы я езжу с ним по ночам, но все еще не перестаю дивиться его способности маневрировать задним ходом с цистерной на прицепе.

— Это куда проще, чем ты думаешь, хотя и сложнее, чем кажется, — говорит он. — Но люди вообще не понимают, как это можно водить такую громадину. Нет, ты посмотри, ты только посмотри, как этот говенный «фиат» влез впереди меня буквально за двадцать метров от перекрестка. Сам весь как жучок у меня на зеркале, а туда же, прет прямо под колеса! Как будто он знает, какое расстояние мне нужно, чтобы затормозить? В Америке за такое убили бы на месте. Там умеют уважать большие машины...

Когда они приблизились к вади, воцарилась всегдашняя тишина. Вода текла медленно, мелкая, прозрачная и приятная, и, как положено воде, уносила воспоминания, стирала запахи и следы.

Моше взял у сына вожжи. «Вот, — сказал он себе, — вода, в которой утонула Тонечка, ее уже нет. Она стекла в море и там испарится, сгустится, снова станет тучей, изольется дождем, наполнит вади, а потом утопит еще одну женщину и осиротит ее детей».

Лица Номи и Одеда помрачнели, словно на них легла тень отцовских размышлений. Колеса телеги прогромыхали по руслу, подняв со дна тину и ил и замутив прозрачную воду. Отсюда дорога сворачивала и километра два шла вдоль противоположного берега, до впадения вади в другое, более широкое русло. Маленькие хвостатые лягушки шлепались в грязь, какието странные насекомые суетливо бежали по воде на длинных, широко расставленных ногах, а за поворотом русла уже громогласно возвещал о себе свисток паровоза, разбрасывая во все стороны испуганных цапель и клубы своевольного, неистового дыма.

В сером хлопчатобумажном платье, в голубой косынке на голове, прищурив глаза от страха и яркого света, спустилась Юдит с подножки вагона.

Она держалась прямо, но выглядела такой напряженной и неуверенной, что сердце Моше сжалось от жалости и тревоги — он испугался, что вместо помощи она станет ему дополнительным бременем.

«По ней сразу было видно, что у нее ни гроша за душой. Она была в старых полуботинках, в чулках, которые когда-то были белыми, и я сразу же решила, что люблю эту женщину», — рассказывала Номи.

Юдит несла в руках большую потертую кожаную сумку, и дядя Менахем, который тоже пришел на станцию, поторопился забрать у нее груз.

— Милости просим, Юдит, — сказал он. — Вот это мой брат, Моше Рабинович, а это его дети — Одед и Номи. Поздоровайся и ты, Одед, скажи: «Здравствуйте, Юдит, милости просим».

Юдит забралась на солому, положенную в телегу специально в ее честь, и когда она приподняла левое колено, чтобы опереться на сцепление оглобель, под тканью платья скользнуло невыразимо прелестное движение бедра. Дети зачарованно смотрели на нее, а Моше отвел взгляд и уставился на отливающий глянцем лошадиный зад, словно читал в нем свое будущее.

А когда на обратном пути они снова пересекали вади, Юдит неожиданно почувствовала ладошку Номи, которая украдкой протиснулась в ее руку и сжала ее.

Моше выбрал дорогу так, чтобы въехать в свой двор прямо с полей, не проезжая по главной деревенской улице, но все в деревне знали и поэтому ждали и высматривали их, и теперь телега, медленно плывущая меж тихими волнами золота и зелени, диких хризантем и цветущей горчицы, и женщина с усталым лицом, сидящая на своем соломенном троне, были видны всем, кто следил за ними с полей, через окошки коровников и из-за взволновавшихся занавесок.

Когда они въехали во двор, Одед объявил, что он отправляется «в свой новый дом на мамином дереве», а Моше, Юдит и Номи вошли в дом. Тогда тут были две комнаты и кухня, и Моше сказал Юдит, что она сможет спать вместе с детьми или поставить себе кровать в кухне, где места достаточно.

— Если мы решим, что ты здесь останешься, то, может быть, пристроим еще одну комнату, — сказал он, но Юдит не ответила, да и по лицу ее нельзя было сказать, как она восприняла эти слова — как обещание или как угрозу, — она лишь сообщила ему, что плохо слышит на левое ухо.

Моше смутился и хотел перейти на правую сторону, но Юдит уже повернулась и вышла во двор. Его слова еще кружили вокруг в поисках хорошего уха, а она уже вошла в коровник, разглядела пустой северо-восточный угол, где валялись лишь несколько мешков да рабочие инструменты, положила на них свою большую кожаную сумку и сказала:

— Я буду жить здесь.

— С коровами? — удивился Моше.

— Здесь мне будет хорошо, — сказала Юдит.

— Но что скажут в деревне?

— Я все тут освобожу и расчищу, а ты принеси сюда кровать и ящик для одежды.

И с неожиданной смелостью добавила:

— А если ты еще согласишься вбить два гвоздя, вот тут и тут, в стенки, я натяну себе занавеску отсюда досюда. Женщине нужен иногда отдельный угол, чтобы никто не пялил на нее глаза и не указывал пальцем.

6

Каждые две недели альбинос усаживался в свой старый зеленый пикап и исчезал на всю загадочную ночь.

Он старался всегда вернуться еще до восхода солнца, и в деревне говорили, что он посещает «ресторан, в котором подают не только еду». И действительно, по возвращении от него пахло вином и женщинами, и эти запахи доводили до хрипоты его канареек, смущали жителей деревни и привлекали бродячих собак с окрестных полей. В правлении уже знали, что лучше оставить его в темноте и одиночестве еще на день, чтобы дать выветриться вину, усталости и запахам, прежде чем взвалить на него новую работу.

В ту ночь *Малах фон Шлоф* миновал постель Якова, и в предрассветной тишине он вдруг услышал мерное постукивание двигателя пикапа, возвращавшего домой своего хозяина, и тут же бросился к окну. Тусклые оранжевые огни передних фар весело приплясывали, вычерчивая прыгающие по полю хмельные круги, и Якова охватило сильное волнение.

«Куда ты смотришь в такое время?» — пробормотала Ривка с кровати.

— Весной тысяча девятьсот тридцать первого это было, — сказал он. — В ту ночь я уже не заснул, а наутро приехала Юдит. Я хорошо помню тот день. У нас с Ривкой был тогда небольшой инкубатор на керосине, на триста цыплят сразу, очень много по тем временам, и несколько несушек для домашних нужд, и три коровы, а еще мы имели апельсиновый сад, где был также ряд грейпфрутовых деревьев и ряд королевских орехов, — тогда еще не было этой моды на пеканы[1], — и еще два ряда яблонь и груш, и маленький виноградник. Я помню, как это было. Мы как раз работали с Ривкой в саду, пололи и срезали сухие ветки, которые умерли за зиму, и вдруг телега Рабиновича появилась среди полей, и, как раз когда я поднял голову, я вдруг увидел ее. Так спроси меня сейчас, почему я влюбился в нее, а ну, спроси, Зейде, спроси, не бойся. Почему я влюбился в твою маму, ты спрашиваешь? Так я скажу тебе точно, как это получилось, Зейде, а уж ты поймешь, что поймешь. Я случайно вытирал себе лоб, — вот так, рукой, вот таким движением, видишь? — и в конце движения руки случайно поднял голову и тогда увидел ее. Будто моя рука открыла мне окно. Эта телега ехала, словно

---

[1] Пеканы — род орехов.

лодка плыла среди хризантем, и как раз в эту минуту совсем случайно открылся просвет в облаках и выглянуло солнце. Я все время говорю «случайно», но если столько всего происходит случайно в одном месте и в одно время, это значит, что в этом есть какой-то план и прячется какая-то ловушка, вроде тех, знаешь, которые ставят на птиц. Такая ловушка, Зейде, она устроена очень просто, но если случайно там есть ящик, и случайно веревочка, и случайно пружинка, и случайно дверца, и кто-то положил там внутри несколько зерен, тоже случайно, так все это вместе уже не может быть случайно, это значит, что птицу кто-то хотел словить совершенно нарочно.

Цвели фруктовые деревья, и Яков, наполовину скрытый за кружевом белых цветочных венчиков и заслоненный прозрачными стенами запахов, глядел на приближавшуюся телегу, и с того места и под тем углом, откуда он смотрел, ему казалось, что Юдит медленно плывет пред ним по широкой зеленовато-золотистой безбрежной реке.

Его сердце колотилось, как безумное. Свет, яркий и хрупкий, как фарфор, рисовал на земле четкие тени цветущих ветвей ореха, ложился на поле и телегу, высвечивал тонкий, слоновой кости, затылок, намечал синеватый рисунок вен, слегка проступавших на суставах рук и намекавших на душевные силы и пережитые страдания, и ласкал носки, чуть присползшие с нежных и сильных ног.

Юдит немного наклонилась вперед, и весенний ветер, так я себе представляю, играл тканью ее платья, то прижимая его к бедрам, то вздувая снова, и, как это всегда происходит в ту минуту, когда человека внезапно охватывает любовь, из глубины глубин Якова всплыла и поднялась давняя речная картина его детства, всю жизнь искавшая и нашедшая наконец свою сестру.

Конечно же он был прав. Они очень просты, эти ловушки. Достаточно, чтобы облако проплыло перед солнцем, достаточно отголоска мимолетного запаха, какого-то особого угла преломления света. Достаточно, чтобы изображение совпало с рамкой, хранящейся в памяти, — и вот уже веревочка дернулась, пружинка соскочила, дверца упала, и ловушка захлопнулась. Так судьба ловит свою добычу и уносит блаженно трепыхающуюся жертву в свою нору.

«Что с тобой, Шейнфельд?» — спросила Ривка.

Подобно многим женщинам в те дни, она называла мужа по фамилии. Если бы она называла его по имени, то, возможно, лучше понимала бы движения его души и вся их жизнь пошла бы иначе. Но как говаривал Деревенский Папиш: «Кто об этом думал в те времена?»

Ее слова словно пробудили Якова из задумчивости.

«Ничего, — торопливо отозвался он. — Ничего такого».

Его дрожащая рука снова поднялась и, не замечая того, мазнула по лбу черной древесной мазью, как будто намечая путь того шрама, которому предстояло впоследствии прорезать его.

— Я не обманул ее. Я ведь и сам не понял. Не понял ничего, чему суждено было произойти. Не понял, что Ривка уйдет из дома, не угадал, какая тяжелая жизнь ждет меня из-за Юдит.

И тут Ривка тоже увидела телегу Рабиновича.

«Дурак ты, Шейнфельд», — помрачнело ее лицо.

Она снова наклонилась, подняла мотыгу и больше не добавила ни слова.

7

— Иногда — ты уж прости меня, Зейде, что я говорю такое, — иногда я думаю, что, может быть, Тоня умерла, чтобы я мог встретить Юдит? Очень плохо так говорить, верно? Даже думать так, это ужасно. Но знаешь, Зейде, любовь вызывает у человека очень странные мысли, а против мыслей ведь ничего не поделаешь, правда? Даже самый жестокий царь это знает. Мысль — она сидит в голове, как в клетке, и выйти оттуда она не выходит, но там, внутри этой клетки, она самая свободная птица и поет там, что хочет и когда хочет. И я вот тоже — подумал эту свою мысль, но тут же вырвал ее с силой, как пырей, от которого даже один стебелек нельзя оставить. Ведь для Рабиновича это очень тяжелая была трагедия, и дети плакали, а порой даже удары можно было услышать из его дома. Номи он, правда, ни разу не бил, но когда он давал Одеду *а фласк*, оплеуху, так мальчик со всей силы закрывал рот и не издавал ни звука, а девочка плакала вместо него. Потому что, ты же сам знаешь, Зейде, Рабинович не тот человек, который поднимет руку на ребенка, но в таком состоянии можно действительно сойти с ума, можно потерять все терпение. Потому что сколько же может человек нести на себе? И дом, и двор, и кухню, и коровник, и поле, и сад, и коров, и детей... Как-то раз он встретил меня на улице, схватил вот так рукой за плечо и, наверно, хотел мне что-то сказать, но у него только слезы выступили на глазах, а у меня еще месяц после этого оставались следы его пальцев. Это я один-единственный раз видел, чтоб у него на глазах выступили слезы. Он даже на похоронах Тони не плакал. И знаешь, Зейде, мы ведь оба, Рабинович и я, мы оба любили с ним одну и ту же женщину, и мы еще во многом противоположны друг другу, и мы не во всем соглашаемся, но в общем между нами всегда была симпатия. Даже еще до того, как твоя мама приехала в нашу деревню. И после этого тоже что-то такое осталось. Мне нравятся люди с таким сложением. В той нашей деревне, что на реке Кодыма, тоже был один крестьянин — совсем как Моше, только украинец. Такой же короткий и широкий, как комод, и весь одинаковый, и в высоту, и в ширину, и в толщину. Этот украинец — он, когда надо было холостить быка, так он первым делом делал этому быку своей головой такой бац по лбу, вот так, своей головой быку по лбу — бац! И еще раз — бац! И еще! И после каждого раза то один из них падал и поднимался, то другой падал и поднимался, пока под конец у того быка глаза совсем переворачивались, и колени у него начинали дрожать, и пока он своим бычьим умом понимал, что происходит и почему у него все в голове кружится, хозяин уже заходил к нему сзади с ножом, и тот бык падал в обморок от боли, и уже его яйца шкворчали на сковородке, с картошкой, и с луком, и с чесноком, а его самого уже запрягли в плуг, чтобы он работал в поле, как положено быку без яиц, — шел бы, и пахал, и поворачивал назад, и снова пахал, и снова поворачивал, вперед и назад, и опять вперед и назад, и не смотрел никуда по сторонам. Когда другие едят твои яйца, Зейде, ты уже больше не смотришь по сторонам, ты только идешь себе с плугом по борозде, взад и вперед, взад и вперед. Так чтоб ты знал, Зейде, я думаю, что когда Рабинович дал Одеду тот бац, он сам испугался и поэтому привез ее к себе работать, потому что ему стало страшно, что он может сделать что-нибудь ужасное. Ведь такие люди, как Рабинович, они не знают, какая у них сила. Когда такой зверюга ударит своей ручищей, так не только ребенку может прийти конец, но даже взрослому человеку. И чтоб я так был здоров, Зейде, — после того как Тоня утонула, он стал еще сильнее, чем был до того. Такое бывает у мужчин, что если они овдовеют, они, наоборот, расцветают от своего несчастья. У нас в деревне было такое дерево, я не знаю, как его называют украинцы, но мы его называли *дер блюмендикер альман*. Ты понимаешь немножко на идиш, Зейде? Это немного странно, человека зовут Зейде, а он совсем не знает идиш. Ну, ладно. *Дер блюмендикер альман* — это значит «цветущий вдовец», и это дерево, оно каждый год сгибалось и замерзало от снега, совсем уже умирало, а чуть весна, оно тут же выпускало прямо из своего несчастного ствола кучу зеленых листьев с почками и росло себе снова. У вдовцов тоже иногда так получается. И с Рабиновичем тоже было так. Вдруг он расцвел. Зубы у него опять стали совсем белые, и когда он шел, шаги у него были широкие, а когда он вдыхал, то мог унюхать такие запахи, что они совсем уже ослабли из-за расстояния или из-за времени. И чтоб я был так здоров, Зейде, от всего этого несчастья и холода, что он долго лежал в воде, у него на лысине даже начали немного расти волосы. Что тебе сказать, Зейде? Бывает, что горе — самое лучшее удобрение для человека. Были, конечно, такие, которым казалось, что тут что-то нечисто, — всегда найдутся люди, которым всё не по душе, — как же так, человеку в трауре не положено выглядеть хорошо. Но если ты спросишь меня, Зейде, то

возможно, что так человек сам себя лечит. Иной раз душа — как доктор для тела, а другой раз тело — как доктор для души. Если уж они не помогут друг другу, так
кто же тогда поможет? И вот в одну такую ночь, может,
уже в полдвенадцатого, когда я стоял в темноте и ждал,
что, может быть, тень Юдит покажется на минуту возле коровника, вдруг я увидел Рабиновича, как он себе
вышел из своего дома во двор, и я сначала подумал, что
это он идет к ней, но он только подлез под телегу и двумя руками, чтоб я так был здоров, он закричал и поднял ту телегу с одной стороны, может быть, на целый
метр он ее поднял. Просто трудно поверить, сколько
сил и сколько злости могут быть в теле одного человека, сколько его тело может удержать, все горе, и все
воспоминания, и всю тоску — все, что беременная
женщина может держать у себя в животе, мужчина может держать в костях и в теле, но родить он никогда не
рожает, и надуваться он не надувается, он только становится твердым и тяжелым изнутри, как будто полный камней — еще камень в животе, и еще камень, и
еще, — как мужская каменоломня, становимся мы от
всех этих детей, которых мы никогда не рожаем. Я когда-то слышал про одну такую украинскую женщину,
которая была беременна сорок пять лет, но родить так
и не родила. Я вообще-то не очень верю таким рассказам, но это воспоминание моего отца, а воспоминаниям отца надо верить. Если ты не будешь верить воспоминаниям своего отца, твоей плоти и кости, то чему ты
да будешь верить? Когда ей было семнадцать лет, этой
украинке, ее изнасиловал парень, который работал с
ней на лесопилке. Схватил ее за руки, бросил на мешок
с опилками и насильно залез на нее, а когда она кончи-

ла вытирать глаза от слез, а ноги, извини меня, от всей грязи и крови, эта бедняжка рассказала своему отцу, что тот парень ей сделал, и тут же получила он него столько раз по лицу, что один глаз у нее вытек совсем, а того парня ее братья поймали и убили — вилы с гумна они в него воткнули, все четыре зубца сквозь ребра. А через несколько недель она уже раздулась от беременности, как бочка, и отец сказал, что это на самом деле очень хорошо, потому что мужа она уже не приведет, эта курва, так пусть хотя бы у меня будет от нее внук, чтобы работал, как его несчастный отец, и помог мне в поле. Но прошли дни и недели, и месяцы тоже прошли, а та себе не рожала и не рожала. Потом прошло девять месяцев, и десять, и целый год, и два года, и три, и четыре, а она все время с этим животом, как куча пшеницы на гумне, и с грудями как два арбуза, и ее рвет каждое утро, как пьяницу, в ведро, и она ходит все время с руками на пояснице от сильной боли в спине. Сначала люди думали, что, может быть, это у нее болезнь, как корову иногда раздувает от клевера, и уже хотели воткнуть ей *трокар*[1], как корове против газов, но у нее там был не воздух. Когда ты клал ей туда руку, ты мог почувствовать, как у нее там толкается ребенок. Ой, что они только с ней не делали! Водили ее в церковь, и к этим их бабкам, и привели к ней женщину, которая ковырялась у нее там и специальными травами сделала ей внизу дым, даже к нашему раввину они ее привели, но он им сказал, — слушай хорошенько, что он им сказал, Зейде! — он сказал им так: положите ее на стол и поставьте ей бутылку горилки, извини меня, между ног,

---

[1] Трокар — большой шприц с трехгранной иглой для отсоса гноя или жидкости.

потому что украинский мужик, даже если он совсем маленький и даже если он еще вообще не родился, когда он почует горилку, он сразу выскочит из любого места, где бы он ни находился. И так прошло десять лет, и двадцать, и все эти сорок пять лет прошли, а она так и оставалась беременной. Отец у нее давно умер, мать тоже умерла, и ей самой уже было шестьдесят, а она все с этим животом, с ребенком внутри, — что тебе сказать, Зейде, уже совсем взрослый зародыш, больше сорока лет, а выйти так и не вышел. Так теперь ты понимаешь, Зейде, почему я влюбился в твою маму?

— Нет, — сказал я, чувствуя, как во мне нарастает нетерпеливое юношеское раздражение.

— Почему я влюбился в нее, это ты хочешь знать? — медленно, с чувством, проговорил Яков.

Кусок хлеба, который он держал в руке, двигался по тарелке, кружил по ней, обходя края и собирая, его взгляд над салатом с яичницей был устремлен на меня, словно искал во мне признаков и доказательств.

— Знаешь, Зейде, с этой стороны ты похож на меня, с той — на Глобермана-скототорговца, а отсюда ты иногда похож на Рабиновича. А как тебе нравится еда?

— Еда что надо, — сказал я пересохшими губами.

— Так ты хочешь знать, почему я в нее влюбился? — спросил он в третий раз, и голос его был очень похож на мой — настолько, что мне показалось, будто он повторяет мой вопрос, хотя я не спрашивал его ни о чем, во всяком случае — вслух.

— Потому что к этому меня приговорила судьба.

Он торжественно поднялся.

Стоя ко мне спиной, он положил тарелку в раковину. У него были такие же вислые плечи, как у меня.

— Потому что есть судьба, которая приходит к человеку сверху, — снова заговорил он, — и есть судьба, которая приходит сбоку, и даже такая, которая нападает сзади, а есть чужая судьба, которая сбилась с дороги и приблудилась к тебе. А моя судьба самая плохая — та судьба, которую человек накликает на себя изнутри. Это вроде того, как человек читает в Торе[1] про десять заповедей, так у него тут же появляются мысли, как их нарушить, или как тот, который покупает набор для скорой помощи, и с ним сразу случается авария, а тот, кто берет домой канареек, тут же попадает в ловушку любви. Это совсем как имя у человека. Вот, твоя мама думала, что мальчик, которого зовут Зейде, никогда не умрет, а я говорю тебе, Зейде, что тот, кого зовут Яков, ему никогда не будет легко в любви. Так уж это от самого первого Якова и до самого последнего, от праотца нашего Якова до того Якова Шейнфельда, который пробовал мыло, и до этого Якова Шейнфельда, твоего отца, который раз в десять лет должен приготовить тебе ужин, чтобы ты пришел навестить его и согласился поговорить с ним. Вот так мы, Яковы, всегда делаем себе тяжелую жизнь с этой любовью. Наш праотец Яков даже поменял себе имя на Исраэль[2], и что — это ему помогло?! Снаружи имя стало другое, а внутри все

[1] Тора — первая часть еврейской Библии, Пятикнижие; в еврейской традиции — план мира, содержащий в себе описание грядущих событий; поэтому каждая буква Торы и вся она имеют высший священный смысл.

[2] Праотец Яков ночью, на берегу реки, боролся с кем-то (традиция считает, что с ангелом Божьим), и тот не одолел Якова и сказал ему: «Отныне твое имя будет не Яков, а Исраэль, ибо ты боролся с Богом, и человеков одолевать будешь» (Книга Бытие 32:25—28). В результате имя Исраэль стало самоназванием евреев как религиозного коллектива.

несчастья остались с ним. Съешь все со своей тарелки, Зейде, иначе ты не получишь тот десерт с яичным желтком, который ты так любишь, и запомни одно: я не мог в нее не влюбиться. Солнце светило вот отсюда, телега ехала вот оттуда, а глаза смотрели вот с этой стороны, и ты видишь сразу и то, что в глазах, и то, что в памяти: ниоткуда появляется вдруг женщина, и плывет, как по реке, как по воде из зеленого золота, и ветер играет с ее платьем, то прижимает, то отводит его от тела, и тень падает на нее как раз сюда, на шею... Как же мне было не влюбиться в нее? Меня принесло к ней, как приносит желтый лист по воде. Так скажи мне, такое может случиться случайно? Я тебя спрашиваю, Зейде, — может быть, чтобы такое случилось случайно?

8

В ту ночь, первую ночь Юдит в деревне, Моше тоже не мог уснуть.

Как все, кто страдает бессонницей, он чуял, что сулит ему судьба, и уже отчаялся усыпить себя чтением, превратившимся в механическое перелистывание пустых страниц, или попытками навести порядок на складе своих воспоминаний, или подсчетом воображаемых гусей, что без конца выпрыгивали из-за забора Деревенского Папиша.

Он принялся, как обычно, размышлять о своей срезанной косе и о своей Тонечке, которая умерла, не открыв ему, где эта коса спрятана, и снова мучился, гадая, показала бы она ему ее, если бы осталась в живых, или осталась бы в живых, если бы показала, и опять ощутил, как волна ужаса захлестывает его легкие, но вблизи полуночи, когда он вдруг услышал жуткий вой, взлетевший из коровника и прорезавший ночной воздух, братья «Если бы», да «Кабы», да «Если бы не» разом перестали плести вокруг него свои мучительные хороводы, он увидел, как Номи испуганно спрыгнула с кровати, и тотчас тоже вскочил.

Таким странным и неожиданным был этот вой, что в первое мгновение нельзя было даже догадаться, что это плач женщины, а не волчья жуть и не тоскливый стон телки, которой привиделся во сне ухмыляющийся Глоберман.

Моше завернулся в простыню и выскочил во двор, но войти в коровник не решился. Он походил в темноте под стеной и через минуту-другую вернулся в дом, снова лег и, только когда Номи спросила его:

— Папа, почему ты весь дрожишь? — почувствовал, что его трясет, и ничего не ответил. — Кто это кричал? — спросила Номи.

— Никто, — сказал Моше. — Никто не кричал. А теперь спи.

К утру вой уже растворился и исчез, и воздух над коровником зарубцевался, как срастается небо, распоротое лезвием падучей звезды.

Серая ворона прокаркала свой первый крик с вершины эвкалипта, и к ней тут же присоединился бульбуль, позванивая своим язычком, и сокол со своим резким возгласом, и звуки просыпающейся кухни тоже поднялись в воздух. Когда Моше вернулся с дойки, он увидел, что его дети уже сидят за накрытым, чистым столом, от которого приятно веет лимонной коркой, и перед ними стоят тарелки с кусками сыра, который уже успела принести им Ализа Папиш, жена Деревенского Папиша, — как от природной своей доброты, так и потому, что хотела первой глянуть на новую работницу Рабиновича, еще до того, как ее увидят другие женщины деревни.

Нарезанная редиска, с посверкивающими на ней крупинками соли, уже рдела и белела в тарелках, и вокруг приятно пахло солеными маслинами и жарящейся яичницей. Юдит еще на рассвете выскоблила старый табун[1] Тони, и горький дым горящей эвкалиптовой коры вернулся во двор во всей своей силе, а теперь свежеиспеченная буханка уже высилась маленькой праздничной горкой в самом центре стола.

— Теперь ты готова есть мамины маслины, — ворчливо упрекнул Номи Одед, — а ее повидло ты даже попробовать не хотела!

— А ты тоже слез со своего дерева, как только почуял, как у Юдит пахнет еда, — парировала Номи.

Дети поели и отправились в школу, а Моше вернулся в коровник и вбил в стены два гвоздя, в те места, которые показала ему Юдит. Она спросила, где можно достать кольца для занавески, и он принялся обходить двор, выискивая на земле старые гвозди. Выровняв и начистив их, он вернулся в коровник и спросил, сколько колец ей нужно. Она потрясенно молчала, пока он пальцами сворачивал эти гвозди в кольца, и вскоре на растянутой им железной проволоке уже висела дюжина приготовленных таким манером колец, повешенная на проволоку занавеска протянулась от стены до стены,

---

[1] Табун — арабская глиняная печь, в основном для выпечки хлеба.

образовав островок уединения в бетонном углу, и приятный лимонный аромат повеял оттуда, прокладывая себе путь в спертом воздухе и тяжелом запахе навоза.

Она расстелила одеяло на железной кровати, а в обед Номи вернулась из школы с розово-фиолетовой охапкой дикого клевера и аистника в руках, поставила цветы в жестяную банку, а банку — на ящик в коровнике и добавила маленькую записочку: *«Для Юдит»*.

— Ну, и что скажут теперь в деревне? — спросил Моше после ужина. — Скажут, что Рабинович отправил свою работницу жить в коровнике?

— А что скажут в деревне, если я буду жить с тобой в одном доме? — спросила Юдит.

Номи собрала со стола хлебные крошки, а Одед не сдвинулся с места. Рабинович молчал, гадая, знает ли Юдит, что он слышал ее ночной вопль.

— Ты можешь сказать им что угодно, Рабинович, — сказала Юдит. — Я уже никому ничего не обязана объяснять.

Она кончила мыть посуду, двумя решительными взмахами стряхнула воду с рук и вытерла их о повязанный на бедрах матерчатый передник тем движением, которое было тогда в ходу у всех деревенских женщин, а теперь исчезло вместе с передником.

— Пойдем, покажешь мне, как отвязывать коров, — и вышла.

А когда смущенный Моше, идя за ней, снова завел свое: «Подумай сама, как это выглядит...» — она повернулась к нему и сказала:

— Ты хороший человек, Рабинович. На другого мужчину я бы не положилась, но у тебя я смогу жить.

Они разомкнули железные ярма, и Моше, похлопав коров по задам, крикнул:

— Пшли, пшли! — и выгнал их в темный угол, выделенный для дойки.

Юдит повторила все, что он сделал, потом сняла с головы голубую косынку, энергичным движением задернула занавеску, и решительный треск электрических искр в расчесываемых волосах да бренчание металлических колец на железной проволоке возвестили ему: «Теперь всё!»

И Моше, хотя в этом уже не было никакой надобности, снова крикнул:

— Пшли, *невейлис*, пшли, старые клячи!

Он потоптался еще с минуту возле занавески, а потом вернулся в дом и лег. Он лежал и ждал.

9

Ривка Шейнфельд была самой красивой из всех красивых дочерей семейства Шварц в Зихрон-Якове. За ней увивались не только парни из Зихрона и поселений Галилеи, но даже из далекой Иудеи, Хайфы и самого Тель-Авива. Ухажеры тянулись к ней, как «томимые жаждой кочевники к оазису в пустыне». Среди них были конные пастухи и виноградари, молодые учителя и простые деревенские ребята. По ночам они жарили себе зерна, собранные на молотилке, пили вино, украденное из хозяйских погребов, и играли на окаринах и мандолинах.

Девушки тоже приходили туда, потому что там можно было встретить парней, возвращавшихся на заре, в самое размягченное и податливое время, когда любовное томление и усталость подкашивают ноги, а утреннее солнце высвечивает разочарование на лицах. И немало пар, говорили в поселке, сошлись там благодаря Ривке.

Каждый вечер отец запирал Ривку в комнате, а сам поднимался на плоскую крышу своего дома и усаживался там: глиняный кувшин с водою — рядом, шелест пальмы — над головой и дробовик, заряженный солью, — в руках.

Ривка смотрела из окна на ухажеров, и ее наполняла жалость к ним и к себе. Но однажды, выйдя в полдень в лавку за мясом, она встретила в пальмовой аллее Якова Шейнфельда, который за неделю до этого приехал в Страну и в поисках работы добрался до Зихрона, даже не зная о существовании самой красивой из дочерей этого поселка.

— Послушайся опытной женщины и найди себе жилье в городе, — сказала мать, когда Ривка сообщила дома о своем намерении выйти за Якова и отправиться с ним в новое поселение Кфар-Давид. — Нет доли горше, чем судьба красивой женщины в маленькой деревне.

Я спросил Деревенского Папиша, как понимать эти слова, и он объяснил мне, что каждое место, будь то деревня, поселок или город, может вместить в себя лишь определенное количество красоты, которое зависит от размеров этого места и числа его жителей.

— Иерусалим, — сказал он, — может вынести дюжину красивых женщин, Москва — семьдесят пять, а деревня — с трудом одну, — и добавил, что это похоже на способность животных вынести змеиный укус, которая тоже зависит от их размера и веса.

— Лошадь выживет, а собака сдохнет, — сказал он.

Циничным и ворчливым стариком стал наш Деревенский Папиш, как это часто случается с людьми, по природе страстными и насмешливыми, но слишком зажившимися на этом свете. Вот и сейчас он принялся утверждать, что для самой красоты было бы лучше, разделись она между женщинами по справедливости, но она, к счастью, не имеет склонности делиться и распределяться между всеми дочерьми Евы честно и поровну.

Ривка вышла замуж за Якова, пошла за ним в Кфар-Давид и очень скоро убедилась в справедливости материнских слов. Она не нашла покоя ни в замужестве, ни в жизни на новом месте. Как только она появилась в деревне, мужчины потеряли сон, потому что сны о ней были утомительней бессонницы, а грезить было легче, чем исподтишка бросать на нее взгляды наяву.

> И в ту же ночь
> Или в тот же день
> Все у этой пары
> Пошло набекрень.

> И женщины судачили,
> Штопая носки,
> И, хмурясь, теребили
> Бороды старики.

А Ривка, которая тоже знала, что она красивее всех женщин в деревне, помнила наставления матери и избегала лишний раз появляться на улице. Она взвалила на себя самые тяжелые и неприятные обязанности, не расчесывала волосы, а когда ей все же приходилось выйти в центр деревни, натягивала на себя рабочую одежду мужа. Но это лишь подчеркивало ее красоту, ибо красоту, как сказал Деревенский Папиш, нельзя скрыть, как у нас скрывают правду, и походка Ривки была походкой красивой женщины, и трепет ее ресниц был трепетом ресниц красивой женщины, и то, как смыкались согласные «п» и «м» меж ее губами и как дрожала согласная «л» на кончике ее языка, было таким томяще-желанным, каким это должно быть у красивой женщины.

И когда она шла, серая ткань на ее коленях взметалась, как крылья птиц, которых никогда не видели в деревне. И ветер прижимал эту ткань к телу, очерчивая рисунок ее ног, и ее груди, и холмик лобка, как он может очерчивать только силуэт красивой женщины.

Но Ривка отказывалась понимать все эти простые вещи, и когда увидела мужа, засмотревшегося на женщину в телеге Рабиновича: усталое тело склонилось вперед, ветер играет с ее одеждой, и свет ластится к теням ее вен, — она сказала себе, что, возможно, слишком перестаралась в своей осторожности и собственными руками лишила себя своего очарования.

Разные вещи, присущими им путями туманных намеков, стали проясняться в ее уме. Потянулись линии, соединяя отдаленные точки. Тоня в вади, альбинос и его птицы, пожар, маки, женщина, плывущая по золотисто-зеленой реке хризантем. Теперь она понимала, что все это — лишь ускользающие начала, кончики проступающих из коры побегов, самые робкие предзнаменования предстоящего; но каков будет их конец? — спрашивало ее сердце. И последствия — «кто их увидит?»[1].

Умная она была женщина, Ривка Шейнфельд, и способна была представить себе будущее и почуять даже

---

[1] Цитата из Книги Иова.

то, что еще далеко не прояснилось. Со страхом, смешанным с любопытством, ждала она того, чему суждено было произойти.

10

Время от времени в деревне появлялся элегантный английский офицер в белоснежном морском мундире, сидевший за рулем маленького, облицованного деревянными пластинами, тарахтящего «моррриса». Он заходил к счетоводу-альбиносу и покупал у него птиц.

А однажды к нему пожаловал другой гость: слепой охотник за щеглами из арабской деревни Илут, что лежала за восточными холмами. Никто не заметил его слепоты, потому что совершенно уверенные шаги привели его прямиком в дом Якоби и Якубы.

Араб постучал, и альбинос, вопреки своему обыкновению, немедленно открыл дверь.

— Как ты нашел дорогу? — спросил он.

— Как человек поднимается вдоль ручья, пока не доходит до источника, так и я шел по голосам птиц, — сказал слепой и с широкой радостной улыбкой добавил: — И не упал ни разу!

Он с удовольствием прислушался к пению канареек и рассказал альбиносу, что арабы кормят своих щеглов и бандуков амбузом.

— Это зерна гашиша, — объяснил он. — Бандук берет амбуз в рот, забывает, что он в клетке, и начинает радоваться и петь, как жених, которому на все наплевать.

В свой следующий приход охотник за щеглами принес нескольких бандуков — помесь диких щеглов с канарейками, — а также зерна гашиша, помогающие им петь.

Подобно мулам бандуки тоже не приносят потомства, поэтому их дикая кровь не разжижается в поколениях приручения и неволи. Те, кто выращивает бандуков, не могут похвастаться их длинными родословными и наследственными титулами, но зато цвет бандуков и их пение всегда отличается силой и свежестью, и зачарованный альбинос решил кормить их пищей, вселяющей вдохновение еще больше, чем гашиш. Он посеял у себя во дворе маки и начал выдавливать сок из их стеблей. Большие цветки на верхушках высоких стеблей быстро налились алым пламенем, а потом раскрылись, обжигая двор греховным сиянием и медленно покачиваясь даже при самых сильных ветрах, как это свойственно макам.

Яков заглядывался на цветы соседа, прислушивался к пению бандуков и канареек и не переставал думать о работнице, приехавшей к Рабиновичу.

У маков есть странное свойство: они не оставляют человека и после того, как он отводит от них взгляд. Багрово-черные, они смотрят на него даже сквозь его смеженные веки. А Яков все таращился на них, то и дело смаргивая слезы, и не знал, как опасны эти его эксперименты.

Но однажды ночью, через несколько месяцев после приезда Юдит в деревню, старый зеленый пикап вернулся в свое стойло по уверенной прямой, и альбинос, трезвый и благоухающий, как младенец, вышел из него и стал выгружать из кузова мешки с цементом и мелом, кирпичи и доски с железом для опалубки.

Яков услышал шум за забором и всмотрелся во тьму. Светлая голова альбиноса сверкала там, будто поплавок в ночном море, и по размеренным звукам его работы Яков понял, что счетовод, вдобавок ко всему, еще и опытный строитель и, подобно кошкам, хорошо видит в темноте.

Несколько ночей подряд он следил за ходом строительства, и ему уже стало казаться, что альбинос заметил это и даже обратил на него внимание. И точно — однажды вечером, отдыхая в саду, листая, как обычно, свою книгу, вздыхая и отхлебывая из стакана, счетовод вдруг приспустил черноту своих очков и уставился на Якова продолжительным взглядом красноватых глаз, который завершился неожиданной улыбкой.

Волнение охватило тело Якова, а страх пригвоздил к земле его ноги.

— Что ты там делаешь целый день у забора? — спросила самая красивая женщина деревни.

Не раздражение было в ее голосе, и даже не удивление, а только настороженность и беспокойство.

— Ничего, — сказал Яков.

По ночам она вслушивалась в удары его сердца, и ей казалось, будто змеиные чешуйки шелестят тоской у него внутри, а днем неумолчное пение птиц возглашало ей дурные предвестья. Одинока была она, укутанная в атлас своей красоты и в мантию своего страха, и только теперь начала понимать то, что мать сказала ей годы назад: что у красивых женщин нет настоящих подруг.

Деревенский Папиш рассказывал мне, что в первые дни после приезда Ривки в деревню местные женщины пытались сойтись с ней поближе. Одни просто останавливались на безопасном расстоянии и смотрели на нее, а другие, что посмелее, подходили, прикасались к ее руке и даже приоткрывали рот, словно хоте-

ли заговорить, не понимая, что им просто хочется по-
дышать тем воздухом, который она выдыхает.

— А когда они увидели, что красота не передается,
как заразная болезнь, то сразу же отдалились, — сказал
Деревенский Папиш.

Но даже он не сумел до конца предугадать, какая
сильная любовь наполнит сердце Якова и какие дикие
ростки и неукротимые побеги выпустит она из себя.

> Смеется с утра,
> Весела до заката,
> Вся деревня пропахла
> Ее ароматом...

Так пел свой гимн Ривке наш Деревенский Папиш,
барабанил пальцами по моему колену, и голос его становился все громче и громче.

11

Никто не знал, что таит новая работница Рабиновича в
своем сердце — и в своей сумке.

Деревенские глазели на нее настороженно, выжи-
дая чего-то такого, что могло бы дать ниточку к разгад-
ке: запаха незнакомых блюд, аромата странных духов,
непривычных и выбалтывающих секреты нарядов, что
развевались бы на бельевой веревке.

Но только вопль вырывался по ночам из дома, а он,
уж конечно, ничего не разъяснял.

Женщины обменивались мягкими понимающими
взглядами, похожими на те приглушенные весенние

посвисты, которыми обмениваются полевые мыши, когда шакал рассекает телом высокую траву.

Но в ней не было хищности. Разве что какая-то непреднамеренная загадочность, да еще короткие, завораживающие движения рук во время работы, и те беглые прикосновения, которыми она обменивалась с Номи, и та упрямая, вечно окружающая ее скорлупа, иногда плотная, как штукатурка, а порой прозрачная, точно нежная кожица спелого винограда.

Чувствовалось, что вилы и вожжи, игла и половник ей не внове, да и доить она тоже научилась быстро. Поначалу, правда, как все новички, придерживала сосок только большим и указательным пальцами, но когда коровы привыкли к ее рукам, а она — к их близости, Моше научил ее доить четырьмя пальцами сразу, сжимая соски один за другим, от указательного пальца до мизинца. Вначале ее руки болели от усилий и пальцы дрожали, но постепенно мышцы окрепли, и вскоре мелодия, вызываемая молочными струями по стенкам ведра, уже говорила об опытном исполнителе.

Секреты коровника открывались перед ней, подобно страницам перелистываемой книги. Она наловчилась угадывать, что корова вот-вот лягнет, еще до того, как об этом узнавала сама корова, научилась понимать капризы двух старейшин молочного стада, приноровилась расшифровывать намеки, появлявшиеся на носу и крупе заболевшего теленка и стала распознавать иерархию авторитета и подчинения, царившую среди животных.

Через несколько месяцев Рабинович уже доверил ей отвести первотелку на случку к Шимшону Блоху, который жил в соседней деревне, недалеко от дома дяди Менахема.

Шимшон Блох был ветеринаром-самоучкой. Он не раз спасал телят от жестокого поноса народной смесью семян льна, оливкового масла и взбитого яйца, и хотя составляющие этой смеси были известны всем, он один знал, в каком порядке и в какой пропорции надлежит смешивать их друг с другом.

Блох успешно конкурировал с Глоберманом в оценке веса животных на глаз, умел кастрировать телят и жеребят лучше профессиональных ветеринаров, и ходили слухи, будто он продает отрезанные яйца в тот самый хайфский ресторан, где альбинос покупал не только еду.

И был у Блоха племенной бык по имени Гордон.

«Его зовут Гордон[1], потому что он уже стар, а свое дело делает не хуже молодых», — с гордостью объяснял Блох каждому, кто дивился имени быка.

— Она у тебя брыкалась по дороге? — спросил он Юдит. — Останавливалась?

— Она немного нервничала, — ответила та.

— Ну, после свидания с моим Гордоном она будет возвращаться послушная, как дитя, — успокоил ее Блох. — Пойдет домой тихая и довольная, как невеста.

После полудня, когда Юдит вернулась с коровой в коровник, она почувствовала, что все остальные коровы смотрят на них с каким-то новым живым интересом, и улыбнулась про себя. Она любила коров, а те, со своей стороны, не таращились на нее с подозрением, не говорили с ее глухой стороны, не расспрашивали, откуда она приехала, и даже воздерживались от замеча-

---

[1] Гордон Аарон Давид (1856—1922) — один из основателей, идеолог и духовный руководитель поселенческого движения в сионизме. Его последователи определяли мировоззрение Гордона как «религию труда».

ний, когда видели, как она прикладывается к своей заветной бутылке, которую прятала среди фуражных кип.

А по ночам, когда вопль снова разрывал нутро женщины, которой суждено было стать моей матерью, и раздирал ей горло, и ее саму пробуждал ото сна, коровы поворачивали свои большие медленные головы, смотрели на нее терпеливыми глазами и снова отворачивались, возвращаясь к своему ночному отдыху и своей жвачке.

12

А на другом конце деревни счетовод-альбинос все продолжал свое еженощное строительство.

За несколько недель возле старого дома Якоби и Якубы поднялась пристроенная к нему новая комната, с гладким бетонным полом, двойными деревянными стенами и беленой черепичной крышей, на которой стояла брызгалка для охлаждения в жаркие дни. Комната эта предназначалась для канареек. Сетки на ее окнах были достаточно густыми, чтобы кот или змея не могли проникнуть внутрь, а планки жалюзи открывались с помощью специального механизма, который позволял надежно проветривать дом, не ослепляя его жильцов.

Закончив строительство, альбинос пришел к Якову и постучал в дверь.

Ривка открыла ему, и ее лицо помрачнело при виде гостя, но тот увидел Якова за ее спиной и спросил, согласится ли он прийти на новоселье к его птицам.

Пыльный и теплый запах уже стоял в новой пристройке — запах опилок и перьев, знакомый каждому, кто выращивает птиц и цыплят. Клеток в ней не было. Канарейки носились по всей комнате, и счетовод объяснил Якову, что намерен положить там все, что нужно птицам, чтобы свить гнездо, и предоставить им самим пароваться, — кроме тех специальных пар, потомство которых предназначалось для продажи и для которых он уже приготовил отдельные семейные ячейки.

Увидев Якова, канарейки испугались и стали метаться по комнате.

— Ничего, они скоро привыкнут к тебе и успокоятся, — сказал альбинос.

После того дня Яков завел привычку время от времени стучать «кончиком маленького ногтя» в дверь пристройки — входил, смотрел, работал и учился. С преданностью и готовностью подмастерья помогал он альбиносу записывать даты кладки яиц и рождения птенцов, чистил клетки и мыл поилки и решетки.

— Все, что ты должен делать в нашем инкубаторе, ты делаешь для его птиц, — упрекнула его однажды Ривка, но Яков лишь глянул на нее и ничего не ответил.

Альбинос научил его распознавать разные зерна, составлявшие пищу канареек: турнепса и репы, гашиша и злаковых, — крошить крутое яйцо, морковь и яблоко и размачивать мак в молоке, потому что у канареек «очень нервный желудок». Он научил его отличать брачные песни самцов, потому что опытные канареечники должны знать, что это не просто песни любви, а знак, что пришло время дать им обрывки веревочек и шерсти для строительства гнезда.

Подрастающих птенцов альбинос поселял с самцами, потому что матери имеют привычку выщипывать у птенцов перья, чтобы выкладывать ими новые гнезда.

— Смотри, какие они заботливые отцы, — сказал он.

И действительно, с того момента, как птенцы попадали в распоряжение отцов, те превращались в преданных и аккуратных нянек, усердно кормили малышей и учили их пению. Яков сказал, что далеко не все птицы ведут себя подобным образом, и это удивило альбиноса, потому что, кроме своих канареек, он не знал никаких других крылатых. «Он с трудом отличал ворону от гуся».

Яков рассказал ему о моногамии аистов, гусей и журавлей, воздал должное знаменитой верности вороны-самца своей воронихе и даже поведал, со слов Моше Рабиновича, что «у древних египтян изображения ворон были символом супружеской жизни». Альбиносу понравился его рассказ о нравах зябликов-самцов, которые остаются в Европе зябнуть, страдать от морозов, тоски и одиночества в то время, как их самки улетают на юг. Некоторые, правда, присоединяются потом к своим женам, но другие встречают их снова только весной.

— Летом для мужчины остаться одному не фокус, — сказал Яков. — Но зимой — это совсем другое дело. Зимой он узнаёт, что значит быть одному. И когда она возвращается, красивая и усталая, полная любви, и солнца, и рассказов, он начинает понимать, как много в любви от чувства благодарности.

Сладостная улыбка расплылась на пухлом лице альбиноса после рассказа о повадках зябликов.

— Они встречаются только весной! — повторил он и добавил: — Как красиво и умно ведет себя пара, которая встречается только весной.

Яков заметил, что канарейки тоже очень верны друг другу, но тут по лицу альбиноса скользнула розоватая тень насмешки:

— А что еще остается паре, которую закрыли в одной клетке? — сказал он.

Белый сок вытек из стеблей, свернулся, загустел и потемнел. Потом красные шелковые лепестки маков завяли, сморщились и опали, а завязи вздулись, стали темно-коричневыми и затвердели. И ночью счетовод вышел со щелкающими садовыми ножницами, срезал твердые жесткие коробочки и раздавил их пальцами. Он сварил крошечные черные зерна в загустевшем соке и стал давать эту кашицу своим птицам.

Раз в несколько недель из Хайфы приезжал в своем маленьком «моррисе» морской офицер, который в каждый приезд покупал несколько пар канареек.

— Бедные птицы, — размышлял альбинос вслух после каждого такого визита. — Теперь их ждет египетское рабство.

Он почистил согретым маслом блеклый пух на заду одной из птиц и сказал:

— У него понос, Яков, сегодня не давай ему морковь и яблоко, только белок крутого яйца и немножко мака.

Он предложил Якову бросить сельское хозяйство и целиком перейти на выращивание канареек.

— На этом можно хорошо заработать, — уговаривал он.

— Такой заработок не соответствует нашим сионистским идеям, — ответил Яков.

— Что ваши куры, что мои канарейки — все одно, у тех и у других крылья, — сказал альбинос.

— Это не одно и то же, — возразил Яков.

— Глупости, — сказал альбинос. — Я научу тебя всему, что знаю сам, и когда я уйду, ты останешься.

— Куда ты уйдешь? — встревоженно спросил Яков.

Но альбинос только отмахнулся нетерпеливо и попросил Якова сходить в центр деревни и принести ему со склада полудюймовый вентиль.

— Иди, иди скорей, — заторопил он его. — Они вот-вот закроют.

Яков пошел в центр и вдруг увидел Юдит, которая шла прямо ему навстречу, в пестром цветастом платье и голубой косынке, и вид ее и походка были в точности такими, какими они были в его мечтах. Никогда еще ему не случалось увидеть ее вот так, идущей по удивительно пустынной улице, прямо ему навстречу. Он хотел было рассчитать, где они встретятся, но у него никак не получалось, потому что его ноги считали его шаги, а его глаза считали ее шаги, его ум складывал их вместе, а сердце делило сумму на двоих.

Когда их уже разделял один только метр, Яков набрался храбрости спросить, как она поживает, и даже добавил:

— Меня зовут Яков.

— Я знаю, — ответила работница Рабиновича, не замедляя шага.

Ее лицо, в такой обморочной близости, — и вот уже ожог взгляда, проплывающий мимо профиль, чистый затылок, постукивание каблуков. Платье, облепившее ее тело, прямая, уходящая спина.

13

Он помешал деревянным половником, наклонился над кастрюлей и сморщил нос.

— Ты знаешь, в чем секрет вкуса, а, Зейде? Все должно быть свежим. Все должно быть нежным. Только коснуться, и все. Только положить одно возле другого. Только показать еде ее приправу: здравствуйте, здравствуйте, приятно познакомиться, я картошка. А я мускатный орех. Познакомьтесь, пожалуйста, это господин суп. Очень приятно, госпожа петрушка! Приправа, Зейде, это тебе не оплеуха, приправа — это как будто тебя коснулось крыло бабочки. Даже в простом украинском борще чеснок не должен вызывать у тебя гримасу, он должен вызывать у тебя улыбку. Когда-то я рассказывал тебе истории, чтобы ты поел, а теперь я подаю тебе еду, чтобы ты меня послушал. Это значит, что ты уже не тот маленький Зейде, поэтому теперь ты должен больше обращать внимание на свое имя, тебе пора стать осторожней.

Время, равнодушный, могучий и благодетельный поток, унесло с собой первоначальное любопытство. Сплетни и догадки наскучили даже тем, кто их придумывал. И ощущение опасности притупилось.

Все уже знали, что к Юдит нельзя подходить с левой стороны и ее нельзя расспрашивать, кто она и откуда.

Одед и Номи приходили в школу чистые и ухоженные. Движения Моше снова стали спокойными и уверенными. Бешеные крики и гневное рычание больше не доносились из его дома. Благословение — то благословение, которое даровано принести только женщине, — вернулось во двор.

Трое мужчин, которым предстояло стать моими отцами, занимались каждый своим делом.

Яков Шейнфельд, от которого я унаследовал вислые плечи, и дом, и посуду, и великолепный портрет его жены, думал о Юдит и познавал секреты выращивания канареек.

Моше Рабинович, который завещал мне цвет своих волос и свое хозяйство, прислушивался к ночным воплям из коровника и искал свою косу.

А мой третий отец, скототорговец Глоберман, который наградил меня огромными ступнями и оставил мне свои деньги, начал приносить в коровник маленькие и коварные дары: то небольшой флакончик духов, то новую голубую косынку, а то и перламутровую расческу.

— Для госпожи Юдит, — каждый раз повторял он.

Сойхер был высокого роста худой человек, в тонких руках которого было больше силы, чем казалось на первый взгляд, а простоватое лицо скрывало недюжинный ум. Зимой и летом он ходил в одной и той же широкой и потертой кожаной куртке, а на голову нахлобучивал старую фуражку, которую, судя по ее виду, использовал также вместо носового платка. В те дни у него еще не было машины, так что он всегда ходил пешком и при этом напевал себе странные песни, язык которых казался каким-то чужим, даже когда слова были на иврите. Некоторые из них я запомнил.

> Прискакали к нам домой
> Конь слепой и конь хромой.
> На одном сидел котище —
> Драный хвост, висят усища,
> На коне другом — мышонок,
> В феске он и в панталонах.

Его длинные ноги глотали огромные расстояния, его карманы были набиты бумажными деньгами и кучей медной мелочи, тяжесть которой не позволяла ему улететь с последними летними ветрами, в потайном кармане он хранил записную книжку с именами коров, благодаря которой ничего не забывал, а его сапоги вмещали в себя гигантские ступни, размер которых выручал его в самых топких местах.

Иногда он ходил по деревням один, иногда — в сопровождении коровы: веревка привязана к ее рогам, ужас сжимает ее сердце, и ее жалобное мычание наполняет воздух. К востоку от деревни синела старая эвкалиптовая роща, которую пересекала тропа с протоптанными в ней следами раздвоенных копыт и огромных сапог. За рощей корову уже ждали мясник, и резник, и нож, и крюк. Все отпечатки копыт, — показала мне Номи, — были обращены в одну сторону, а следы сапог — в обе. По этой тропе коровы шли в свой последний путь. Кроме одной — коровы по имени Рахель, которая в одну и ту же ночь прошла по этой тропе и вернулась по ней обратно. Благодаря той ночи и той корове я и пришел в этот мир, и о ней я еще расскажу.

На плече Глобермана всегда лежала свернутая грязная веревка, а в руках был бастон, с которым он никогда не расставался, — этакая толстая палка для ходьбы, со стальным наконечником. На нее он опирался, когда ходил из одного двора в другой, ею погонял коров, она же служила ему указующим перстом и оружием для защиты от гадюк и собак. Собаки бегали за ним по полям, обезумев от запаха коровьего страха и крови, который навсегда пристал к нему, — даже его кожа пахла кровью и страхом.

Коровы тоже чуяли этот запах, запах их собственной смерти, идущий от тела скототорговца, словно

пары, поднимающиеся из преисподней, и когда Глоберман в своей старой фуражке, со своей сложенной веревкой, записной книжкой и тяжелой палкой появлялся в
каком-нибудь дворе, в воздухе над коровником рождал-
ся тихий испуганный храп, и коровы, сгрудившись в углу, тесно прижимались друг к другу, напрягая от страха
хребты и угрожающе выставив рога.

Как все скототорговцы, Глоберман мог оценить вес коровы, бросив на нее самый беглый взгляд, но был достаточно умен, чтобы справиться об этом у хозяина.

— Прежде всего, Зейде, — учил он меня секретам
продажи и торга, — так он не будет думать, что его об-
манут, а во-вторых, он всегда назовет тебе меньше веса,
чем у нее есть. Потому что покупка коровы — это целый театр, и в этом театре хозяин непременно хочет
быть праведником, а скототорговцу все равно, пусть даже его считают злодеем. Поэтому, когда хозяин думает,
что в его корове пятьсот восемьдесят кило, он обязательно скажет тебе — пятьсот шестьдесят, максимум
пятьсот семьдесят, точка. Так если он на этом теряет и к
тому же получает удовольствие, кто мы такие, Зейде,
чтобы ему в этом мешать?

До своего последнего дня он не потерял надежду
передать мне свое дело.

— А сойд, Зейде, главный наш секрет, — склонялся
он ко мне, — его я открою только тебе, потому что ты
мой сын. Каждый торговец знает, что надо проверить
корову, но только тот, кто, как мы, Глоберманы, родился на клоце, знает, что еще важнее — проверить хозяина коровы, точка. Нужно знать, что он думает о своей
корове, а еще важнее — что корова думает о нем.

— Любовь и торговля — это похоже, но это и наоборот. Потому что любовь — это не только сердце, это, в основном, разум, а торговля — это не только разум, это, в основном, сердце, — объяснял он. — Когда крестьянин продает мне *«а бик»*, это всего-навсего мясо без души, и для цены имеют значение только вес и здоровье. Но когда он продает мне *«а ку»* — ну, Зейде, это уже совсем другая история! Продать корову — это как продать мать, точка. Ой-ой-ой, как ему неловко перед ней, Зейде, как их глаза разговаривают! Ой, *майн кинд*, ой, *маменю*, ой, как же ты даешь мне уйти, ой-ой-ой, как она на него смотрит этими своими глазами!

— Как же это ты продаешь такую великолепную корову? — ядовито спрашивал он у хозяина.

Он не ждал ответа, — он хотел только услышать интонацию и увидеть, как стыд проступит желтизной на лице человека.

— Ну-ка, поводи ее по двору, — требовал он, — посмотрим, не проглотила ли она какой-нибудь гвоздь.

Формально целью такой проверки было обнаружить хромоту или боль, указывающие на внутренний дефект, из-за которого корову могли забраковать после забоя, но в действительности Глоберман хотел посмотреть, как хозяин подходит к своей корове и как она реагирует на его близость и прикосновение.

— Если он ее любит, Зейде, он испытывает угрызения совести, а если у него угрызения совести, он не станет торговаться из-за цены. Так уж оно получается. Но ты никому об этом не рассказывай. Если торговца спрашивают, на чем он зарабатывает, он тебе говорит только: да вот — покупаю корову, как кота в мешке, мешок продаю и имею в прибытке корову. И точка.

— Я принес госпоже Юдит такую маленькую штучку, — объявлял он.

«Госпожой Юдит» он называл мою маму, а «маленькой штучкой» — все подарки, которые ей приносил. Поначалу он делал вид, будто просто «забывал» их на краю кормушки в коровнике, а когда Юдит говорила ему:

— Ты что-то забыл, Глоберман, — отвечал:

— Нет, не забыл.

— Что это? — спрашивала она.

— Маленькая штучка для госпожи Юдит, — повторял Глоберман свое общее определение подарка, а затем пятился на три шага, поворачивался и уходил, потому что знал, что «госпожа Юдит» не притронется к подарку в его присутствии.

А иногда он добавлял что-нибудь вроде:

— Госпожа Юдит все время одна среди коров, и ей нужна какая-нибудь мелочь, чтобы напомнить, что она госпожа.

А в те дни, когда на него находило особенно романтическое настроение, он провозглашал:

— Тебе нужен мужчина, который сделает тебя царицей, как ты и есть царица; мужчина, который будет носить тебя на руках, как носят младенца, точка.

Но госпожа Юдит всей душой привязалась к коровам и терпеть не могла ни самого Сойхера, ни его запах, его подарки и его «точки».

14

— Ешь, пожалуйста, медленно-медленно, не спеши, ешь так медленно, как я говорю, а то мы оба можем по-

давиться. Ты себе ешь, а я расскажу про Номи, чтобы
тебе было еще вкуснее. Я ее много раз видел, как она
стоит у забора счетовода, совсем как я раньше, и как-то
вечером я спросил ее: «Хочешь зайти со мной?» Он ни
одному ребенку не позволял приблизиться к своим
птицам. Он всегда говорил: «Птицы не любят таких детей, как в этой деревне», — но когда я привел Номи, он
сказал ей: «Ты девочка Рабиновича? Заходи, заходи, пожалуйста!» И она начала приходить со мной, ничего не
говорила, только стояла и смотрела. И поворачивала
голову — туда-сюда, туда-сюда, — потому что канарейки, они ведь поют со всех сторон комнаты, одна к другой, — одна говорит, а другая отвечает. Каждая со своим голосом и каждая со своей песней, и так они учатся
тоже — каждая заучивает песни своих родителей. А некоторые птицы учатся той музыке, которую слышали
от других птиц, снаружи. Они им подражают, как тот
работник, что когда-то жил у меня здесь, — он тоже
мог подражать всему на свете: птицам, кошке, человеку,
их голосам и их движениям. Ты помнишь его, Зейде?
Ты был совсем маленький, когда он пришел. А как-то
раз Номи спросила у счетовода, можно ли ей взять одну канарейку в подарок Юдит, и он сказал ей — слушай
хорошенько, что он ей сказал, Зейде: «Юдит еще получит свою птицу, но не от тебя». И тогда она заплакала и
ушла, но потом снова вернулась. Это очень трудно для
девочки, если ее мать умерла, и это еще труднее для девочки, если ее мать умерла и вдруг она любит другую
женщину. Я уже много лет не видел девочку Рабиновича. Как-то она мне сказала: «У тебя такая красивая жена,
Яков», — как будто мы с ней оба виноваты — она изме-
няет своей матери, а я моей Ривке. Она была маленькая

девочка с большим умом. Жалко, что она вышла за этого городского Меира. Он не для нее, и Иерусалим не
для нее, но теперь у них есть мальчик, так я слышал.
Одед еще берет тебя с собой к ней в Иерусалим? Он хороший парень, Одед. Не такой удачный, как его сестра,
но он заслуживает лучшей жизни, и лучшей жены он
тоже заслуживает. В общем, я хотел сказать, что когда
Номи была маленькой девочкой, было интересно смотреть, как она ухаживает за Юдит, — совсем как мы с
Глоберманом. Тоже смотрела на нее издали и тоже
приносила ей подарки, чтоб я так был здоров. Конечно, она не могла подарить ей наряды, или духи, или коньяк, как Глоберман, и свадьбу большую устроить, как я
устроил, она тоже ей не могла, зато она могла к ней
прикоснуться, а мы не могли, и еще она понимала такое, что я сам никогда не понимал, и мне только через
много лет объяснил мой работник, но это самое-самое
важное, — что любовь не просто так себе, шаляй-валяй,
как хочешь, а у любви есть свои правила и есть свои законы. Короче, что тебе сказать, — она ее обнимала, и
брала ее руку, и гладила, и приносила ей цветы с поля.
Может быть, она боялась, что мы, я или Глоберман, за-
берем Юдит у нее, и делала то, что ее отец должен был
делать? Кто знает? Твоя мама иногда брала ее на могилу Тони. Одна бы она не пошла. Маленькие дети не ходят на могилу отца или матери одни. И не только в годовщину смерти она брала ее туда, на годовщину она
ходила вместе с Рабиновичем и Одедом, и Менахем с
Батшевой приходили, и еще другие люди из деревни,
но были такие дни, что они только вдвоем ходили туда,
а я стоял и подглядывал за ними издалека. Тебе я могу
это сказать, потому что ты ведь тоже подглядывал. Си-

дел себе в своем ящике, который я тебе сделал для
птиц, но подглядывать — подглядывал за людьми. Ты
ведь и за мной подсматривал, а? Но знаешь, Зейде, мне
даже почему-то нравилось, что ты за мной подсматри-
ваешь, потому что там, на автобусной остановке, я и
правда как очень странная птица, есть-таки за чем под-
сматривать. А что она там искала, твоя мама, на могиле
его Тонечки, этого я никогда не мог понять. Но она
брала с собой девочку, и я видел, как они стоят там
вдвоем возле могилы, а вокруг везде цветут цикламены.
Эти цикламены почему-то особенно любят кладбища,
совсем как анемоны, которые всегда растут на старых
развалинах. В любом месте, где ты видишь, что там
много анемонов, там когда-то жили люди, а в любом
месте, где ты видишь памятники, для цикламенов это,
наверно, как скалы, так же как коровник для ласточки — это как пещера, а та коробка, куда свертывается
полотняный навес, для воробья она становится как
гнездо. Только ворона никогда не покидает деревья,
которые Бог создал для нее в первые шесть дней, и не
строит себе гнездо ни в каком другом месте. С одной
стороны, она живет возле людей и ничего не боится, а
с другой стороны, она не будет жить с нами совсем
вместе, как этот голубь, которого я из всех птиц терпеть не могу. Этот голубь, он стоит себе с оливковой
веткой во рту, как такой знак для всех, что нужно жить
в мире, а сами у себя только и делают, что убивают
один другого. Ты, наверно, видел, как эти голуби, когда
они дерутся на крыше, они клюют один другого до самой смерти. Ужас берет на них смотреть. Если даже
один голубь уже наполовину мертвый, весь поломан-
ный на кусочки и уже на ногах стоять не может, второй

все равно не дает ему уйти. Даже волки и те отступаются, а этот голубь нет. Он идет за ним и бьет клювом, но отступиться от него он не отступается, пока не убьет до конца. Вороны тоже иногда так делают, но, с другой стороны, вороны не строят из себя знак мира. Короче, Зейде, они стояли себе, Юдит и Номи, там, возле могилы, почти не говорили совсем, но ты видел, как ее рука лежит у девочки на спине, и гладит, и гладит, и гладит, и малышка как застыла, потому что ей это приятно, как кошке, а потом они обе идут назад через поле до самых казуарин на большой дороге, и девочка прыгает вокруг нее, как маленькая овечка на Песах — прыгает себе, задрав хвостик, и лягает копытцами воздух. И твоя мама, с этим ее прямым телом, и с ее высоким лбом, и с одной глубокой морщиной от боли и от тайны между глазами, с этой ее морщиной, которая разрезала воздух, как ножом. Чтоб я так был здоров, Зейде, в холодные дни я мог видеть, где она прошла, по тем знакам, что ее лоб оставлял в разрезанном воздухе. Летом эти знаки сразу исчезали от жары, но на холоде как будто полоса дрожащего воздуха оставалась на том месте, где она прошла с этой своей морщиной. Ну, а сейчас она уже сама там, с теми цикламенами и нарциссами, недалеко от Тони, и ее глаза и ту морщину уже съели черви, а у Рабиновича, у него уже есть теперь две могилы навещать, его Юдит и его Тонечка, но сил ходить туда у него уже нет, только сидеть на том пне от эвкалипта, что он срубил, и ровнять гвозди руками остались у него силы — ровнять гвозди и тосковать от своей тоски. У человека, который хочет тосковать, Зейде, у него есть много видов тоски. Есть тоска по ком-то, кто ушел и, может быть, он вернется. Потом есть тоска по ком-то, кто уже вернулся, но он уже не такой, как был. Но хуже всего это тоска по ком-то, кто уже просто умер и больше не вернется никогда. Это именно та тоска, которой я тоскую по твоей маме, Зейде, такая тоска, что это даже хуже, чем готовиться к воскресению мертвых. Такая тоска выходит из тебя и опять возвращается в тебя, она как рак, только такой, что внутри души, а не тела. И только в одном они похожи друг на друга, все эти разные виды тоски, — что нет такой пищи, которая насытила бы их, и нет такого питья, которое помогло бы им забыться, и нет им лекарства, чтобы прекратить эту боль, и даже причин для них нет, потому что им не нужны причины. Что тебе сказать, Зейде?! Может, когда-нибудь ты сам это поймешь, а может, никогда не поймешь, но одно ты должен знать об этой тоске, даже если не поймешь, — что она не нуждается в причине. Моя бедная мама тоже говорила мне: *«Оф банкен дарф мын ништ кайн теруц»*. — Чтобы тосковать, не нужно никакой причины. Это очень важно знать, Зейде. Это как царю не нужны причины, и полицейскому начальнику не нужны причины, и всем генералам в армии тоже не нужны причины, и мой дядя, у которого я работал в его мастерской, как раб я там работал, ему тоже не нужны были причины. Только палка и крики ему были нужны. Все, у кого есть так же много сил, как у тоски, им не нужны никакие причины.

15

Молод был я тогда. Молодость и бессмертие несли меня над страданиями Якова, над его столом и его воспоминаниями. Я казался самому себе большим соколом, который парит на распластанных крыльях в танцующем под ним теплом весеннем воздухе.

Только сегодня, прибитый, как *мезуза*[1], к дверям собственной тоски, то и дело возвращаясь к пеплу собственных печалей, познав упрямство памяти и все муки раскаяния, я понимаю те его слова.

Он рассказывал о себе, а пророчествовал обо мне. И о том человеке, любовнике моей матери, которого показала мне Номи в Иерусалиме, о том старом, сгорбленном, как скорбная буква «Г», человеке он тоже говорил.

И о Моше он рассказывал, придавленном упавшей телегой. И об Одеде, сироте Одеде, навеки покинутом ребенке, этом сухопутном Синдбаде, что нескончаемо странствует по дорогам Долины со своим раздражением и своей молочной цистерной и мечтает о другой, огромной стране.

И о моей маме говорил он — о ней, и ее воспоминаниях об украденной дочери, и о той броне, в которую она заковала свое тело. Она всегда поворачивалась глухим ухом ко всякому дурному слову и всегда, стоило появиться в деревне кому-то чужому, запиралась в коровнике и посылала Номи, как высылают вперед осторожные сяжки: «Сходи, Номинька, посмотри, кто там пришел».

Но и самая расчетливая осторожность не защищала ее сполна. Она старательно избегала встреч с тряпичными куклами в руках маленьких девочек и до послед-

---

[1] Мезуза *(ивр.)* — прикрепляемая к дверному косяку в еврейском доме коробочка со свитком пергамента, на котором написан отрывок из молитвы; заклинание против злых сил.

него дня наотрез отказывалась перебирать или варить чечевицу. Но украденная дочь то и дело выпрыгивала, словно из засады, и била ее под дых. Она видела ее, когда размешивала молочный порошок в ведрах для телячьих поилок или нюхала цветы горошка, и думала о ней, когда видела наплывающее облако или распускающийся цветок, и вспоминала ее, когда слышала разговоры ворон, и когда всходило солнце, и когда умирала луна, а ночью ее распахнутые глаза помнили в темноте, а внутренности распарывал нож ее собственного вопля, потому что даже в самой темной темноте есть место, — так она сказала мне когда-то, когда я был еще слишком мал, чтобы понять, и слишком наивен, чтобы забыть, — в самой темной темноте, Зейделе, есть место для всех бессонных глаз, и для всех печалей, и для всех воплей.

— Все можно спрятать в шкатулку, Зейде, или в коробку, или в гнездо, или в шкаф, или в комнату. Даже любовь можно так закрыть, надежно-надежно, — сказал Яков. — Но у памяти есть все ключи, а тоска, Зейде, она проходит даже сквозь стены. Она как тот фокусник Гудини, который выбирался из всех узлов, и как духи мертвых, которые входят, когда и куда захотят.

Но тоска матери не заразила меня. Я знаю, что у меня есть в Америке полусестра, лица которой я никогда не видел — ни глазами плоти, ни глазами воображения. У мамы не осталось ни одной ее фотографии, и я даже имени ее не знаю. Но я никогда не пытался найти ее или встретиться с ней. Конечно, временами я задаю себе напрашивающиеся вопросы: где она живет? похожи ли мы? вернется ли она когда-нибудь? увидимся ли мы? Но моя бессонница не ей предназначена, и тоска моя, сестричка ты моя половинная, не к тебе плывет.

16

Почти три года прошло со времени приезда Юдит в деревню, и порой она уже смеялась или решалась сделать замечания, а после полудня вытаскивала из коровника ящик и усаживалась на нем в тени жестяного навеса. Ела ложкой творог, который готовила в капающих матерчатых мешочках, и откусывала от маленьких, солено-острых огурчиков, которые консервировала в банках на окне коровника. Приятный ветерок, прилетавший с запада, говорил ей: «Пятый час», а стрелка огуречного вкуса сообщала: «Четыре дня».

Много раз я пытался засолить себе огурцы, как она, и у меня ничего не получалось, но я могу вызвать воспоминание об их запахе у себя в носу и тогда провожу языком по зубам, справа налево и слева направо, туда и сюда, будто иду по борозде — *соль, соль, соль, соль, соль, соль, соль, лос, лос, лос, лос, лос, лос, лос…*

И когда я потом прижимаю язык к нёбу, он плывет в слюне, которая имеет их точный тогдашний вкус.

Мама шевелила большими пальцами босых ног, вздыхала от удовольствия и, прикрыв глаза, медленно отпивала из бутылки с граппой. Потом она поднималась и шла делить еду по кормушкам, доить, варить, убирать и чистить, а перед полуночью ее крик снова вырывался из коровника, как в ту, первую ночь.

Одед просыпался и ворчал: «Опять она плачет, хочет, чтобы ее пожалели». А Номи дышала лишь в промежутках между мамиными всхлипами, заклиная, чтобы они прекратились, потому что они разрывали ей горло, и она ощущала, как каменеет и леденеет ее маленькое тело.

— Она перестала кричать только после того, как забеременела тобой, — рассказывала она мне много лет спустя в Иерусалиме. — Это был первый признак, что у нее в животе появился ребенок. Но вначале, когда она только-только приехала, в те первые ночи, — мне было тогда лет шесть или около, — я помню, что когда она кричала, мне болело вот здесь, под пупком, и тут, в груди, — ты чувствуешь, Зейде? — потрогай. Это был первый мой признак, что когда-нибудь я стану женщиной.

Мы ехали тогда в поезде из Иерусалима на маленькую станцию в Бар-Гиоре, — там есть славная речушка, сказала она мне, мы сможем прогуляться вдоль нее.

От паровоза разлетались искры и клубы пара, он пыхтел на спуске, мы ели бутерброды с яичницей, сыром и петрушкой, которые Номи завернула в шуршащую бумагу от пачки маргарина.

Она не забыла прихватить и грубую соль, завернутую в газетную бумагу, и мы макали в нее помидоры и смеялись.

— Мой отец тоже любит соль, — сказала она.

— И моя мама тоже, — сказал я.

— Я знаю, — сказала Номи. — Я люблю людей, которые любят соль.

Самая молодая из всех любивших Юдит, она любила ее самой глубокой и верной любовью — любовью по выбору.

— В тот момент, когда она сошла с поезда с этой своей большой странной сумкой, я решила, что эту женщину я буду любить невзирая ни на что. Это не было любовью к матери, или к подруге, или к тетке. К кому же тогда? Странные вопросы ты задаешь, Зейде! Это была какая-то смесь. Как смесь любви к кошке, к корове и к старшей сестре.

Путевой сторож предупредил:

— Вы тут поосторожнее, у нас здесь арабы пошаливают...

Мы шли по тенистой тропе к верховью потока. Номи смеялась, а мое сердце замирало. Шестнадцать с половиною лет было мне тогда, ей — тридцать два или чуть больше. Время, великий бальзамировщик, сделало ее с годами красивее, замедлило движения, углубило ее голос и мою любовь, а ее мужа Меира сделало богатым, пожилым и замкнутым человеком.

Только через два года, когда я уже был в армии и в очередной раз приехал к ним на побывку, я осмелился спросить ее:

— Что такое происходит с Меиром в последнее время? — и она сказала:

— Мне так хорошо, когда ты приезжаешь, Зейде, давай не будем говорить о Меире.

Озеро ее красоты уже начало отступать от берегов лба и от утеса ее подбородка и теперь собралось вокруг губ, в уголках глаз, где оно было особенно сладким и густым, и в двух гладких впадинах у основания шеи.

Мать и Одед ненавидели Меира, но мне он нравится. Его жену я люблю, ему я симпатизирую, а их сына стараюсь не замечать. Даже теперь, всякий раз, когда я приезжаю в Иерусалим для встречи со своим рыжим профессором-вороноведом, — Номи прозвала его «главным ерундоведом», — чтобы показать ему дневники наблюдений и получить комплименты и новые задания, я стараюсь немного поговорить с Меиром. У него все такая же стройная фигура, и прямые сильные пле-

чи, и густые волосы, разделенные пробором посереди-
не, и та же легкая походка — походка человека, живуще-
го в мире со своим телом.

Номи вдруг наклонила голову и на миг прижала свои
соленые сладкие губы к моим губам.

— Вкусно, — засмеялась она и похлопала меня по
затылку. — Ты хорошо растешь, — сказала она. — У тебя уже плечи и ладони мужчины.

Мы сидели в тени шелковицы. Теплое дыхание ее
рта собралось и дрожало во впадине моей шеи. Ее рука
роняла золотые капли меж моих лопаток. Куропатка
вспорхнула, испуганно захлопав крыльями.

— Она пела мне, послушай: «*Шлаф, майн фейгеле,
майн кляйне, лиг нур штиль ун ер зих цу...*» Ты понимаешь? — И тут же перевела: — «Засыпай, малышка-птичка,
лежи тихонько и прислушивайся...» Красные ветви шелковицы кажутся ей черными на фоне неба, — объявила
вдруг она.

В первый свой Пурим в деревне твоя мама сказала
мне: «Давай, Номинька, я сделаю тебе особенный наряд».
Я думала, что она нарядит меня по меньшей мере английской королевой, но она всего-навсего сшила мне какое-то обыкновенное девочкино платье, сделала мне
прическу, какой у меня никогда не было, и дала в руки
тряпичную куклу. Я спросила ее, что это за наряд, а она
сказала: «Ты нарядилась в другую девочку» — и я сказала
это потом в классе. Все нарядились как положено — в
царей и в разных героев, а когда спросили меня, я повторила в точности то, что она мне сказала, — что я нарядилась в другую девочку. И с такой гордостью, без всякого стеснения, и со всей любовью, с которой я решила

любить ее. Потому что самое главное правило в любви: что она — дело решения. Я уже говорила тебе это когда-то и скажу опять: надо просто решить: сейчас это любовь. Именно так. Сейчас это любовь. Все, что я слышу, и обоняю, и вижу, и думаю, — это любовь. Посмотри, Номи, и понюхай, и потрогай, и попробуй, и послушай, хорошенько-хорошенько: то, что происходит сейчас — это любовь. И скажи это вслух, когда никто не слышит: сейчас это любовь. И говори, как в любви, и гляди, как в любви, и веди себя, как в любви. Как сказал один раз Меиру молочник у нас в квартале, такой старый, симпатичный *дос*[1]: «Если ты, господин Клебанов, если ты только и будешь все время преклоняться перед Господом, благословенно Имя Его, за то, что Он сотворил мир, ты так и останешься на всю жизнь *эпикойросом*, безбожником, как сейчас. Но если ты, не дай бог, будешь поносить Его каждое утро, но в то же время наденешь *кипу*[2], и будешь есть только кошерное, и будешь придерживаться субботы хотя бы в течение месяца — вот тогда ты станешь хорошим евреем». Вот так же и тут. Любовь — это вопрос поведения и правил. Прикасайся к ней все время, обнимай три раза в день, думай, чем Юдит занята сейчас, представляй себе ее руки, когда ешь на переменке ее бутерброд, — вот на этих ломтиках хлеба они были, этот огурец они чистили и резали, эту соль они сыпали, — и повяжи голову голубой косынкой, как у нее, и глотни украдкой из ее бутылки, и закашляйся. Может быть, если бы я решила любить Меира, как решила тогда любить ее,

---

[1] Дос (искаженное *ивр.*: дат) — насмешливое прозвище религиозных евреев в Израиле.
[2] Кипа — ермолка, маленькая шапочка, которой покрывают голову религиозные евреи.

мне было бы легче жить с ним потом. Иногда я думала, что и она любит меня, и она действительно обнимала и целовала меня, но ни разу не погладила. Эту ласку она берегла в руке. Помнишь, как говорили старики в деревне? Любить — это не лес рубить, любовь — дело плевое. Я так ненавидела эту поговорку! Если любовь — дело плевое, почему все так скупы на любовь?

— Я не скуп, — сказал я.

— Ты не скуп, Зейде, ты просто глуп, и я не знаю, что хуже, — сказала Номи. — Но твоя мать была скупа. Скупа на любовь. Ты замечал, как она иногда ходила со сжатыми кулаками? Поначалу я думала, что она хочет кого-то ударить, а потом поняла, что она бережет там что-то. Может быть, ту самую ласку, которую я так ждала, а она берегла для той, другой девочки. Ты когда-нибудь думаешь об этой своей полусестре, Зейде? Я ведь тебе тоже, может быть, наполовину сестра. И только возле могилы моей мамы твоя мать гладила меня. Каждый месяц она ходила со мной туда. Отец ходил с нами только в годовщину, это ты, наверно, и сам помнишь, но тогда, в первые годы, она ходила со мной каждый раз, и только там, возле могилы, ее рука на моей спине раскрывалась и гладила, и гладила. А больше всего я любила сидеть на бетонной дорожке, которую отец проложил для нее, и есть с ней гранаты. Помнишь, как это было приятно — есть с ней гранаты на бетонной дорожке?

17

Раз в две недели, по вторникам, в Народном доме крутили кино. Одед привозил из Хайфы круглую плоскую коробку и иногда подходил к матери, опускал глаза и говорил:

— Это картина из Америки.

Она редко заглядывала в Народный дом, но когда привозили картину из Америки, мы шли с ней оба. Вместе смотрели на американские улицы, и американские дома, и американские дороги и деревья, и вместе вставляли в их рамку ее девочку.

Как еще не раз будет со многими, в маминой памяти девочка продолжала расти. Мама видела, как она прибавляет в росте и уме, как меняется ее взгляд и прическа, как становятся колючими бутоны ее созревающих грудей, кричала вместе с ней от страха первых месячных и вместе с ней забывала материнский язык и саму ее мать, и однажды ночью ей приснилось, будто она выходит замуж и рожает близнецов, которые, к ее ужасу, похожи на того проклятого человека, чье имя мне запрещалось произносить тогда и запрещено помнить даже сейчас.

На обратном пути из Народного дома она шла молча, а дома, сделав маленький глоток из своей вечной бутылки, вздыхала, не сознавая, каким тяжелым и громким был ее вздох, а потом ложилась и всю ночь следила за хороводами братцев «Если бы», да «Кабы», да «Если бы не», и слышала хихиканье Ангела Сна, и прислушивалась к ночным блужданиям Моше: от шкафчиков кухни к платяному шкафу, и от двери к двери, и к просвету под каждой кроватью, и к щелям между домом и землей. Потом он пересекал двор и осторожно простукивал стены сарая, отодвигал и перекладывал мешки, а на сеновале поднимал кипы соломы. В коровник он не заходил, чтобы его появление не было воспринято неправильно, но снова заглядывал в инкубатор и возвращался в сарай, потому что к тому времени уже наделял свою косу способностью передвигаться и ускользать и даже приписывал ей определенную меру хитрости.

Так он ходил, и искал, и высматривал, и возвращался. На железную сетку своей кровати, в девочкино платьице, которое надевала на него мать, к пузырям смерти в холодной воде, с широко открытыми глазами, блуждающими во тьме.

Бетонную дорожку от дома до коровника Моше Рабинович проложил для Юдит еще до того, как я родился. Сегодня маленькая стрелка великого времени уже расцветила ее пятнами мха и вырастила в ее трещинах побеги степной акации. Но я помню ее появление, как будто присутствовал при этом, потому что не проходит и дня, чтобы я не ступал по этой дорожке.

— Эту дорожку мой отец сделал для твоей матери. От дома до самого коровника. Красивый подарок, правда? Ты бы видел ее лицо, когда отец кончил работу и сказал ей: «Это для тебя, Юдит». Будь на его месте Глоберман, уж он бы наверняка поклонился и сказал: «Госпожа Юдит не должна пачкать свои очаровательные ножки в дворовой грязи, точка!» А если бы то был Шейнфельд, он бы сам лег в грязь и попросил ее ходить по нему. Но мой отец проложил ей дорожку. Без умничанья, без фокусов, так, как нужно.

В один прекрасный день, в конце третьего лета с прибытия Юдит, Моше Рабинович привез цемент, и песок, и щебень, и доски, поставил опалубку, воткнул железные прутья и залил бетоном квадраты, которые соединились в полосу, шедшую от дома к коровнику. Потом он разгладил поверхность, полил ее, а когда кончил работу и дорожка высохла, пригласил Юдит пройтись по ней.

И вдруг в маму вселилось веселье. Одной рукой она слегка приподняла подол, вторую протянула Номи, и они вдвоем обновили дорожку несколькими легкими танцующими шагами, приоткрывавшими колени.

— И в ту зиму мы уже не утопали в грязи между домом и коровником. Ты не можешь себе представить, как мы были счастливы.

— Для мамы ты не сделал дорожку, — сказал Одед отцу.

Он объявил новой дорожке бойкот и два года подряд ходил рядом с ней, не наступая. Потом сдался и перестал, но его ноги уже протоптали в земле короткую и узенькую тропку сиротства и укора, которая видна там еще и сейчас.

Накануне праздника Песах гранаты Тони Рабинович покрылись буйством маленьких карминных листьев, потом расцвели и распустились красным, и ко времени июньских хамсинов[1] пурпурные завязи уже набухли и украсились пышными коронами.

Юдит приготовила бумажные кульки, позвала Номи, и они вместе прикрыли маленькие плоды от порчи и солнца, а осенью, завершившей то лето, уже сидели на новой дорожке и ели гранаты.

Первые гранаты, с большими розовыми зернами, поспели уже к сентябрю, на Рош а-Шана[2], а темные,

---

[1] Хамсин — знойный юго-восточный ветер, дующий из пустыни в бассейн Средиземного моря.
[2] Рош а-Шана — еврейский Новый год; празднуется осенью, незадолго до дней Покаяния (Судный день).

кисловатые плоды Юдит собрала после Суккот[1]. Она выжала их, процедила сок через белую стираную тряпку, через которую процеживали молоко, и показала Номи, как делать из него вино.

Годы прошли с тех пор, но мне легко нарисовать их в своем воображении: вот они, сидят на сером бетоне, — женщина, которая уже умерла, и девочка, которая уже выросла, голубые хлопчатобумажные косынки на головах и четыре голых коленки. Их сильные босые ступни исколоты маленькими, похожими на юлу, плодами эвкалипта, который тогда еще стоял во дворе, и такими же маленькими твердыми ежиками, которые непрестанно сыпались с казуарин.

Юдит брала гранат, легко обстукивала его со всех сторон деревянной ручкой ножа и потом обрубала его корону. Она обдирала кожицу вокруг обрубленной верхушки, осторожно надрезала ножом кожуру и разламывала плод пальцами.

— Никогда не режь его ножом, Номичка, — учила она. — Металл придает гранату плохой вкус.

Подушечкой большого пальца она расшатывала и отделяла гранатовые зерна в чашечку второй ладони, а оттуда забрасывала их в рот.

— Это мамины деревья, — ворчал Одед.

— Так ешь тоже, — говорила Номи.

— Не роняй ни одного зернышка, — предостерегала ее Юдит, как предостерегала и меня спустя несколько лет, когда и я уже был на свете и мы с ней сидели на той же дорожке и ели гранаты. — Не роняй ни единого зернышка. Кто уронил зернышко, тот проиграл.

---

[1] Суккот (Кущи) — осенний праздник в память о том, что после исхода из Египта евреи жили в шалашах.

Она и сегодня предостерегает меня этими словами в моем воображении, но сегодня я уже не ем от плодов тех гранатовых деревьев. Каждую зиму ими завладевают малиновки, а каждой весной они снова вспыхивают карминным и красным и к осени гнутся под изобильной тяжестью плодов. Из неясного чувства долга я каждый год защищаю их бумажными кульками, но не срываю, когда они созревают.

Лето проходит, птицы и ветер разрывают бумажные мешочки, и маленькие мушки брожения, обезумев от сладости и страсти, зависают над сочащимися трещинами в кожуре и говорят мне: «Осень».

Потом плоды высыхают и затвердевают в своих разорванных мешочках, точно мумии в разодранных саванах. Чернота их кожуры говорит мне: «Зима», — а их зерна рассыпаются, как зубы мертвецов, на зимних ветрах.

18

Спи, мой Номик, невеличка,
Спи и слушай, дорогой,
Ты как маленькая птичка,
Нет нигде такой другой.

Лю-ли, лю-ли, лю-ли-бай,
Поскорее засыпай,
Засыпай, малышка Номи,
И прислушайся во сне.

— Может, ты перестанешь петь моей сестре? — ворчал Одед.

Он был еще мальчишкой, но обида и страх уже состарили его детское лицо ранними складками, наполнили силой его тело, наделили походкой взрослого мужчины.

Вечером Юдит укладывала их с Номи в постель и рассказывала им разные истории, но Одед все время ворчал, его злило, что она уделяет столько любви и внимания маленькой сестре.

Его голос звучал обиженно и глухо:

— Наша мама рассказывала нам интересней.

— Я не ваша мама, — Юдит сдернула одеяло с его лица.

Она посмотрела на него так, что этот взгляд он не забыл и поныне, и когда он описывает его мне сейчас, из его рассказа то и дело выглядывает осиротевший, обиженный и напуганный мальчик.

— Если ты хочешь со мной спорить, Одед, — сказала она ему, — так нечего прятаться под одеялом. Ты уже не ребенок. Вылезай оттуда и давай спорить всерьез.

И, увидев, что он вспыхнул от смущения и его раздражение как рукой сняло, погладила его потрясенную лаской щеку, сказала:

— Спокойной ночи, дети — и пошла в коровник, к своим коровам, в свою каморку, на свою постель, к своему ночному воплю.

— Пойди к ней, папа! — поднялась Номи однажды ночью и стала у кровати отца.

Моше отрицательно замотал головой.

— Я пойду с тобой, — сказала Номи. — Мы зайдем и спросим, почему она так кричит.

— Не нужно, — сказал Моше.

— Тогда я пойду сама.

Рабинович приподнялся на постели:

— Ты не пойдешь к ней. Никто не пойдет к ней. Взрослые люди плачут не для того, чтобы к ним подходили. Она немножко поплачет, и это у нее пройдет.

Но в одну из ночей Номи уже не смогла сдержаться. Она прокралась во двор коровника и ухватилась за трубу, подводившую воду к корытам, пытаясь разглядеть забившуюся в угол бледную фигуру с широко открытым ртом и глазами.

Тяжелая рука Моше закрыла дочери рот. Он поднял ее и прижал к себе.

— Она не должна знать, что мы знаем, — прошептал он ей в ухо и понес обратно домой.

Но стоило ему убрать руку, как слова разом вырвались из нее, словно стайка щеглов, с шумом выпорхнувшая из чащи.

— Вся деревня знает, папа! — закричала она. — И она сама знает, что все знают! Даже дети в школе говорят!

— Не важно, что говорят, — он снова закрыл ей рот рукой. — Важно только, чтобы она не видела, что ты туда приходишь.

— Они думают, что это ты с ней что-то делаешь! — клокотали у нее во рту слова, обжигая кожу его ладоней.

— Закрой рот, а не то я сейчас завяжу его тебе полотенцем! Вырастешь, тогда сама все поймешь.

Вопль оборвался так же мгновенно, как взлетел. Края разорванного им воздуха снова срослись. Какое-то мгновение еще видны были тающие шрамы, но и они тут же исчезли.

— Это как тело женщины, там, внизу, где не остаются никакие следы, — сказал мне Яков.

Он плеснул в бокал немного коньяку.

— Только роды оставляют там следы, — сказал он. — Но не любовь и не измены. И не мы, мужчины. Только в телах наших матерей мы оставляем следы, но не в телах наших женщин. Посмотри когда-нибудь туда, Зейде, ты уже большой парень. Посмотри, и сам увидишь. На коже лица и на коже рук остаются все отпечатки жизни. И на нашем сморщенном *шмоке*, на нашем кончике, на нем тоже ничего не стирается. Кто умеет читать, может прочесть на своем *шмокеле*, как в дневнике. Это мне когда-то сказал Глоберман. Как будто кольца на стволе дерева остаются там. Вот тучные годы, а вот тощие, вот имена, а вот времена. В Кинеретском море[1] есть такая скала с отметками — сколько воды было каждый год. Так и у нас. Но у женщин, у них там, внизу, — ничего. Никаких знаков не остается. Там у них как сам Кинерет. Разве увидишь, какие бури на нем бывали? Разве увидишь в дневном воздухе те крики, которые подымались в нем ночью? Ты когда-нибудь видел? Так и там ты тоже не увидишь.

19

Подобно птенцу кукушки, Юдит теснила и выталкивала из его головы все другие мысли. Только о ней он способен был думать — о ней, и о ее крике, и о ее теле, и о ее телеге, плывущей в зелено-золотистом море хризантем, — и не мог понять, так он сказал мне, как это она

---

[1] Кинеретское море (Галилейское море. Тивериадское озеро) — озеро на северо-востоке Израиля. Самый большой в Израиле и самый низкий в мире (210 м ниже уровня моря) пресный проточный водоем.

может быть в двух разных местах одновременно: «И у Рабиновича во дворе, и у меня в голове».

Время от времени он встречал ее на улице или в центре деревни, кивал ей на ходу и терзал свое сердце наивными планами и детскими надеждами встретить ее в других обстоятельствах, в другое время и в другом месте.

И однажды Моше Рабинович пришел к нему во двор, попросил вывести для него двести цыплят и спросил, сможет ли Яков подождать пару-другую недель с оплатой.

— Деньги — ерунда, Рабинович! Деньги подождут! — сказал Яков, захлебываясь от счастья.

Он заторопился к своему инкубатору, разобрал его, сполоснул и продезинфицировал все детали, высушил их на солнце, а когда птенцы вылупились и инкубатор наполнился их писком, пошел к Рабиновичу — сказать, чтобы он приготовил курятник.

— Я принесу их завтра, — сказал он, а глаза его искали и умоляли.

Но Юдит не появилась, и Яков ушел ни с чем.

Назавтра он запряг повозку и привез цыплят в двух закрытых ящиках. Деревенские кошки обезумели от запаха и писка, и некоторые из них, словно по тревоге, ринулись во двор Рабиновича и осадили курятник в поисках дыр. Но Моше залил бетон под самые края сетки и вдобавок затянул каждое соединение железной проволокой, потому что знал, что голод делает кошачье тело гибким, а разбойная натура придает ему способность протискиваться в любые щели.

Бетонный пол был уже покрыт опилками, и Яков, наклонившись, осторожно вывалил на него содержимое ящика. Плотный, многоголосый желтый шар разом распался на десятки маленьких испуганных шариков и тотчас собрался снова с громким писком волнения и страха.

И тут вдруг скрипнула дверь. Цыплята разом умолкли, а Яков снова почувствовал знакомый озноб в затылке. Он понял, что это Юдит, которая вошла в курятник и стоит сейчас за его спиной.

Его сердце зачастило. Так случается со всяким человеческим сердцем, когда страх стискивает его желудочки и одновременно радость расширяет предсердия.

— А сердце, — ты знал это, Зейде? — сердце в эту минуту куда-то исчезает. И сразу же во всех руках и ногах начинается балаган. Тут дрожит какая-то мышца, там кости становятся как молочный порошок в воде, а кровь — она делается как суп, так она кипит и бурлит. Я просто не мог дышать, — вспоминал он. — Я просто задохнулся. Вот так человек узнает, что у него любовь.

— Как это Рабинович мог жить с ней в одном дворе и не сойти с ума? — удивлялся он. — Ты можешь это понять, Зейде? Видеть, как она работает, видеть, как она двигается, поднимает бидон с молоком или тащит ведра для телят, и все ее тело напрягается под платьем... Как это может быть, чтобы человек лежал у себя в доме и знал, что она в коровнике, за стенкой из дерева, и стенкой из воздуха, и стенкой из бетона? Ведь от этого можно с ума сойти!

В тот же вечер, когда Юдит доила, а Моше разгружал телегу с люцерной, он вдруг спросил ее, заметила ли, как смотрел на нее Яков.

— Ты ему понравилась, — объявил он.

— *А нафка мина*, — сказала Юдит.

— Ну-ну, — сказал Моше. — Тут уже будет весело. Вся деревня мечтает о жене Шейнфельда, а сам Шейнфельд смотрит на тебя.

Юдит закончила обмывать и массировать коровьи соски. Белые струи молока брызнули в ведро, вызванивая по нему высоким и звонким звуком, который постепенно становился все более глубоким и глухим.

Корова повернула голову и посмотрела на Юдит, потом высунула большой язык и шумно пришлепнула его к ноздрям, точно влажную пробку. Теплый, сладковатый запах поднялся в воздух и впитался в стены, и Юдит ощутила резь в глазах. Она оперлась вспотевшим лбом о скат коровьего брюха, а когда корова осторожно приподняла ногу, как бы намекая на некоторое неудобство, сказала ей: «Ша... ша...» — и погладила большое коровье бедро, мягко нажимая на ту точку, которая парализует намерение и способность лягнуть.

Годы спустя, когда мне было лет семь, она сказала мне, что лошадь получает любовь в обмен за свою любовь, собака получает власть в обмен за свою верность, кошка получает еду в обмен за свою красоту, а корова не получает ничего, кроме упреков и ударов. При жизни она отдает хозяину свое молоко, и свою силу, и своих детей, а под конец у нее забирают еще и мясо, и кожу, и рога, и кости.

— Они ничего не выбрасывают из коровы, — подытожила она.

А Яков сказал:

— Так всегда при большой любви. При большой любви всегда только один дает всё. И всегда ничего не пропадает даром.

Он лежал у себя дома — сознание дремало, сердце бодрствовало, а глаза были как две сверкающие дыры в темноте.

Вороны, ласточки, канарейки и воробьи сонно цепенели на деревьях. Сипуха, белая царица тьмы, расправила беззвучные крылья и выскользнула из своего укрытия.

И Ривка тоже не спала, потому что бессонница — это заразная болезнь.

— Спи, Шейнфельд, у меня уже нет сил, — сказала она. — Когда ты не спишь, я утром встаю совсем разбитая.

Но Яков молчал. Его кости скрипели, тело болело.

— И я сказал спасибо Богу, что глаза, если ты открываешь их в темноте, не отбрасывают на стену твои мысли. Только представь себе, Зейде, что она увидела бы мои мысли, а я увидел бы ее мысли. Как в кино или в волшебном фонаре.

Его ребра в груди, чувствовал он со странной ясностью, прижались друг к другу и, точно длинные зубья, вгрызались в плоть его сердца.

— Что с тобой в последнее время, Шейнфельд? — спросила самая красивая женщина деревни.

Но Яков не отвечал. Что толку любви от слов?

20

Однажды вечером дверь не открылась. Ощупывающая воздух рука не протянулась. Альбинос не появился.

Канарейки пели, как обычно, но Яков встревожился. Он немного подождал и в конце концов оторвал себя от забора Якоби и Якубы и прижался лицом к щелям пристройки. Потом постучал в дверь. Пение прервалось, и внутри воцарилась тревожная тишина. Яков не решился войти, уговорил себя, что счетовод еще спит, и вернулся домой.

Но на следующий вечер альбинос опять не появился, и Яков испугался, потому что тачка с бухгалтерскими бумагами стояла у двери, а пикап был припаркован на своем обычном месте, и его капот был холодным. Он позвал Деревенского Папиша, и тот без колебаний выломал дверь пристройки, где среди воплей, суматохи и вихря канареечных перьев лежал на полу голый счетовод — жирный, холодный и окаменевший.

— Он умер, — выпрямился над трупом Деревенский Папиш.

Он побежал за фельдшерицей, и Яков остался наедине с розоватым, начинающим сереть телом. В бесцветных волосах на окоченевшей белоснежной груди уже запутались капли помета, носящиеся в воздухе опилки, шелуха от съеденных птицами зерен.

В воздухе стоял запах смерти, и Яков, пытаясь найти утешение и спокойствие в привычных действиях, тотчас принялся наливать воду в маленькие фарфоровые поилки и рассыпать по кормушкам все зерна и крошки, которые сумел найти.

Потом пришли люди, отвечающие за такие дела, и торжественно вынесли тело.

Птицы, напуганные переполохом, поднявшимся было в их доме, теперь успокоились. Их пронзительные тревожные возгласы затихли. Последние пушинки, покачавшись в воздухе, осели на пол. Из клеток послышался робкий, постепенно приободряющийся щебет — поначалу будто обрывки возобновившихся тут и там разговоров, а в продолжение — громкий возмущенный хор. И к Якову, давно уже сидевшему в одиночестве на полу птичьего дома, вернулось давнее убеждение всех птицеводов, что дружное пение птиц — это знак признательности и любви. Такого же убеждения придерживаются царствующие правители, и воспитательницы в детских садах, и сержанты, ведущие строй новобранцев, и деревенские хормейстеры.

Он поднялся и пошел домой. Ривка поставила на стол ужин, но Яков ел рассеянно и неохотно и в конце концов отодвинул тарелку, не доев, вышел из-за стола и сказал, что нужно «пойти глянуть, что там с бедными птицами», не замечая, что уже второй раз за день повторяет выражение умершего альбиноса.

Он не обратил внимания на слезы жены и, высвободившись из ее объятий, взял раскладушку, отправился ночевать в пристройку для канареек и всю ночь лежал там в темноте, со страхом ожидая, что вот-вот заявится какой-нибудь наследник или родственник, размахивая подписанным завещанием и белыми ресницами, доказывающими родство, и потребует бедных птиц себе.

Но альбинос был одинок, и никто не появился. Деревенский комитет известил о его смерти через газету и обратился в английский мандатный суд в Хайфе[1], но даже тех родственников, которые имеют обыкновение объявляться лишь после смерти, тех двоюродных братьев, о которых даже сам умерший никогда не знал, — и тех не нашлось.

Комитет послал двух своих представителей «произвести опись имущества». В кухонных шкафах альбино-

---

[1] Во времена британского мандата в Палестине, наряду с местными, существовали также английские суды.

са обнаружились несколько ежегодников чешского правительства, пять пар противосолнечных очков, десятки блюдечек с вонючими кожными мазями и две пары туфель.

Покопавшись в платяном шкафу умершего, представители установили, что поношенный темный костюм, который он всегда носил, это на самом деле пять одинаковых, в равной мере поношенных темных костюмов, с одинаково блестящими от старости замшевыми заплатами на десяти их локтях.

В кладовке были обнаружены очень грязные и тяжелые, как обломки скал, кастрюли и сковородки и желтая деревянная канарейка, на диво похожая на живую, которую Яков тут же взял себе, никому об этом не рассказывая.

Он помнил потрепанную книгу, которую со слезами рассматривал альбинос, когда выходил вечером во двор, и после лихорадочных поисков нашел и ее — она была спрятана в шкафу, стоявшем в пристройке с канарейками. К его удивлению, то был не личный дневник, не любовный роман и не книга стихов, а старые, тщательно переплетенные расписания поездов, которые когда-то ходили между Прагой и Берлином, Веной и Будапештом.

На следующий день Яков пошел в соседнюю деревню, спросить Менахема Рабиновича, зачем человек изучает расписания поездов, которые никогда не ходили здесь, в Стране. Владелец рожковой рощи полистал потрепанную книгу, улыбнулся и объяснил ему, что у каждого человека есть свои способы обуздать тоску и заострить память и каждый пытается это сделать на свой манер и терпит поражение.

21

Каждый день после полудня вороны слетаются, чтобы потолковать.

Они прилетают обменяться новостями, и я прихожу к ним с той же целью. На людской глаз все вороны похожи одна на другую. Но я знаю каждую из них по ее имени и родословной. Некоторых я узнаю так же, как узнаю людей, — по чертам лица, а других — по линии раздела между серым и черным, проходящей у них по груди. Так я узнаю, кто умер и кто исчез, кто родился и кто обзавелся семьей.

Они слетаются на эти встречи и беседы со всей округи и разговаривают почти до темноты, а потом разлетаются, каждая на свое дерево, в свое жилище.

До самого дня смерти матери местом их сборищ обычно был наш большой эвкалипт. После того как Моше срубил его, они еще два дня носились черными лоскутами над поваленным гигантом, крича так громко, будто обрушился весь их мир, а на третий день перенесли свои встречи на бывшую железнодорожную станцию, что по другую стороны вади, и на поля анемонов.

Молодые воронята, размером уже с родителей, но с неуверенными еще крыльями, демонстрируют там свои успехи в искусстве лёта. Старшие ободряюще каркают. Часовые и наблюдатели следят за всем, что происходит вокруг.

Время от времени кто-нибудь из них пикирует на кошку, заглянувшую сюда из деревни, или дразнит сипуху, случайно появившуюся при свете дня. Порой они гоняются за сарычами и даже задирают орлов, парящих в небе. Захватывающее зрелище! Шесть-семь воронят окружают орла, но в бой вступает только один. Жаждущий острых ощущений, этакий бесстрашный и стремительный воин, он пикирует на орла, атакует его сбоку и пулей выносится из-под него, а тот, потеряв наконец терпение, пытается схватиться с ним напрямую, ударить и сбить — но напрасно: вороненок уже увильнул, перевернулся, упал, точно камень, тут же взмыл снова и напал опять, смелый и дерзкий, ищущий развлечений, славы и почета.

Но в ту пору, когда умер альбинос, эвкалипт еще стоял, и через семь дней после похорон вороны нарушили свой обычай и неожиданно собрались во дворе коровника. Сдержанное волнение и какая-то скрытая угроза чувствовались в их поведении. Они бегали по металлическим направляющим коровника, издавая грубые и странные крики, от которых голуби, жившие на крыше, с шумом разлетелись кто куда.

Сейчас меня так и подмывает сказать, что этим способом они возвещали о моем предстоящем рождении. И я втайне горжусь тем, что мой приход в мир предсказала крикливая черно-серая стая ворон, а не белые голуби. Но тогда никто не связывал столь разделенные во времени события, и более того — никто не связал этот вороний слет даже со смертью хозяина канареек, поскольку всем в деревне было известно, что такое скопление ворон во дворе коровника имеет единственное толкование — оно предвещает близкий отёл.

Вороны жадны на коровий послед. Их нюх так обострен и страсть так велика, что они не раз первыми подмечают начало родовых схваток коровы, порой даже раньше самой роженицы. Вот и теперь они нетерпеливо танцевали вдоль нашего забора, скакали и кар-

кали на крыше коровника, до смерти пугая этим пер-
вотелок.

Моше услышал их шум, вошел в коровник и сразу же
услышал тяжелое дыхание коровы и заметил необыч-
ную вздутость ее живота. Толстая нить слизи уже тянулась из-под хвоста.

— Ну, дети, — сказал он, — попросите хорошенько,
чтобы у нас родилась телка.

— Какая разница? — спросила Номи.

— Крестьянин всегда радуется, когда у него в коровнике рождаются девочки, а в доме мальчики, — сказал
Моше.

Он заметил, что Юдит нахмурилась, и хотел было
ее успокоить, но тогда еще не знал ключей к ее гневу и
подступов к ее стенам.

— Не сердись, Юдит, это всего лишь наша крестьянская присказка, — смущенно сказал он, натянул резиновые сапоги и вернулся к корове.

Роды были долгими и тяжелыми. Рабинович привязал
веревку к ногам теленка и тянул упрямо и сильно.

— Ты делаешь ей больно, папа! — крикнула Номи. —
Ты тянешь слишком сильно.

Но Моше не ответил, а Одед сказал:

— Замолчи, Номи, ты ничего в этом не понимаешь.
Отёл — это не женское дело.

Корова стонала. Казалось, что ее веки закрываются
сами собой. Другие коровы хмуро смотрели на нее.

— Он выходит! — воскликнул Моше, всунул руку до
локтя, перевернул плод в более удобное положение и
вытащил его наружу — крупного и уже мертвого теленка.

— Тьфу, черт! — Он отшвырнул труп в сторону. — Запряги коня, Одед, и оттащи его в эвкалиптовую рощу.

Он вернулся в коровник, но Юдит посмотрела на корову, глаза которой закрывались от слабости, а ноги тряслись мелкой дрожью, и сказала:

— У нее есть там еще один.

— Откуда ты знаешь? — спросил Одед. — С каких это пор ты понимаешь в этом больше, чем мой отец?

—Я знаю, — сказала Юдит, потрогала нос коровы и добавила: — Она холодная, как лед. Быстрей позови отца! У нее внутреннее кровотечение.

Ноги коровы внезапно подломились, она рухнула на землю, бессильно перевернувшись на бок, и из ее нутра вылетела телка, а за ней — ручей крови. Корова вытянула ноги и шею, задрожала и начала стонать.

— Папа, папа! — закричал Одед, — Есть и телка...

Моше выскочил во двор. Ему достаточно было одного взгляда на умирающую корову и широко растекавшуюся кровь. Он метнулся обратно в коровник и вернулся с кукурузным серпом в руке.

— Забери детей, чтобы они не видели! — крикнул он Юдит. — И беги за Сойхером, сдается мне, что он сегодня крутится где-то в деревне.

Его широкое тело скрыло происходящее, но новая лужа крови мгновенно растеклась под его ногами.

Лежавшая в стороне телка зашевелилась, пытаясь встать. Она казалась необычно сильной и крепкой, и когда ей действительно удалось встать, стали видны несомненные признаки бесплодной коровы — высокой, с широкими покатыми плечами, длинными ногами и с мордой как у быка.

— Тьфу, *кебенемать*! — вырвалось у Моше. — И теленок сдох, и мать на тот свет отправилась, а сейчас еще эта страхолюдина...

Минут через пятнадцать появились Юдит и Глоберман.

— Ты успел зарезать ее вовремя? — спросил скототорговец.

— Успел.

И тут Глоберман заметил мертвого теленка и его странную сестру.

— Несчастья приходят по трое, да, Рабинович?

Моше не ответил.

— Ты только посмотри, как она выглядит, эта *мейделе*, эта девица, — сказал Сойхер. — Это всегда так, когда у коровы близнецы — *а кельбеле ун а бикеле,* телка и бычок. Это кровь ее брата сделала ее наполовину мальчиком. У нее не будет молока и не будет детей. Я заберу ее тоже.

— Ее ты не заберешь, — неожиданно сказала Юдит.

— Я говорю сейчас с хозяином, госпожа Юдит, — снял Глоберман с головы грязную фуражку. — Эта телка — наполовину бычок. Если ты мне ее отдашь, Рабинович, мы с тобой сможем сбыть и ее мать тоже. У меня есть знакомый араб, который даст хорошую цену за падаль.

Но телка уже начала переступать, еще дрожащая и влажная, спотыкаясь и ища сосок. Неуверенные шаги привели ее к Юдит, и та взяла мешок и начала обтирать ее от слизи и крови.

— Рабинович, — сказала вдруг Юдит. — Я до сих пор никогда ничего у тебя не просила. Не отдавай ему эту телку.

— Самый прекрасный в мире голос, — сказал Глоберман, — это голос женщины, когда она умоляет.

— Оставь эту телку здесь, — попросила Юдит. —
Я присмотрю за ней.

— Это не телка, это бычок, и я заберу его прямо сейчас, — сказал Сойхер. — Он уже может пойти на своих
двоих.

— Нет! — крикнула Юдит громким, высоким и каким-то незнакомым голосом.

Моше посмотрел на нее, на Глобермана, на телку и
на свои ступни.

— Знаешь что, Глоберман? — сказал он наконец. —
Ты говоришь, что она бычок? Так я продам ее тебе, как
продают бычка. Мы ее вырастим, чуток подкормим, чтобы набрала в весе, а через полгода продадим тебе.

Глоберман вытащил свою записную книжку, вынул
из-за уха карандаш и спросил:

— Как ты ее назовешь?

— Давайте назовем ее Жаркое, — развеселился Одед.

— А ты помолчи, Одед! — сказала Номи.

— Не будем ее называть никак, — сказал Моше. —
Имена дают только дойным коровам.

По двору прыгали вороны. Кровавые обрывки пла-
центы свисали из их клювов.

— Мне нужно имя, — сказал Глоберман. — Без имени я не могу записать в книжке.

— Назовем ее Рахель, — сказала Юдит.

— Рахель? — удивился Моше.

— Рахель, — сказала Юдит.

Когда я вырос и услышал от матери продолжение
истории о ней и ее корове Рахели, мне пришло в голову, что Рахелью, возможно, звалась та моя полусестра,

которую забрали в Америку, но когда я сказал это маме, ее лицо помрачнело, и она сказала:

— Чего это вдруг? Какие странные мысли приходят тебе в голову, Зейде!

— А как же тогда ее звали? — спросил я. — Может, ты наконец скажешь мне, как ее звали?

— *А нафке мина*, — ответила мать.

Я был уверен, что это какое-то выражение на идиш, и только когда вырос, узнал, что это арамейский.

22

— В конце концов, госпожа Юдит, ты все равно будешь моей.

— Не буду, даже если ты останешься последним мужчиной в мире.

— Госпожа Юдит, тебе нужен мужчина с сердцем. С деньгами. Со щедрой рукой и широкой душой. Кто тут еще есть такой, кроме меня?

Медленно-медленно свивал хитрый Глоберман свои кольца. Его замечания становились все более колкими и проницательными. Он словно проверял на Моше и Юдит свое понимание животных и людей. Те «маленькие штучки», которые он время от времени приносил «госпоже Юдит», он начал теперь давать ей в присутствии Рабиновича, чтобы увидеть, как они оба на это отреагируют.

Однажды, появившись в доме и увидев, что Юдит нет во дворе, он сказал Моше:

— *Реб ид*, господин еврей, я тут принес маленькую штучку для госпожи Юдит, передай ей, пожалуйста, когда она вернется, и не забудь сказать, кто принес.

А в другой раз, осмелев, наклонился к Моше, который был ниже его на голову, и спросил с легкой усмешкой:

— *Реб ид*, как это ты живешь с этой женщиной в одном дворе и еще не потерял голову?

Юдит и Номи пересекали двор с жестяными ведрами в руках — напоить новорожденных телят. Глоберман посмотрел на маму и сказал с грубостью, неожиданной даже для него:

— Вот уж из этого вымени доктор не забракует даже самого маленького кусочка.

Рахель мама поила последней. Сильная, диковатая телка нетерпеливо мычала, и когда Юдит подошла к ней, сунула морду в ведро с такой жадностью, что расплескала чуть не все его содержимое. Юдит погладила ее по затылку с ласковым шепотом.

— Не давай ей так много, — шепнула Номи тихо, чтобы отец и Глоберман не услышали, — потому что тогда она наберет в весе, и папа продаст ее этому...

— Он не продаст, Номинька, — сказала Юдит. — Эта телка моя.

Через несколько дней после похорон деревенский комитет выставил вещи альбиноса на продажу.

Какой-то покупатель — «странный человечишка», по определению Деревенского Папиша, — приехал из Хайфы и несколько часов торговался из-за пяти костюмов. Слепой араб, хозяин бандуков из деревни Илут, купил солнечные очки и несколько пустых клеток.

Яков взял грязные, сальные кастрюли и сковородки, на которые никто не покушался, и сказал, что будет и дальше ухаживать за птицами, потому что никто не знал, что с ними делать.

А зеленый пикап выставили на аукцион.

Специалист по аукционам был привезен из города, на представление собралась вся деревня, но покупателей оказалось всего двое: бухгалтер соседнего кибуца[1] и Сойхер Глоберман.

Увидев своего конкурента, бухгалтер рассмеялся.

— Глоберман, — сказал он. — С каких это пор ты разбираешься в машинах? Ты ведь даже водить не умеешь!

Но Глоберман деловито обошел вокруг пикапа, постучал по крыльям и капоту, с видом знатока пощупал шины, чтобы проверить, нет ли в них проколов, а потом попросил одного из парней сделать круг. Собравшиеся заулыбались, а кто-то крикнул:

— Этот пикап наглотался гвоздей, Глоберман!

Но скототорговец невозмутимо стоял в центре толпы и поигрывал своей толстой палкой, прислушиваясь к тарахтенью двигателя и глядя на вращающиеся колеса.

— Двух коров в кузове и одну женщину эту штука потащит? — спросил он. И когда ему сказали, что потащит, удовлетворенно кивнул, вытащил из кармана свой легендарный узелок, и все насмешки разом прекратились, потому что толщина появившейся на свет пачки денег тотчас положила конец так и не начавшемуся аукциону.

Пикап перешел в руки Сойхера, пристыженный бухгалтер вернулся в свой кибуц, а аукционеру Глоберман дал пол-лиры[2] и ящик пива, в качестве «*бенемунес парнусе*», и отправил домой.

---

[1] Кибуц — поселение-коммуна сельского типа в Израиле.

[2] Лира — основная денежная единица в первые десятилетия существования Израиля, позднее была заменена на шекель.

23

Теперь, когда в хозяйстве Рабиновича подрастали его цыплята, Яков решил, что у него есть повод заглядывать туда, и, неделю потомившись в колебаниях, в конце концов появился и объявил:

— Я пришел посмотреть, хорошо ли растут цыплята.

Он спросил Юдит, чем она их кормит, дал ей кучу всевозможных рекомендаций и под конец, расхрабрившись, предложил научить ее делать бумажные кораблики, чтобы играть с детьми Моше и этим завоевать их сердца.

Она еще не успела ответить, как он уже достал из кармана несколько листочков бумаги, сел и начал с удивительной ловкостью складывать, перегибать и выворачивать их так и эдак, разглаживая ногтем сгибы, и вскоре целых четыре великолепных, на славу слаженных бумажных кораблика выстроились на столе.

— Если ты выйдешь со мной во двор, мы можем пустить их поплавать в коровьем корыте, — предложил он.

Кораблики покачивались в корыте, устойчивые и надежные на вид.

— Такие кораблики могут плыть и по реке и все равно не тонут, — пообещал он ей и вдруг, с удивившей их обоих смелостью, положил руку на ее ладонь и сказал: — Я небольшой умник, Юдит, я некрасивый и небогатый. И я хочу, чтобы ты знала, — когда раздавали ум и красоту, я не был первый в очереди. Не самый последний, но и не первый. Но когда раздавали терпение, я ждал в очереди, пока у всех уже не лопнуло терпение больше ждать. Так это у нас, у Яковов. Я не Глоберман, и я не Рабинович. И я не кто-нибудь еще. Но семь лет для меня — как несколько дней ожидания[1].

И вдруг коньяк в его бокале заходил волнами, на глазах проступили слезы, он опустил голову, его лицо почти скрылось в тарелке.

— И я ждал больше, чем семь лет. До самой ее смерти я ждал. А потом уже не ждал. Зачем мне ждать мертвую женщину? По мертвой женщине можно тосковать, — но ждать? Она умерла, а я с тех пор думаю только обо всех этих вопросах. Что случилось? Как я упустил ее? И что, если б я поступил так, или не поступил бы вот так, и если бы эдак? Ведь я все устроил так хорошо, я все приготовил по всем правилам! Может, она когда-нибудь тебе объяснила что-нибудь, а, Зейде?

— Нет, — ответил я, содрогнувшись в предчувствии следующего вопроса.

Яков посмотрел на меня испытующим, прищуренным взглядом.

— Мне пора, — сказал я.

— Мать иногда рассказывает что-нибудь своему сыну, — сказал Яков.

— Не эта мать, — сказал я. — Ты знаешь о ней много больше, чем я.

— Ты был с ней больше, чем я.

— Мне пора, Шейнфельд.

Яков страдальчески усмехнулся.

— Шейнфельд... — сказал он. — Шейнфельд... — И, помолчав, спросил: — Как ты сейчас пойдешь? После полу-

---

[1] Праотец Яков пришел к своему дяде Лавану, увидел его дочь Рахель и полюбил ее. «И служил Яков за Рахель семь лет; и они показались ему за несколько дней, потому что он любил ее» (Бытие 29:20).

ночи уже нет автобусов. Давай я постелю тебе во второй комнате.

— Нет, я пешком. — Меня охватило нетерпение. — Я тут все знаю — и как пройти, и где срезать. Я вернусь как раз к утренней дойке, помочь Моше.

— До самой деревни пешком? Через лес, ночью? Это опасно.

— Опасно? — улыбнулся я. — Ангел Смерти — очень аккуратный ангел. Он увидит мальчика, которого зовут Зейде, и тут же пойдет искать кого-нибудь другого. Поберегись, Яков, когда стоишь возле меня, — он и тебя может так невзначай выбрать.

— Ты уже не мальчик.

— Я еще и не дедушка.

— Ангел Смерти — он как крестьянин, у которого есть сад, — сказал Яков. — Каждое утро он спускается и бродит себе между деревьями, ищет созревшие плоды. У нас на Украине был один такой. Он обвязывал деревья цветными лентами, чтобы знать, что нужно сорвать. И у него была еще одна странная привычка — он всегда брал с собой еду в дорогу, даже когда шел в местную лавку. Готовил себе кусок хлеба с сыром и что-нибудь попить, чтобы не одалживаться ни у кого. И как-то однажды...

— Яков! — Я встал. — Эту историю ты мне расскажешь в другой раз, а сейчас мне действительно пора.

— Ты не хочешь, чтобы я приготовил тебе итальянский десерт из яичного желтка и вина? Ты его так любил...

— Нет, Яков, я уже должен идти.

— Ну так иди, Зейде, иди. Чтобы ты не говорил, что твой отец держал тебя через силу.

— Тебе было вкусно? — несся за мной его крик.

— Очень! — крикнул я на бегу в темноту за своими плечами. — Очень вкусно!

— Я приглашу тебя снова, и ты придешь, да? — кричала мне темнота позади.

— Я приду, я обязательно приду!

Я спустился по восточному склону холма, оскальзываясь и спотыкаясь на камнях, погрузился в запах инулы, росшей вдоль русла, перепрыгнул по голышам, лежавшим на дне, взобрался на противоположный берег и вышел на вспаханное поле за ним, а когда добрался до большой дороги, уже издали услышал рев тяжелой машины и увидел два круга света, ползущие по вершине холма, а потом и два оранжевых фонаря со светящимся треугольником на крыше огромного коня, запряженного в молочную цистерну.

Подъем кончился, Одед переключил сцепление, потом переключил еще раз, и еще, и разогнал машину, а я выскочил из кустов на дорогу, прямо в сноп его света, и замахал обеими руками, потому что знал, какой у него длинный тормозной путь.

Гудок закричал громким воплем узнавания, могучая цистерна лишь чуть замедлила, а я подпрыгнул, схватился за лесенку и забрался внутрь, возбужденный и раздраженный.

— Что ты тут делаешь, Зейде? — закричал Одед, пересиливая рев двигателя. — Откуда ты вдруг взялся? У тебя завелась какая-то подружка в Тивоне?

— Нет у меня нигде никакой подружки!

— Значит, ты опять был у твоего идиота?

— Если ты будешь так называть моего отца, я буду так называть нашего отца тоже.

— Опять ели деликатесы? — кричал Одед. — Хоть бы мне когда-нибудь принес кусок!

Жизнь в обществе большого дизельного двигателя приучила его кричать — что в кабине, что вне ее.

— Некоторые пассажиры, которых я подбираю по пути, так пугаются моих криков, что просят высадить их посреди дороги, — смеется он. — И дома то же самое. Помню, как моя Дина сердилась. «Почему вся деревня должна слышать, что ты говоришь мне на кухне? — говорила она. — Я же здесь, я рядом, я все прекрасно слышу». Но разве я нарочно? Как-то раз, на подъеме к вади Милек, я вдруг понял, что даже когда говорю сам с собой, я не слышу ни слова. Вот с тех пор я и кричу.

Так они рассказывали мне мою историю. Глоберман — мятыми денежными бумажками, Яков — деликатесами, Рабинович — выпрямленными гвоздями, дядя Менахем — записками немых дядей, Номи — ласками, а Одед — криками.

— Когда-нибудь ты напишешь обо всем этом! — кричал он мне. — Иначе зачем я тебе все это рассказываю, о моем отце, и о твоей матери, и о Номи, и о дяде Менахеме, и о Глобермане, и обо всем? Ты напишешь обо всем этом, чтобы все знали, ты слышишь, Зейде?! Ты напишешь!

Третья трапеза

1

В третий раз я ужинал у Якова двенадцать лет спустя. Два из них я провел в Иерусалимском университете и десять — в коровнике Моше Рабиновича.

Моше решил завещать все свое хозяйство мне, но Одед не испытывал по этому поводу никакой досады. Автоцистерна была ему милей коров, и он по-прежнему время от времени отвозил меня к Номи.

Теперь я уже не засыпал во время этих долгих ночных путешествий. Я с большим интересом прислушивался к его воспоминаниям, надеждам и мечтам, которые он излагал все так же громко и с поразительной откровенностью, то и дело перебивая их требовательным:

— Так ты напишешь об этом, Зейде, да?!

Я любил ездить с ним и слушать его и потому не говорил ему, что не намерен выполнить его просьбу.

И работать Моше стал теперь много меньше прежнего. Свой участок он сдал в аренду деревенскому земельному кооперативу, а себе оставил только дойных коров и загон для молодых бычков, которых выращивал на мясо. С утра я повязывал старый мамин передник, обматывал голову ее голубой косынкой и принимался за работу — в коровнике, на кухне, в доме и во дворе.

Своих ворон я не забросил. Один из моих иерусалимских преподавателей, тот рыжий профессор, которому Номи дала прозвище «главного ерундоведа», почуял мою нелюбовь к сиденью к лаборатории и склонность к наблюдениям в поле и сумел оценить мою способность взбираться, рисковать и выслеживать. Как-то раз, через несколько месяцев после того, как я бросил занятия и вернулся в деревню, он появился у нас во дворе и попросил провести для него серию наблюдений в Долине. В частности, как он сказал, для изучения процесса расселения ворон среди людей и того вреда, который этот процесс причиняет местным популяциям маленьких певчих птиц.

К тому времени деревня окончательно разочаровалась во мне. Люди наблюдали за мной, пока я наблюдал за воронами, добавляли к этому мое имя и равнодушие к женщинам, приправляли варево воспоминаниями о моей матери, помешивали, пробовали и по вкусу заключали, что я за человек. В этом обществе, где главным было, сколько борозд ты пропахал и скольких детей ты народил, я тоже считался довольно странной птицей.

Так или иначе, но в 1963 году я еще изучал зоологию в Иерусалиме. Я упоминаю об этом исключительно в угоду хронологии, потому что сами эти занятия ничего не добавляют и не отнимают у той истории, которую я пытаюсь здесь рассказать. Тем более что я не так уж и преуспел в своих занятиях. В университетских лабораториях мне было скучно. Через окно я видел ворон, которые населяли ближние сосны, высиживая там своих птенцов, и душа моя так и рвалась забраться туда и заглянуть в их гнезда, вместо того чтобы вглядываться в постылые препараты, лежащие на лабораторном столе.

— Я ненавижу эти их микроскопы! — сказал я Номи. — Все, что мне нужно знать, я могу увидеть глазами.

— А что же ты любишь? — спросила Номи.

— Тебя я люблю, Номи, — сказал я. — Тебя я люблю, с того самого дня, как родился. Я помню, как мы встретились впервые. Мне было ноль, а тебе шестнадцать. Я открыл глаза и увидел тебя. Я посмотрел на тебя и сказал тебе.

— И чего же ты ждешь сейчас, Зейде? — спросила она.

— Я жду, пока ты дорастешь до моих лет, — сказал я.

Номи засмеялась.

— Я знаю, чего ты ждешь, — сказала она. — Ты ждешь, пока я состарюсь и уже не смогу рожать. Ведь ты именно этого все время боишься, — что у тебя появится сын, а за ним внук, а за ними и Ангел Смерти, идиотина ты этакая!

У них с Меиром был всего один ребенок. Мне было лет десять, когда он появился на свет, и я уже упоминал, что не хочу говорить о нем. Тем более что он родился уже после смерти мамы и потому не имеет никакого отношения к истории ее жизни.

Через несколько месяцев жизни в Иерусалиме я уже знал большинство вороньих мест в этом городе. Я регулярно навещал стаи в Лунной роще и в Доме прокаженных, большую стаю на кладбище в Немецком квартале и другую, поменьше, — в квартале Бейт-Исраэль.

Я ходил в Ямин-Моше, чтобы подглядывать за деревом вороньих сборищ в Армянском квартале, который находился тогда на иорданской территории.

А в конце того года я покинул их всех — и мои скучные занятия, и этот холодный город — и вернулся в свою деревню.

2

Когда мы ужинали в первый раз, Якову было лет пятьдесят пять, мне двенадцать, и мы оба страшно смущались.

Во время второго ужина, после моего возвращения из армии, меня все забавляло, и я был весел и насмешлив, а Яков выглядел старше своих лет.

На этот раз — мне уже за тридцать, а ему за семьдесят — в руке моей было приглашение на третий ужин, и сердце мое теснила печаль. Приглашение было печатное и слегка вычурное. Я понимал, что Яков специально ходил в типографию, чтобы напечатать этот единственный листочек, и мысль об этом меня растрогала и вызвала волнение и жалость.

— Я подожду тебя в машине, — сказал приехавший за мной водитель такси, тот самый, что когда-то привез мне приглашение на второй ужин и все еще возил Якова к его постоянному месту на автобусной остановке.

— Зайди, выпей чего-нибудь, пока я соберусь, — предложил я.

— Не стоит, я привык его дожидаться.

Я сказал Моше, что не смогу быть на вечерней дойке, почистил туфли, принял душ, побрился, натянул белую рубашку и поехал.

На этот раз Яков встретил меня в костюме, который унаследовал, в числе прочего, от второго мужа своей Ривки. Элегантный и дорогой это был костюм, но на Якове висел точно тряпка. В своей большой, современной кухне Яков вообще выглядел как нищий, которому случилось попасть в гости к щедрым богачам. Но эти его дрожащие руки и слабо покачивающаяся, словно вот-вот оторвется, голова обманывали взгляд — за ними скрывались виртуозность и сноровка кулинарного гроссмейстера. Он переворачивал бифштекс одним неуловимым поворотом запястья и сковородки, был способен с закрытыми глазами оценить меру прожаренности мяса, а когда месил тесто для вареничков, то закатывал рукава и работал всеми десятью пальцами сразу, а также подушечками ладоней и даже локтями.

— Это очень важно — делать несколько вещей сразу. Работать с двумя кастрюлями и сковородкой, чтобы они вместе стояли на огне, — сказал он. — Потому что так ты растягиваешь время.

— И не только в кухне, — добавил он чуть погодя. — Люди думают, что время идет только с ними и только ради них. Но ведь в то самое время, когда ты доишь своих коров, где-то на дереве поспевают грейпфруты, и белье тоже в это время сохнет на веревке, и чья-то душа медленно-медленно покидает тело. А в то время, что ты спишь, дождевые черви ползают и работают себе в земле, и облака в небе тоже плывут, медленно-медленно, и ребенок растет в животе у своей матери, и кто-то в Америке едет на поезде к другой женщине. А летом медленно-медленно сохнут фрукты на крыше. Ты только представь себе, Зейде: за то время, пока окончательно высыхает один-единственный абрикос и из него делается курага, какая-нибудь птица успевает отложить яйца, вырастить птенцов и поискать себе нового жениха. Однажды, во время войны, я как-то прочел в газете: «Союзники наступают на всех фронтах». Это мне очень понравилось. В одно и то же время, на всех разных фронтах, все союзники наступают все сразу. Ты представь себе, что каждый начинал бы только после того, как другой кончил, — ведь они бы и сегодня еще воевали! Если ты так посмотришь на мир, тогда в одну и ту же маленькую коробку вдруг умещается намного-намного больше времени. Ты когда-нибудь думал об этом, Зейде?

В кастрюлях булькало. От пальцев Якова медленно плыли ко мне нежные пары и запахи приправ. Он предпочитал создавать вкус своих блюд с помощью прикосновений и любознательности, а не подчинения и насилия. Опыт и сноровка наделили его не важностью, а уважением — к зеленому огурцу, к свежему яйцу, к плоду и к мясу.

— Я уже рассказывал тебе, кто меня научил варить? Тот мой толстый работник-итальянец, что умел танцевать и подражать голосам людей и животных. Он был великий повар. Ты знал об этом? Он говорил, что чувства в сердце должны смешиваться одно с другим, но приправы в еде должны жить отдельно друг от друга, одна возле другой. Из-за этого, Зейде, крупная кухонная соль лучше, чем мелкая столовая, которая смешивается с водой до конца. Но в нашей душе любовь с заботой и с ненавистью все-таки должны смешиваться друг с другом, и огорчение с тоской тоже, и со страхом, и немного с радостью. Потому что каждое по отдельности — они ведь могут порезать человека на кусочки. И еще ты не должен забывать, Зейде, — добавил он, — что вся эта кухня, и блюда, и еда, — совсем не это твоя цель. Это только путь к цели. А просто так себе варить, это очень скучно. Может, только работать на земле — это еще скучнее.

Он вдруг окунул палец прямо в кипящую кастрюлю, и я чуть не подпрыгнул.

— Тебе что, не больно? Вот так сунуть палец в кастрюлю?

— Больно? — Он вложил палец в рот и с удовольствием попробовал. — Что еще может болеть в этом теле? Я уже и слышу не так хорошо, и вижу не так хорошо, и боль я уже чувствую с трудом, и помню я тоже не так хорошо. Может, боль и память — это тоже такие себе чувства, как, например, слух или зрение, а? Сегодня утром мне пришло в голову, что человек, который уже плохо помнит, он, наверно, просто забывает умереть, и так он тянет и тянет, и в конце уже никто не знает, как нас зовут и что мы сделали в жизни. Потому что, подумай сам, Зейде, что еще есть у старика, кроме старости? Сил у него нет, и разума у него нет, и жены у него тоже нет. Только немного воспоминаний у него есть, чтобы разламывать ему все тело.

И, секунду помолчав, подвел итог:

— А если Господь дает тебе еще пару лет, так это Он на самом деле дает тебе возможность сделать еще пару глупостей.

— Там, у нас в деревне, возле реки, жил один старый крестьянин-украинец, очень-очень старый. И вот, когда ему уже исполнилось сто лет, он вдруг испугался, что его не примут на том свете, потому что ведь на том свете тоже больше любят молодых. Может, Ангел Смерти так рассердился на твою мать как раз из-за того, что она дала тебе такое имя? Он-то уже думал, что заполучит себе *а ингеле*, такого молодого, симпатичного паренька, и вдруг на тебе! какой-то Зейде! — *эйзе брох*, такая неудача, а?! Так вот, тот старик-украинец начал каждое воскресенье ходить в церковь и кричать ихнему богу, чтобы он уже забрал его к себе, потому что ему надоело и он уже так давно ждет, а другие люди все время заходят впереди него без очереди. Ты ведь знаешь, — чтобы быть старым, не нужно учиться, и не нужно трудиться, и ума для этого не нужно, и особого везенья тоже. Нужно только ждать и ждать, и тогда это само к тебе приходит. Я, например, уже несколько лет назад перестал бриться с зеркалом. Спроси меня, почему, Зейде, а ну, спроси!

— Почему? — спросил я.

— Вот, я уже говорю тебе, почему. Потому что после такого долгого времени рука уже знает лицо наизусть, и ей не нужно никакое зеркало. А во-вторых, в моем возрасте так и так видишь в зеркале другого человека. Так пусть этот другой бреется себе в зеркале, а я себе буду бриться по-за зеркалом. И еще одно хорошее есть у старости, — что разные люди, которые раньше были вокруг тебя, вдруг их уже нет. Нет, и всё. Одни исчезли просто потому, что ты им уже надоел, а другие исчезли, потому что ты их забыл, — и это самый лучший способ избавиться от людей, Зейде, — и еще есть такие, которые исчезают потому, что ты их уже не замечаешь по привычке, а все остальные исчезают просто потому, что умирают. И тогда ты понимаешь, что это Ангел

Смерти нацеливается в тебя. Как те офицеры в артиллерии, когда они стреляют пушкой издали, так первые разы они всегда попадают возле цели, но потом медленно-медленно приближаются и приближаются, пока не попадают точно, куда хотят. А тем временем я себе тут, совсем как тот Робинзон Крузо на своем острове, — один-одинешенек. Такая уж она, старость. Как необитаемый остров. И этот остров, он идет с тобой, куда бы ты ни пошел. Из-за этого никто и не заговаривает со стариком на улице. Потому что он идет, как тот одинокий остров, со всей своей водой вокруг. Иногда видишь в море какой-нибудь далекий корабль, и торопишься разжечь костер, и прыгаешь, и кричишь им: «Я здесь! Я живой!» — а это просто разносчик из магазина. Или женщина, которая у тебя убирает. Или Зейде, который приходит раз в десять лет. Счастье еще, что иногда заходит Деревенский Папиш, со своего острова доплывает к моему. Чтобы поговорить он приходит, а еще больше — чтобы посмотреть на портрет Ривки и еще раз покричать на меня. Раньше он приезжал на автобусе, а сейчас он звонит, и я посылаю к нему моего таксиста, чтобы привез его, как какого-нибудь барина. Недавно я рассказал ему, что у меня мозги уже совсем как тряпка, и ты знаешь, что он мне ответил? Он ответил: «Не бойся, Шейнфельд, ты и тридцать лет назад был такой же идиот». И над моим ивритом, над ним он тоже смеется. А что тут смешного? Когда он уже учился себе в хедере и в ешиве, я был еще как раб у того моего дяди-бандита. Но главное, из-за Ривки он сердится на меня, этот Папиш. До сегодняшнего дня он сердится на меня из-за нее. Заходит, садится вот тут, смотрит на ее портрет и вздыхает. А однажды он мне сказал: «Сделай мне одолжение, Шейнфельд, может, ты мне опишешь эту красоту, как она выглядела без одежды». Чтоб я так был здоров, всё он попросил, чтобы я ему описал, каждое место, каждую линию, безо всякого стыда.

Что-то легкое и странное растянуло уголки моего рта, словно к ним прикоснулись пальцы младенца, и хотя никакие младенцы никогда меня не касались, я понял, что это улыбка.

— Ну вот, Зейде, если тебе повезет, это будет наш последний с тобой ужин, и твой отец больше не будет морочить тебе голову, да?

Он с трудом встал и подошел к большой темной духовке, которая все это время медленно шипела, и когда открыл тяжелую дверцу, оттуда выпорхнули горячие ласточки розмарина и вина, маслин и чеснока, и их легкие крылышки тотчас затрепетали в моем носу, наполняя все мое естество восхитительной дрожью.

— Что это ты там приготовил, Яков? — спросил я.

— Несчастного барашка. Тут в деревне Илут живет один слепой старик, которого я когда-то знал, так он послал ко мне своего внука с этим барашком. Ты не поверишь! Вдруг стучит в мою дверь какой-то арабский мальчик и говорит: «Это для тебя» — и уходит. И я вижу, что там стоит барашек. Я сам его зарезал за домом и сам повесил на дерево и снял с него шкуру. Ты представляешь? Зарезать и раздеть барашка — здесь, на Лесной улице в Тивоне?! У них здесь, если ты раздеваешь бумажку с конфеты на улице, на тебя уже косо смотрят, а тут никто даже не почувствовал. Даже барашек не почувствовал. Интересная вещь, Зейде, овцы и козы, они не чувствуют, когда идут под нож, а коровы чувствуют и становятся такими грустными, слабыми. Когда-нибудь я научу тебя, как снимать шкуру с барашка. Это как все другие вещи, для которых мальчику тоже нужен отец, чтобы его научить. Потому что если ты умеешь их делать, так это очень легко, а если не умеешь, так это очень трудно. Невинный агнец! Ты в жизни такого не пробовал. Его можно есть просто ложечкой.

Он улыбнулся собственным словам и стал накрывать на стол. Мне он подал мясо барашка и приправленный рис, а себе взял свою обычную яичницу и салат с маслинами и белым сыром.

— *Эс, май кинд.*

Мясо действительно было нежным и необыкновенно вкусным. Пестрый узор запахов, расцветок и вкусов, вышиванье весны по глади полей.

— Если хочешь, Зейде, я покормлю тебя пальцами, как будто ты младенец или женщина.

— Не надо, Яков.

— Кормить человека пальцами — это как видеть его без одежды. Посмотри когда-нибудь на человека, когда ему подносят еду пальцами. Глаза смотрят, ноздри раздуваются, рот наполняется слюной. Губы тоже чуть приоткрыты и раздвинуты, подбородок слегка опустился, а язык немножечко выходит наружу, чтобы получить это угощенье, и если ты когда-нибудь будешь кормить так женщину, не забудь быстро забрать свои пальцы обратно, потому что после всего этого укус уже приходит сам собой. Возьми, Зейде, возьми! — И к моим губам приблизился маленький кусочек мяса, ароматный и смущенный.

Я отшатнулся, и Яков со вздохом вернул мясо в тарелку.

— Тебе вкусно? — спросил он.

— Очень вкусно, — сказал я. — Как будто у меня во рту распустился хвост павлина.

— Это очень красиво, то, что ты мне сейчас сказал. Как те красивые слова, которыми Деревенский Папиш говорит о женской красоте. Пусть будет тебе на здоровье и на удовольствие...

Но умоляющее «сыночек», которое тоже просилось, чтобы его произнесли, — оно осталось непроизнесенным, неслышно трепещущим в воздухе его легких, задохнувшимся в тесноте его горла.

3

Однажды, рассказывали старики, бумажный кораблик ушел вниз по течению и исчез.

— Это самое плохое, Зейде. Парень, у которого кораблик заплывает очень далеко, а потом исчезает, ему больше не будет покоя. Даже если он женится на ком-то, у него все равно не будет покоя. Тот кораблик будет всю жизнь плыть в его голове и каждую ночь приплывать к другой женщине.

Через шестьдесят лет после пропажи того кораблика в деревню пришла незнакомая молодая женщина и направилась прямо к дому одного крестьянина по фамилии Ноздрев, которому было восемьдесят лет и ни одна женщина уже не хотела с ним жить.

— С тех пор, как у него пропал бумажный кораблик, он четыре раза женился, и четыре раза все его жены умирали сразу после свадьбы. Когда ты видишь такой случай, Зейде, это значит, что Бог хочет тебе что-то сказать.

Гостья несколько раз потянула за колокольчик, но старость притупила слух Ноздрева. Она стучала и кричала и в конце концов открыла дверь и вошла. Когда она прикоснулась к плечу старика, он повернулся к ней с улыбкой, которая родилась на его лице раньше, чем он понял, почему он улыбается. И только тогда он узнал эту молодую красивую женщину, которая так много лет хозяйничала в его снах и уже несколько раз выгоняла из них других женщин.

Слезы затуманили его взор. Он понимал, что сейчас проснется и эта женщина, как обычно, растает и исчезнет. Но гостья обняла двумя душистыми и совсем настоящими руками его морщинистую шею и прижала его щуплое тело к своей жаркой, до слез желанной груди.

Ее язык не нашел в его рту ни одного зуба, чтобы провести по нему с игривой лаской, но в тот же день они предстали перед алтарем в церкви, и женщина показала потрясенному священнику бумажный кораблик, пущенный по реке за много лет до ее рождения и приплывший к ней с теми же острыми сгибами и четкими буквами спустя шестьдесят лет и триста километров к востоку от того места, где его опустили на воду.

— И с тех пор я иду сюда, к нему, — сказала она и показала на старика. — Иду и ищу вдоль реки.

— У нее была в руке маленькая ветка, — сказал Яков. — Люди, которые что-то ищут, они берут с собой такую маленькую ветку. Есть люди, которые умеют по этой ветке находить воду в земле. Ты слышал об этом, Зейде? Они ходят как мы все и ищут. И ждут — пока ветка изогнется, или бумажный кораблик приплывет, или наше сердце наконец закричит, или наш кончик, там, внизу, поднимется вдруг и укажет, или наши глаза увидят все, что глубоко внутри земли. Твоя мама ходила так по полям. Надевала нарядное платье, сходила с полевой дороги на какую-нибудь тропинку и исчезала на полдня за холмами. Ни еду, ни палку с собой не брала. И Номи не брала. Только свою телку Рахель она брала. Девочка сначала бежала за ними, но потом твоя мама говорила ей идти домой, а Рахель толкала ее своей головой, — мол, иди домой. Иди уже себе, Номинька. Эта корова, она ведь была как теленок. Ты ее знал, когда она была уже старой, Зейде, но тогда она все время прыгала, играла и бодалась, как *цигеле*, как настоящая коза, а если ты только пробовал положить ей руку на вымя, так она могла тебя убить. У нее было тело как у быка, а ум как у теленка, но с твоей мамой она была мягкая, как масло. Один раз Юдит даже запрягла ее в телегу. Чтоб я так был здоров, Зейде. Она запрягла ее в телегу и поехала на ваш участок привезти люцерну, а перед вечером, когда они возвращались, у твоей мамы в руках была бутылка или две, которые она себе купила. Ты ведь знаешь, что она любила иногда немножечко выпить, ведь это не секрет, это все знали. Некоторые смотрели на это косо, но она всегда знала меру, и ее никто никогда не видел пьяной. Для той нашей свадьбы, когда я все приготовил, я даже узнал, откуда она достает эту свою граппу. Это была граппа из монастыря в Назарете, там был один итальянец, который делал эту граппу, и один бог знает, как она его нашла. Она ходила с этой своей коровой пешком отсюда до самого Назарета, через все горы и арабские деревни, и не боялась ничего. Хотел бы я видеть такого, чтобы к ней приблизился. Короче, Глоберман, как только он узнал, что она любит немного приложиться к бутылочке, он сразу начал приносить ей что-нибудь такое. Как крот, если он видит какую-то трещину в земле, он сразу на нее набрасывается, чтобы сделать ее еще шире. Они себе садились с бутылкой у вас в коровнике, но дверь она оставляла открытой настежь, чтобы люди не говорили всякое разное, а главное — чтобы у гостя не было никаких идей в голове, понимаешь? Ведь она его ненавидела смертной ненавистью, этого Сойхера. А он, при всей своей грубости, и жадности, и дурных привычках, он ее боялся смертным страхом. Но пить вместе они пили, это да. Медленно, по чуть-чуть, как будто кто кого пересилит. Не кто раньше опьянеет и свалится, как у пьяниц, а кто первый посмотрит на другого и улыбнется. Я только сейчас понимаю, насколько он был самый умный из всех нас троих, этот Сойхер. Потому что он один знал, что любовь — это не только когда ты даешь, но и когда у тебя берут, и он один понимал, что никогда нельзя показывать, как сильно ты любишь, потому что за одну минуту слабости человеку потом приходится платить всю свою жизнь. А на столе между ними всегда была какая-то маленькая закуска, которую он приносил с собой. Потому что тот, кто пьет, — запомни это, Зейде, — он должен знать, чем закусить, какой напарник нужен для каждого напитка. Для коньяка самый лучший напарник что-нибудь сладкое, для шнапса — что-нибудь соленое, а водка — она всем подруга. Короче, хорошо, когда рядом с бутылкой есть что-нибудь, потому что тогда пьют медленно, больше времени, не опрокидывают сразу весь стакан в рот. Ты меня понимаешь, Зейде? Пьют себе, нюхают, вдыхают, пробуют из закуски, разговаривают, жуют, думают, что сказать теперь. В уме у него никогда не было недостатка, у Сойхера, и он, конечно, знал все эти маленькие фокусы, что если едят немножко и пьют немножко, медленно-медленно-медленно, то остаются больше времени вместе. А тогда и слова начинают приходить, и можно поговорить и подумать, и один раз я видел, как они поднимали вместе *лехаим*, чокались друг с другом на здоровье, стакан со стаканом, и Сойхер сказал: «Пусть уши госпожи Юдит тоже получат удовольствие», — и стаканы зазвенели таким звуком, что у нас в деревне такого вообще не слышали, потому что у нас самый нежный звук, это когда корова ударяет рогами по железному ярму. И она вдруг улыбнулась ему, как я никогда не видел ее улыбаться. Я бы на его месте упал и заплакал от такой улыбки, но этот бандит, он только посмотрел на нее и даже не сдвинулся с места. Если он таки упал от этой улыбки, так только внутри своего тела он упал, и если он заплакал, так только в душе своей он заплакал. Эти торговцы скотом, — чтоб ты знал, Зейде, — у них есть такое специальное поведение с женщинами. У нас говорили: человек, который торгует мясом, он знает, когда с вдовой плакать, а когда с ней танцевать. Не то что мы, что если бы, допустим, солнце было бы в другое время и если бы я не был в саду, когда она приехала, и я увидел бы ее, скажем, только через неделю на улице или наутро возле склада, — все было бы иначе. Но я увидел ее там, как она плыла по полю на этой телеге, в желтом и зеленом море тех хризантем, и тут же понял — это послал мне Господь, вот он приплыл, мой кораблик, моя птица, та женщина, которая даст мне крылья. Только протяни руку и возьми, Яков, — так я сказал себе, — протяни и возьми, чтобы не обвинять себя потом всю остальную жизнь, потому что дать женщине, которую ты любил, дать ей уйти — это самое страшное, что может случиться с человеком.

Он встал и прошелся по комнате, и я почувствовал его боль в своем горле, но продолжал есть, жевать и глотать.

— Всю свою жизнь ты будешь потом себя обвинять. Это еще хуже, чем если у тебя пропал кораблик. Такое одиночество, оно даже больше, чем у Робинзона Крузо. Ты понимаешь, о чем я говорю, Зейде, все эти мои раз-говоры об одиночестве? Один я был там, возле реки Кодыма, один в мастерской у дяди, один я приехал в Страну, и даже с Ривкой я был один. Кто может быть вместе с такой красотой? Она была такая красивая, что даже я уже забыл, как она выглядела. Для Юдит мне до-статочно только закрыть глаза, и уже я с ней, но с Рив-кой я был, как написано в Танахе[1], «одинокая птица на крыше». Ты знаешь, Зейде, даже когда я был мальчиком, всякий раз, что я произносил *«Шма, Исраэль»*[2], я всегда думал о том, что только наш еврейский Бог еще боль-ше меня одинок на свете и что как раз поэтому мы го-ворим про него: «Бог наш единый, *Адонай левад»*[3]. И еще: *«Шма, Исраэль*, — мы говорим, — слушай, Изра-

---

[1] Танах — вошедшее в употребление еще в средние века название еврейской Библии (у христиан — Ветхий Завет); представляет со-бой акроним названий трех ее разделов: Тора (Пятикнижие Мои-сеево), Невиим (Пророки), Ктувим (Писания).

[2] «Слушай, Израиль» — стихи из Пятикнижия, провозглашающие монотеизм; начинаются с фразы «Слушай, Израиль: Господь, Бог наш, Господь един есть» (Второзаконие 6:4). Молитва «Шма» зани-мает в еврейской духовной жизни и в литургии одно из централь-ных мест. Закон предписывает читать эту молитву утром и вече-ром.

[3] Здесь Яков заменяет традиционную формулу «Господь наш еди-ный» на свою «Господь наш одинокий».

иль, *Адонай элоэйну*[1], Боже ты наш, один-единственный...» Бедняга! Как Он един и как Он один! Но когда я
однажды сказал это вслух: «Слушай, Исраэль, Адонай
один» — моя дядя вдруг поднял на меня руку. Только тогда я уже не был тот маленький мальчик. Тогда я уже
был парень, и я тут же дал ему обратно — раз, и еще раз,
и еще. За все те удары, которые я получил от него. Это
был первый раз, что я ударил человека, и последний
тоже. Он упал на землю, а я встал и ушел, и до тех пор,
что я уехал в Страну, к нему я уже не вернулся. А тут у
нас как-то на Пурим вышел на сцену один подвыпив-
ший шутник и сказал, что, мол, Моше Рабейну[2] придумал единого Бога просто для того, чтобы евреям было
легче в пустыне. Ведь ты представь себе, Зейде, — та-
щиться по пустыне, как филистимляне, и греки, и все
другие народы, и чтобы у тебя на спине было вдобавок
сорок идолов из камня, да еще в хамсин! А так у тебя
всего один ковчег с твоим одним Богом, маленький такой шкафчик с ручками, и два парня-левита[3] тащат его
себе, а херувимы своими крыльями делают им тень от
солнца над головой, и тебе к тому же не нужно помнить имена всех этих богов, и что каждый из них не-
навидит, и что любит. Еврейский Бог, — заключил он,
немного подумав, — любит невинных ягнят. А иногда
голубя или, может быть, манную кашу, а что-нибудь
сладкое на десерт Он вообще не ест никогда, потому
что наш еврейский Бог любит только все соленое.

    И вдруг запел во весь голос:

---

[1] Господь, Бог наш *(ивр.)*.
[2] Моше, наш учитель *(ивр.)* — Моисей, законодатель еврейского
народа.
[3] Левиты — представители колена Леви, из которого набирались
служители Храма (кроме жрецов).

И в тот де-е-е-нь, и в тот де-е-е-нь, и в тот де-е-е-нь, и в тот день,
В тот субботний день,
И в тот де-е-е-нь, и в тот де-е-е-нь, и в тот де-е-е-нь,

и в тот день,

В тот субботний день,
В тот субботний день.
Двух агнцев, непорочных, годовалых,
В тот субботний день,
Двух агнцев, непорочных, годовалых,
Ай-яй-яй, Адонай...
Ай-яй-яй, ай-яй-яй, яя-яя-яя-яй,
Ай-яй-яй, йя-йя-йя, ай, Адонай.
И пшеницы две меры,
Он смешал с елеем, в жертву,
Он смешал с елеем, в жертву,
И е-е-ему при-и-ипас,
И пшеницы две меры
Помазанье от него ему!

4

На первое время Глоберман оставил пикап стоять во дворе Якоби и Якубы и всякий раз, когда появлялся в деревне, навещал свою собственность.

— Ему нужно время, чтобы привыкнуть ко мне, — объяснял он любопытствующим, потому что стыдился признать, что не умеет водить.

Когда наконец все начали посмеиваться над ним, он собрался с духом и принялся самостоятельно учиться вождению, используя для этого пустые проселочные дороги, и вскоре на полях забили фонтаны, возвещавшие о тех местах, где он сорвал вентили с водоводных труб. После того как он сбил осла, разворотил баштан и повалил три яблони, деревенский комитет предупредил, что примет самые суровые меры, если он не возьмет себе учителя.

Тотчас объявилось множество кандидатов, но Глоберман, ни секунды не колеблясь, выбрал Одеда Рабиновича, который уже тогда, в свои одиннадцать лет, славился по всей округе мастерством вождения.

Номи рассказывала мне, что ее брат согласился ходить в школу, только чтобы научиться читать журнал «Двигатель, машина и трактор» и писать письма импортерам «Рио» и «Интернейшэнэл». Одед действительно читал только о машинах и думал только о двигателях, а уж о трансмиссиях, коробке передач и компрессионном числе мечтал с такой неистовой сосредоточенностью, что в конце концов научился водить, так ни разу и не сев в машину, потому что в своем воображении он уже тысячи раз выполнял все необходимые для этого действия — переключал скорости, освобождал сцепление, ускорял, замедлял, тормозил и поворачивал, и все это — с тем экстатическим наслаждением, с которым любовник смакует нарастающее желание и готовит себя к его удовлетворению.

— Если ты так и будешь все время гудеть, как машина, у тебя губы станут как у негра, — предупредил его дядя Менахем.

Но Одед не обращал внимания на предостережения и в восемь лет уже спорил с удивленными взрослыми, доказывая им преимущества воздушного охлаждения перед водяным и V-образных двигателей по сравнению с линейными. Как раз в то время в деревню

заглянул проездом Артур Руппин[1], и пока этот партий-
ный деятель целовал выведенных ему навстречу детишек в веночках, а его водитель безуспешно обхаживал
Ривку Шейнфельд, Одед использовал всеобщее воз-
буждение и суматоху, прокрался к длинному форду
гостя, включил двигатель и умчался в поля.

Он гнал машину, как уверенный и опытный шофер,
и даже пару раз крутнулся на месте, выполняя всякие
фокусы и поднимая облака пыли. Под конец он бросил
форд в одном из садов, скрылся в эвкалиптовой роще и
вернулся пешком лишь наутро, потому что не знал, какое восхищение и гордость он вызвал в сердцах всех
деревенских жителей, и боялся, что дома его ждут суд и
расправа.

Теперь он пытался втолковать Глоберману азы вождения, и тот послушно выполнял все его указания.

— Машина это не корова, Глоберман! — слышался
из пикапа тонкий детский голос, когда Сойхер в очередной раз съезжал с дороги в поле. — Ей не крутят
хвост, у нее есть руль!

К счастью для Глобермана, зеленый пикап с его шестью гигантскими медленными поршнями и тремя
длинными рукоятками сцеплений был необыкновенно терпелив. Двигатель никогда не глох, и толстая
жесть была достаточно прочной, чтобы выдержать
большинство истязаний и ударов, на которые обрек ее
новый хозяин.

К чести самого хозяина следует заметить, что, при
всем том, Глоберман оказался человеком законопо-

---

[1] Артур Руппин (1876—1943) — экономист, социолог, руководитель сионистской поселенческой деятельности в Стране Израиля.

слушным. Он не ограничился уроками вождения, но
удосужился съездить в управление дорог в Хайфе, зашел там к чиновнику, который занимался соответству-
ющими делами, и обменял двадцать килограммов отборного мяса плечевой части на два экземпляра водительских прав — один для себя и другой для своего
маленького учителя, — которые включали все мысли-
мые виды транспорта: мотоцикл, автобус, легковую машину и грузовик любого размера и типа.

— Водительских прав на поезд и самолет у них не
оказалось, — хохотал он.

Но даже обзаведясь водительскими правами, Глоберман по-прежнему продолжал брать уроки у Одеда,
пока тот не сказал ему, что пора кончать.

— Я уже умею водить? — удивился скототорговец.

— Нет, — сказал мальчик, — но лучше ты уже никогда не научишься.

Однако Глоберман настоял, чтобы они продолжали
учебу, и однажды Одед вернулся домой с большой
охапкой разноцветных роз в руках.

— Это для тебя, — сказал он Юдит. — Это не от меня. Это от Сойхера.

Юдит взяла у него розы и увидела, что это не букет,
а цветастое платье. Она развернула его и, несмотря на
злость, вынуждена была признать, что у Сойхера хороший вкус и рука его не скупа.

К вечеру Глоберман пришел во двор Рабиновича и
ухитрился войти в коровник точно в тот миг, когда
Юдит стояла перед зеркалом и примеряла на себя его
подарок.

— Неужели ты думаешь, госпожа Юдит, — воскликнул он голосом победителя, — что человек, который

умеет с одного взгляда назвать вес коровы, не сумеет выбрать для женщины платье без примерки?

Не столько грубое сравнение задело ее, сколько его правота. Платье и впрямь было точно по ней.

— Ты не постучал! — отрезала она.

— Тут коровник, госпожа Юдит. — выпрямился Сойхер. — Это место, куда я прихожу по делу. Разве ты стучишь в дверь деревенской лавки?

— Это не только коровник. Это еще и мой дом! — сказала Юдит.

— А что, Рабинович стучит в дверь твоего дома, когда приходит доить?

— Это не твое дело, дрянь!

Дивным соболиным шагом обошел ее Глоберман, скользя так неслышно, словно и не двигался вовсе.

— Я хотел бы только попросить, чтобы госпожа Юдит, когда она наденет это новое платье, которое ей так к лицу, и почувствует, как эта мягкая ткань обнимает все ее тело, пусть она вспомнит того, кто купил ей этот наряд, — сказал он.

— Вон отсюда! — сказала она. — Никто не просил тебя покупать мне подарки. Я отдам его завтра Одеду, и он вернет его тебе.

— Не завтра! Сейчас! — воскликнул Глоберман. — Сними его при мне и верни! — И он торжествующе отступил к стене коровника.

— Я сначала постираю его, — сказала Юдит, — чтобы ты мог отдать его какой-нибудь своей девке. У тебя ведь в каждой деревне есть готовая к услугам корова.

— Не стирай его, госпожа Юдит! — Глоберман упал на колени. — Верни его так, с твоим запахом!

Стоявшая сбоку Рахель нагнула голову, и глубокий возмущенный храп вырвался из ее груди. Глоберман улыбнулся, поднялся с колен, подошел к корове, положил руку на ее затылок, знающими, гипнотизирующими пальцами прошелся по хребту до основания хвоста и удовлетворенно поцокал языком.

— А он изрядно вырос. Понимающий мясник отвалит мне за него хорошие деньги, — сказал он.

— Эту телку ты никогда не получишь, падаль! — сказала Юдит.

— Он записан на меня, — сказал Сойхер, вытащил свою записную книжку и заглянул в нее. — Рахель, верно? Странное имя для теленка. Ага, вот он. Все в порядке. Никакой ошибки. Я должен был получить его в возрасте шести месяцев, но Рабинович все тянет и тянет.

Проницательный и умный человек был Глоберман и почувствовал, что нащупал трещину между Юдит и Моше.

— Хороший скупщик скота должен быть очень аккуратным, — сказал он Рабиновичу несколько дней спустя. — Вот она. Записана и ждет у меня в блокноте. Когда ты мне ее продашь, Рабинович?

— Я еще думаю, — сказал Моше. — Это не так просто.

— А что тут сложного? — усмехнулся Глоберман. — Есть хозяин, есть корова и есть перекупщик, верно? Хозяин и корова думают об Ангеле Смерти, но перекупщик думает о деньгах, точка. И поэтому он всегда берет верх, Рабинович. Потому что потерять жизнь легко, потерять жизнь это — раз! и больше никаких страданий, а вот потерять деньги — это очень тяжело. Потому что это может случиться много раз, и каждый раз от этого страдают по новой.

Он посмотрел на Моше и, как и ожидал, увидел, что глаза Рабиновича потемнели от гнева.

— Ну, ты настоящий бык! — усмехнулся он. Он знал, что люди такого телосложения загораются не так быстро, но когда уж приходят в ярость, рука у них тяжелая. Поэтому он похлопал Моше по плечу и даже слегка ущипнул, словно оценивая толщину жира и силу скрытых под ним мышц. — Какая замечательная у тебя здесь плечевая связка, Рабинович, так когда же ты все-таки продашь мне Рахель, а?

— Я не могу сделать ей такое, — пробормотал Моше.

— Кому? Корове? Ты что — общество защиты животных?

— Юдит, — сказал Моше.

— Госпоже Юдит? — удивленно воскликнул Глоберман. — Не понимаю, кто тут хозяин — ты или твоя работница?

И глаза Моше снова потемнели от гнева.

5

Одед не любил мою мать, пока она была жива, задирался с ней и цеплялся к любой мелочи, и ее смерть тоже не была в его глазах достаточной причиной, чтобы изменить свое отношение. Несмотря на это, он мне симпатичен и мне с ним хорошо. Он возит меня к Номи и привозит обратно, передает ей мои посылки и письма, а также отчеты о моих наблюдениях за воронами для главного ерундоведа, и не перестает рассказывать мне о своем отце, моей матери и своей сестре, а порой также о Дине — женщине, которая была его женой.

— Я женился на ней в тридцать семь с половиной, а развелся в тридцать восемь. Каково, Зейде, а ?!

Дина овдовела в Синайскую кампанию[1], и Одед встретил ее у друзей.

— У каждого есть такие друзья. У самих семья дерьмо, так они и всех других сватают.

Я помню Дину. Она была моложе Одеда на восемь лет и выше его на четыре сантиметра, и хотя в ней не было никакой красоты, синеватый блеск ее волос и медь ее кожи вселяли грусть и беспокойство в мужчин, способных замечать такие вещи.

Как-то ночью, через несколько месяцев после их свадьбы, Одед отправился по своему обычному маршруту, и вдруг на него напала такая странная и мучительная тревога, что он даже испугался вести машину. Он затормозил на обочине, посидел несколько минут, размышляя, потом снова двинулся в путь, опять остановился, развернул машину и поехал обратно в деревню.

Поравнявшись с Народным домом, он заглушил мотор и тихо, точно огромная металлическая гусеница, соскользнул по спуску, пока не остановился возле своего дома. Прислоненный к дереву, стоял запыленный незнакомый мотоцикл, от его мотора еще шел горячий запах. Одед спустился из кабины, заглянул в окно и увидел свою жену верхом на каком-то мужчине. Тонкое мускулистое тело Дины отливало ее особенным темным блеском.

Одед почувствовал ужасную слабость, словно все его мышцы и суставы превратились в губку. Спотыка-

---

[1] Синайская кампания — англо-франко-израильская война с насеровским Египтом в 1956 г.

ясь, он вернулся к машине, завел ее и поднялся в центр деревни. Там он вылез, вывинтил большую пробку в днище цистерны, заперся в кабине и взялся рукой за тросик гудка.

Пугающий белизной молочный ручей хлынул вдоль улицы. Могучий гудок машины и многоголосое мычание новорожденных телят, вырванных из теплого сна запахом молока и увидевших, что их сон стал реальностью, разбудили всю деревню.

— Это был самый прекрасный момент моей жизни, — сказал он мне. — Это было куда лучше, чем просто войти в комнату и прикончить их обоих. Это мне стоило уйму денег — молоко, и развод, и суды, и все прочее, — но скажу тебе честно, Зейде, я получил большое удовольствие.

— Хочешь погудеть? — снова спросил он, как спрашивает всегда.

Конечно, я хочу погудеть. Я протягиваю руку и тяну. Из росистого лона трав откликаются жабы, бледнеющая предрассветная луна плывет за нами, отстраняя пушистые объятия облаков, и ее слабое сияние просеивается в их мягкие просветы.

В эту пору суток радио в машине Одеда возвращается из своих орущих странствий по греческим и югославским далям и снова начинает говорить на иврите. Но мне не нужны эти приметы. Часы смотрят на меня отовсюду. Я снова ищу и нахожу маленькую стрелку большого времени, стрелку лет и их сезонов, и большую стрелку маленького времени, стрелку суток и их минут и часов. Оттенки листьев говорят мне: «Хешван», поздняя осень. Предрассветный морозец уже затягивает невидимые лужицы в низинах. Кружева на востоке блекнут и говорят: «Без десяти пять».

— Тебе не нужны часы на руку, Зейде, — посмотри, сколько часов вокруг, — говорила мама.

Каждый крестьянин может сказать, какой сейчас месяц, по беззвучным молниям осени и весеннему цветению садов. Но я способен прочесть время по расцветке старых, почерневших вороньих гнезд и по встопорщенным перьям взрослеющих вороньих птенцов.

«Деревня — это комната, сплошь уставленная часами», — писал я Номи в Иерусалим, напомнить ей, чтобы она не забывала.

А она писала мне, что у нее есть только одни часы: религиозный молочник, который каждое утро ровно в четверть седьмого появляется в их квартале, постанывая, толкает перед собой тележку с бидонами и возвещает о своем товаре тремя протяжными усталыми гласными: «Мооо-лооо-кооо!» — которые долго звенят в узком проеме лестничной клетки.

А несколько недель назад я написал ей о нашем обветшавшем Народном доме, этих огромных часах, свидетельствующих о смене времен мощью сухого плюща, запеленавшего его стены, семисвечником[1], что украшает крышу своими обломками, голубями, которые угнездились в углах его зала.

Ласточки то и дело влетают через вентиляционные колодцы, чтобы покормить своих птенцов, а в старой кинобудке разит совиным пометом. Это не часы со

---

[1] Семисвечник (менора; букв.: светильник; *ивр.*) — восходящее к Библии обозначение семиствольного светильника, одного из культовых атрибутов Храма. В настоящее время — наиболее распространенная еврейская национальная и религиозная эмблема.

стрелками и не песочные часы. Часы слипшихся пластов — вот что это такое, и время они отмеряют толщиной засохших птичьих испражнений, коркой ржавчины на перилах балкона да простынями скопившейся на полу пыли, в которых гусеницы муравьиного льва высверливают свои скользкие смертельные воронки.

Все двери и окна давно заколочены, но кое-где доски уже взломаны, и когда я захожу туда и жду, пока глаза привыкнут к темноте, мне в нос ударяет тонкий, омерзительный запах человечьего кала и бесчестья. Усталость наваливается на меня, я присаживаюсь на один из загаженных стульев, и резкий скрип дерева пробуждает громкое встревоженное хлопанье крыльев в темной пустоте.

Однажды я спугнул тут Деревенского Папиша. Он тоже иногда навещает Народный дом — пробирается внутрь, топчется по голубиному помету, бормочет в темноте свои бормотанья да вздыхает теми старческими вздохами, что разрывают сердце и увечат тело. Всего несколько лет назад здесь состоялось последнее представление, и Папиш, так я писал Номи, «выдал один из лучших своих номеров». Выступала театральная группа из города, и молодая актриса, прославленная красота которой собрала в деревню молодежь со всей Долины, — та особая красота, которая заставляет таять, не вызывая ни вожделения, ни любви, одно лишь желание оплодотворить и умереть, — вышла на сцену походкой этакой богини, в минуту благодушия снизошедшей до того, чтобы появиться перед своими поклонниками.

И тут Деревенский Папиш вскочил, — а он уже очень стар, и ему тяжело подниматься, — крикнул, яростно и громко:

— А у нас, госпожа теледевица, жила в свое время Ривка Шейнфельд, так она была намного красивее тебя! — и тут же вышел из зала.

Он злился на односельчан, допустивших разрушение Народного дома, и на Якова он злился, потому что «это из-за его любви к Юдит Ривка покинула деревню и забрала с собой всю свою красоту, оставив нас ковыряться в нашем грязном уродстве».

И тот дом, что в свое время был жилищем Якоби и Якубы, а потом домом альбиноса, тоже уже лежит в развалинах. Ветры и дожди съели его крышу, черви и росы проели его доски, а то, что не выпарило солнце, поглотила земля. Все видели, что дом становится все меньше и меньше, а когда он совсем врос в землю, одни лишь анемоны, что росли там, остались свидетелями его былого существования.

Но пристройка, которую альбинос соорудил для своих канареек и завещал Якову, все еще стоит. Никто уже не наполняет в ней кормушки и поилки, клетки и дверь всегда открыты нараспашку, так что канарейки вылетают и возвращаются, когда хотят, и Яков тоже не заглядывает сюда навестить свое прошлое.

— По утрам и вечерам, — сказал я, — время движется медленней всего.

— Это оно тормозит на поворотах, —засмеялся Одед. — Чтобы мир не перевернулся.

Мы приближались к повороту в деревню. Одед переключил скорость. Его ноги танцевали на больших педалях, а машина кряхтела и подрагивала в ответ.

— Ну вот. Вернулись. — Он сделал плавный поворот и стал спускаться по узкому въезду.

Когда-то это был проселок. Летом колеса и копыта перемалывали его в пыль, а зимой все превращалось в темное, липкое месиво. Потом его замостили обломками измельченного базальта, привезенного с гор, а когда он чуть раздался, превратили в узкую, прямую асфальтовую дорогу, длиной километра полтора, и теперь казуарины собирают пыль на ее обочинах.

На перекрестке, сбоку, там, где расположена автобусная остановка, — просто небольшой жестяной навес и железный столб с табличкой, — на бетонной скамейке сидел Яков Шейнфельд: маленькая, сморщенная мумия любви в синих брюках и белой хлопчатобумажной рубашке. В тени деревьев стояло его постоянное такси, водитель спал на заднем сиденье.

Одед затормозил, заглушил мотор, и в наши уши вошла тишина. Он высунул голову из окна и крикнул:

— Как дела, Шейнфельд?

— Заходите, заходите, друзья, спасибо, что пришли, заходите... — сказал Яков с приветливостью жениха под хупой[1].

— А где же невеста, Шейнфельд? — крикнул Одед.

Но глаза Якова только скользнули по нашим лицам, и его блуждающий взгляд потух.

— Погляди на него, — повторил Одед свой приговор. — Будь это лошадь, ее давно бы следовало пристрелить.

По дороге промчалась зеленая машина.

— Заходите, заходите... — сказал ей Яков. — Заходите, у нас сегодня свадьба.

---

[1] Хупа — свадебный балдахин, под которым раввин совершает венчальный обряд; в переносном значении также — свадьба.

Он улыбнулся, приветливо кивнув ей головой, а потом снова уставился на дорогу и больше уже не обращал на нас никакого внимания.

6

Даже лжецам известно, что правда и выдумка вовсе не враждуют друг с дружкой. Как добрые соседки, они регулярно справляются одна у другой, как дела, и одалживают одна другой все, что понадобится.

Это сказал мне когда-то Меир — не помню, в какой связи, — а потом улыбнулся и добавил, что ложь и выдумка — это не север и юг, а скорее полюс магнитный и географический полюс.

Я заговорил об этом, чтобы объяснить, что вовсе не намерен придумывать или утаивать что-либо в своей истории. Я ничего не намерен растолковывать, маскировать или воссоздавать заново. Вся моя цель — придать этой истории порядок: провести борозду, предназначенную для копыт быка, проложить русло для потока, залить бетоном тротуары, чтобы ноги знали, куда идти.

И всякий раз, когда я чувствую отвращение к тому хаосу, над которым обречен парить, и мне становятся ненавистны пропасти предположений и ветры догадок, я ищу утешения в удивительных цепочках мелких событий. Скажем, в такой, что тот странный человек, который купил пять черных костюмов умершего альбиноса, несколько месяцев спустя вдруг снова появился в деревне, молча вошел в помещение деревенского комитета и выложил на стол пять записок, которые обнаружил в пяти внутренних карманах купленных им костюмов. На каждом из листков было написано: «Птицы — Якову».

Шейнфельда вызвали в комитет. Хотя он ухаживал за канарейками со дня смерти альбиноса, сердце его стучало, как молот, сильно, радостно и тревожно. Не сказав ни слова, он пошел к своим канарейкам, а оттуда к себе домой, лег на кровать, как был, в одежде, и проснулся только назавтра в полдень, когда Ривка разбудила его первым криком, вырвавшимся у нее со дня их свадьбы, требуя, чтобы он объяснил ей, что случилось.

Яков поднял на нее глаза, прежний прозрачный блеск которых скрыла шероховатая пелена, непроницаемая, как штукатурка, и ровным голосом сообщил, что альбинос завещал ему своих бедных птиц и отныне он стал их хозяином.

Какое-то мгновение самой красивой женщине деревни хотелось броситься на пол и закричать, но она тотчас почувствовала, будто чья-то неведомая рука подхватила ее под спину и выпрямила ее колени. Ее уму разом разъяснились все загадки, которые давно разгадала ее душа: бессонница мужа, его вздохи, его преданность этим дурацким канарейкам, пение которых, признаемся честно, совсем не так уж ласкает человеческий слух.

И проезд Юдит через зеленое с желтым весеннее поле, и дрожь Якова, и его бессвязные речи в те редкие короткие минуты, когда ему удавалось задремать, и все те дни, когда радужка его глаз постепенно меняла свой цвет — все эти странности стали понятны ей одна за другой, и как будто третий глаз прорезался у нее во лбу: она вышла, направилась прямиком за дом, протянула уверенную руку и вытащила из щели между стеной и землей спрятанную там желтую деревянную канарейку.

Она отшвырнула ее, взяла деревянную садовую лестницу, вошла с ней в пристройку для канареек, поднялась к их клеткам, снова протянула руку и там, из просвета между потолком и крышей, извлекла маленький блокнотик, в котором Яков написал ходом быка-бустрофедона: юдит юдит тидю юдит тидю тидю тидю тидю тидю тидю тидю юдит юдит юдит юдит юдит юдит.

Оттуда, с той же абсолютной уверенностью, она прошла в сад, к тому месту, где шелест листвы сливался в отчетливые вздохи: юдит юдит юдит юдит юдит... — пошла вдоль деревьев, ряд за рядом: юдит юдит юдит юдит юдит юдит юдит юдит тидю тидю тидю тидю тидю тидю тидю тидю юдит юдит юдит... — и возле третьего дерева в третьем ряду копнула и нашла голубую косынку работницы Рабиновича, украденную в темную ночь со стучащим сердцем с бельевой веревки во дворе.

Улыбка раздвинула Ривкины губы, прояснила ее сознание и протянула прямую линию решения вдоль всех булавочек, коловших ее мозг.

— И если раньше она была невероятно красивой, с этой минуты она стала в семь раз красивей. Ее красота просто слепила глаза, — рассказывал Деревенский Папиш.

В тот же день Ривка покинула дом и деревню, унося с собой свои платья, и свою ненависть, и свою красоту, и свой ум, и вернулась к матери, госпоже Шварц из Зихрон-Якова. Деревенский Папиш шел за ней до самого конца деревни, тщетно уговаривая остаться и предоставить ему уладить все неприятности, какими бы они ни были.

— В один прекрасный день она поднялась и исчезла, — рассказывал он. — Никто не знал, куда, никто не понял, почему.

> Она улетела, как соловей
> Улетает из осеннего леса,
> Прежде чем кто-нибудь заподозрил,
> Прежде чем кто-нибудь догадался.
>
> Придет холодный ненастный день,
> И второй, и третий,
> Потухнут все взгляды,
> И воцарится немая печаль.
>
> Ни щели в плотно закрытых окнах,
> Ни души на улицах, снаружи,
> И безмолвие в лесу —
> И тоска.

Деревенский Папиш декламировал печально и торжественно, его узкие губы изгибались по форме произносимых слов, и веки вздрагивали в конце каждой фразы в такт тоскливому ритму.

Госпожа Шварц, женщина решительная, морщинистая и деятельная, не мешкала ни минуты. Письма приходили и отправлялись, посыльные и голуби прибывали и улетали, а потом в Зихрон-Яков поднялась машина с шофером и забрала Ривку и ее мать в старый порт Тантуры.

Маленький, изящный белый кораблик, на обводе которого золотилось имя «Ривка», выплыл из теплой дымки, стелившейся над морем. С борта была спущена лодка. Двое моряков забрали Ривку с берега.

Хаим Грин, состоятельный английский делец, который когда-то был молодым английским лейтенантом и целыми ночами ждал в Ривкином саду в Зихрон-Якове, теперь ждал Ривку на палубе.

«Ривка» плавно развернулась, выбросила из двух своих труб два облачка пара и медленно растаяла в дымке. Госпожа Шварц дождалась, пока корабль исчез из виду, потом села в машину и вернулась домой.

В течение двадцати пяти лет ни «Ривка»-корабль, ни Ривка-женщина не возвращались в Страну, но затем в газетах появилась фотография сэра Хаима и леди Грин, которые «репатриировались на историческую родину, чтобы строить и жить в ней». Супруги были сфотографированы на фоне хайфского причала — оба в полосатых матросских воротниках, в сверкающих белозубых улыбках и в капитанских фуражках, и Деревенский Папиш, который так и не забыл те черты лица, выбежал, оглашая удивленную деревенскую улицу громовым криком:

— Она вернулась, она вернулась, она вернулась!

И действительно, леди Грин была Ривка, а сэр Хаим — ее муж, которого годы превратили из состоятельного молодого английского дельца в богатого старого английского банкира.

— Он был человек важный и вежливый, — рассказывал Деревенский Папиш.

Сэр Хаим жертвовал на школы, основывал лаборатории в университетах, раздавал стипендии нуждающимся студентам и купил себе красивый дом на Лесной улице в Тивоне. И в силу той же вежливой щедрости, которая характеризовала все его действия, поспешил своевременно умереть, чтобы его вдова успела вернуть себе первого мужа и прожить с ним последний год своей жизни — этакая состарившаяся победительница, под конец дней ставшая слезливой и снисходительной.

Но в тот день, когда Ривка покинула деревню, «и все мы выглядели как физиономия с выбитым глазом», Яков был единственным, кто не обратил внимания на ее уход. Он закрылся в сарае и занялся сооружением великолепной клетки, которую раскрасил в голубое и золотистое, приделав к ней фарфоровую поилку, кормушку и двое качелей внутри.

Вечером, выйдя из сарая и вернувшись в дом, он несколько раз позвал: «Ривка...Ривка...» — и, не получив ответа, приготовил себе чашку чая и пошел спать, а перед рассветом поднялся и вышел, не почувствовав пустоту и холод, которые всю ночь лежали рядом с ним.

Он спешил по своим неотложным романтическим делам, и вечером того дня, когда Юдит, напоив новорожденных телят, вернулась к себе, она обнаружила, что на центральной балке коровника подвешена расписная птичья клетка, а внутри нее заливается, раскачиваясь на качелях, большой, общительный кенарь — самый красивый из оставленных альбиносом самцов, который умел даже напевать короткие опереточные арии, — а на стене белеет записка с банальной, а быть может, где-то подслушанной любовной фразой: «Птичка поет о том, что человек не может выразить словами».

7

Я уже рассказывал, что Батшева называла своего Менахема «той еще птицей». Моше называл старшего брата «безголосым петухом», но очень любил его, воздавал должное уму Менахема и однажды даже признался ему, что каждую ночь ищет не что-либо иное, а свою косу, которую тот тоже хорошо помнил.

Они были совершенно разными, эти два брата, но это не отдаляло, а еще больше сближало их. Менахем с женой и сыновьями не раз приезжали навестить Моше, а Моше, его дети и Юдит так же часто ездили в гости к Менахему и Батшеве в соседнюю деревню.

Одед запрягал телегу и клал в нее мешки с соломой, чтобы смягчить толчки деревянных досок. Крепкий паренек, с серьезным чувством ответственности, он требовал, чтобы ему дали вожжи. Все рассаживались в телеге, и Номи смеялась, глядя на встревоженную морду Рахели.

«Поди-поди», — звала Юдит, и Рахель, легко перепрыгнув через забор, присоединялась к ним. Она бежала за телегой, быстро переступая своими тонкими длинными ногами, и лишь время от времени останавливалась, чтобы выдернуть из земли очередной пучок цветущего клевера или льна.

Лоб Моше собирался в гневных морщинах:

— Чего она ходит за нами повсюду, как собака?

— Что тебе жалко, папа? — откликалась Номи. — О тебе не скажут ничего плохого. Она ходит за Юдит, и она не лает.

А Юдит сказала:

— И еще она по дороге жует траву и экономит тебе деньги, Рабинович.

— Но это неприлично, — ворчал Моше. — Так не положено.

Проселочная дорога шла на запад, вдоль старой трубы, по которой раньше в деревню поступала вода из источника. В те дни там тянулись заросли клещевины, а на краю поля жила большая визгливая колония мышей. По ночам шакалы охотились на них, а потом шли в деревню, капая кровью, и выли там под окнами высокими голосами. Сердца людей наполнялись холодом и страхом, и даже деревенские псы, намного превосходившие шакалов размером и силой, приходили в такой ужас от первозданной подлинности этого вопля, что жались к дверям домов, умоляя впустить их внутрь и спасти от укуса или соблазна.

Годы спустя, когда я бросил учебу и вернулся в деревню, мне довелось работать на вспашке кооперативного поля. Я провел четыре дня на старом тракторе, проходя поле тем способом, каким я любил писать письма, — туда и обратно, туда и обратно, туда и обратно. Высоко надо мной парили соколы, а цапли и вороны, уже изучившие расписание пахоты, слетались и прыгали по бороздам, подбирая червей и грызунов, которых плуг выворачивал из земли. Добравшись до того старого проселка, я позволил себе свернуть с борозды на обочину. Лезвие плуга вспороло мышиные норы, и птицы устроили полевкам страшное побоище.

В конце поля стена камыша отмечала изгиб вади. Вода нанесла сюда много ила, и пышная растительность цвела в этих местах.

С самого детства и по сей день я люблю заглядывать в эти места. Осенью, по субботам, — собирать малину, а весной — анемоны и нарциссы.

Зимой Моше не позволял мне ходить к вади. Вода там мутнела и бурлила, топкая грязь становилась глубже, и берега были скользкими и коварными.

— Почему ты посылаешь его туда одного? — кричал он на маму.

— Ничего с ним не случится, — отвечала она, а мне говорила: — Иди, Зейде, только не задерживайся там допоздна.

Я шел и иногда видел их, трех моих отцов, которые зорко следили издали, как бы со мной ничего не случилось.

Теперь уже Моше позволял Одеду держать вожжи даже на переезде через вади. Тишина стояла вокруг. Моше никогда ни с кем не говорил о своей Тонечке, но это было то самое вади, и та самая вода, и то самое место.

Даже конь, тот конь, которого Рабинович купил вместо осла, сменившего того мула, остановился в нерешительности на склоне вади и лишь потом начал медленно и осторожно спускаться, тяжело упираясь копытами. Его ноздри раздулись, а грива ощетинилась, словно и он знал. Дойдя до уреза воды, он попытался было отступить, но береговой уклон, и вес телеги, и покрикивания Одеда, с силой толкая сзади, вынудили его вступить в поток.

Конские копыта утонули в мелкой воде, и выдавленная ими грязь разлилась точным и темным рисунком развернувшихся роз. Их отраженья задрожали, дробясь в кругах ширящейся ряби, но телега, затарахтев по дну, тотчас смяла картину, замутив воду. Вспорхнули испуганные стрекозы, и вот уже на влажной, вспотевшей коже широких конских бедер проступили могучие мышцы, напрягшиеся на противоположном подъеме.

Задние колеса вышли из воды, мелкие волны, накатив на берег, растаяли в нем, взбаламученный ил медленно осел. Потревоженное вади снова затихло и, подобно женскому телу, не сохранило никаких следов.

Еще несколько минут колеса роняли в дорожную пыль маслянистые коричневые капли и оставляли за собой комки грязи, но вот уже Одед крикнул: «Тпруу!» — и остановил телегу возле той станции, откуда когда-то привезли маму.

— Посидим здесь и перекусим, — сказал Моше. — Неудобно приезжать к людям голодными.

Все поспрыгивали с телеги и принялись разминать затекшие ноги. Номи расстелила на траве старую простыню. Рахель паслась в стороне, то и дело пытаясь боднуть какую-нибудь бабочку, жевала цветы и удовлетворенно пофыркивала. Юдит открыла корзину и вытащила оттуда бутерброды с яичницей и зеленым луком, которые пахли семейным путешествием. Точно такие же бутерброды она готовила и годы спустя, когда все стали старше, а я уже пришел в этот мир и ездил с ними.

Мы сидели в тени могучих станционных эвкалиптов. Железнодорожные пути были давно разобраны, прогнившие деревянные шпалы, наваленные сбоку от дороги, — растащены и превращены в опоры деревенских амбаров и стояки для коровников. Поезд, что когда-то привез маму, уже не ходит сюда, и соседний лагерь итальянских военнопленных давно занят гигантской бахчой. Только остатки каменной трубы бывшей военной кухни торчат над дынями.

Я забирался на станционную водонапорную башню. В свои лучшие дни она поила паровозы, но сейчас ее стены лопнули и трещинами завладели ящерицы и совы. Птицы смотрели на меня круглыми глазами, кланяясь и похрипывая в смешной церемонии запугивания, правил которой я не понимал. Я крошил их высохший помет, и в моих старых детских блокнотах еще сохранились записи тех наблюдений: «Черепа полевок, позвонки ящериц, перья незадачливых воробьев».

С вершин деревьев на нас с любопытством смотрели вороны, ожидая, пока мы уйдем и оставим им объедки. Самые смелые из них уже прыгали по земле неподалеку от нас, вытягивая свои прямые шеи и округляя черные отважные глаза. Некоторых я знал, потому что видел их на послеобеденных собраниях ворон на огромном эвкалипте, который в те дни еще высился в нашем дворе в полный свой рост и силу.

Плоды в рожковой роще дяди Менахема уже набухли, сквозь их зелень проклюнулись коричневые точки, и голосовые связки в горле самого Менахема в очередной раз онемели.

«Привет, Зейде, как дела?» — написал он на блокнотном листке, вырвал его и протянул мне.

«Дела хорошо, дядя Менахем», — вынул я записку, которую приготовил заранее, как будто я тоже немой. Не знаю почему, но я всегда называл его «дядей», хотя его брата никогда не называл «отцом».

Тело дяди Менахема заколыхалось от беззвучного смеха, и он погладил меня по голове. Я знал, что он сделает сейчас. Он вытащил из кармана большой носовой платок, сложил его по диагонали, так что он превратился в треугольник, сложил снова, конец к концу, перевернул и скатал, и вот уже его пальцы начали вминать хвост платка внутрь складок, пока у него в руке не осталось что-то вроде тряпочной сосиски. Тогда он освободил концы платка и завязал их узлом в виде двух ушей, с одной стороны.

— Мышь! — воскликнул я с восторгом, а дядя Менахем, положив эту тряпичную мышь на сгиб левой руки, быстрыми пальцами правой заставил ее прыгнуть прямо мне в лицо. Мышь прыгала так внезапно, что я всегда пугался и радовался, как в первый раз.

Весенняя немота дяди Менахема была такой абсолютной, что даже крику, смеху, вздоху или стону не удавалось вырваться из его горла. Но теперь у него накопился опыт подготовки к этим неделям предстоящего молчания. Он наперед раздавал сыновьям указания по всем хозяйственным делам, как будто уже завещал им дом, и заранее запасался блокнотом, с помощью которого будет общаться с теми, кто ему понадобится. В начале каждой страницы он писал красными чернилами фразу: «Я потерял голос», — чтобы не извиняться и не объяснять всякий раз заново.

Со временем он так свыкся с этой странной аллергией, что даже начал получать от нее удовольствие. Выяснилось, что в эту пору ему лучше работается, он успевает читать и слушать музыку, наслаждается запахами и видами. Его лицо то и дело освещала довольная улыбка — след замечательных мыслей того особого рода, что изначально отказываются от необходимости трястись на седлах слов.

Пропавший голос возвращался к дяде Менахему через несколько недель после праздника Песах. Сначала его сердце охватывало ощущение чего-то созревающего, как округлый плод, но само возвращение речи объявлялось ему обычно в середине дня, когда мысль, которую он думал про себя, неожиданно удивляла его, послышавшись откуда-то снаружи черепа, как будто ее произнес кто-то другой, но голосом, похожим на его голос. Иногда это случалось утром, когда во время бритья зеркало вдруг говорило ему что-то, а то и среди ночи, когда он просыпался и вскакивал на постели, потому что ему снилось, будто он говорит во сне, и только когда слова возвращались к нему, отразившись от спины Батшевы, он понимал, что произнес их на самом деле.

Он тут же поднимался, натягивал брюки и бежал к нам через поля, грея себя надеждой, что одна из многочисленных «курве», населявших ревнивые фантазии его жены, выйдет оттуда, обретет плоть и кровь и встретится ему по дороге, предоставив возможность поговорить с ней и растопить ее плоть своими словами.

— Моше! Юдит! Дети! — кричал он, вбегая в наш двор, и слова, которые ждали в нем всю весну напролет, вольно вырывались из его рта и неслись взволнованными кругами, совсем как те стрижи, которые кружат и кричат, чуя свою силу, и никогда не опускаются на землю.

8

Рахель росла и росла и превратилась в корову, в которой безошибочно угадывался самец. Ее мускулистые плечи были выше, чем обычно у коров, и шире ее зада, вымя — маленькое, а челка на лбу свисала низко, как у теленка, придавая ей хулиганистый вид. У нее были нахальные повадки игривого возбужденного бычка, которые коробили Моше и даже вызывали у него отвращение.

«Коровы себя так не ведут», — угрюмо твердил он.

Он то и дело вспоминал о своем обещании продать ее Глоберману, и каждый раз, когда он к этому возвращался, Юдит делала вид, словно Моше говорит с ее глухой стороны. Но мрачная тучка, которая заволакивала при этом ее лоб и глаза, выдавала бушевавший в ней гнев.

Дядя Менахем, понимавший, как сильно душа Юдит привязалась к этой ее корове, и, в отличие от своего брата, признававший право человека вести себя как угодно странно и эксцентрично, предложил ей посоветоваться с соседом, Шимшоном Блохом, ветеринаром-самоучкой, о котором я уже упоминал.

— Только не давай ему задавать свои глупые вопросы, — сказал он.

Жители Долины любили и ценили Шимшона, но он раздражал их своими кустарными исследованиями цикла течки домашних животных, ради которых донимал деревенских женщин весьма интимными вопросами.

— Профессора в университете режут мышей, чтобы понять, отчего болеют люди, а я всего только задаю женщине несколько вопросов, чтобы понять, что чувствует корова, — невозмутимо объяснял он

— Женщина, которая любит, это тебе не корова, у которой течка! — набросилась на него однажды Батшева.

— Самка — она всегда самка, и самец — он всегда самец, — ответил Блох. — Яйца и яичники, много шума и криков, всего и делов. Какая разница, ходят они на двух ногах или на четырех? И где они переваривают жвачку — в животе или в уме?

Он бросил на Рахель один-единственный взгляд и покачал головой: «Пустой номер».

Потом достал измерительную ленту и измерил Рахель в высоту и в длину, от плеча до переднего копыта и до основания хвоста.

— Точно одно и то же, — сказал он. — Посмотри сама. Высота в точности как длина. *Дас из а тумтум. Нит а бик ун нит а ку.* — Бесполая она, ни бык, ни корова.

— Я хочу сохранить эту корову, — сказала Юдит. — А если она не будет давать молока, Рабинович продаст ее Сойхеру.

— Такая уж у коров судьба, — сказал Блох. — Какое там молоко из такого вымени?!

— Пусть хоть самая малость, и то хорошо.

— Есть один способ, — сказал Блох. — Нужно ее доить, и доить, и доить, пока из нее под конец что-то, может быть, выйдет. Бывает, что получается, а бывает, что нет.

Юдит вернулась домой и начала раздаивать Рахель.

Поначалу корова возмущалась, дрожала и брыкалась. Но Юдит уговаривала ее словами и ласками, пока Рахель не смирилась.

Рабинович, который видел все это и понимал, о чем идет речь, сказал ей, что она зря тратит силы.

Глоберман не сдержался и добавил:

— Может, ты подоишь и других бычков, госпожа Юдит? Они будут тебе очень благодарны.

— Эту корову я буду доить, пока из ее вымени не выйдет молоко, а из моих пальцев не выйдет кровь, — огрызнулась Юдит. — Но тебе ее не видать, как своих ушей.

9

> За окошком отдохнуть
> Ласточка присела.
> Мальчик подбежал взглянуть —
> Птичка улетела.
> Плачет, плачет крошка —
> Птичка улетела.
> Подбежал к окошку,
> А птичка улетела.

В большой деревянной клетке, что висела на балке коровника, билась птица.

Поначалу этот кенарь, самый красивый из всех птиц Якова, пел для Юдит преданно и громко, но потом умолк, как это случается с наемными ухажерами, когда они видят, что их пение ни у кого не вызывает восторга, и от сильного смущения у него начали выпадать перья. В конце концов Юдит открыла ему дверцу, и он улетел — сердитый, пристыженный и довольный, если только такие разнородные чувства могут уместиться в маленьком птичьем сердце, — и вернулся к своему хозяину.

Яков увидел птицу и понял, что объяснение в любви нельзя перепоручать посыльным — это дело самих заинтересованных лиц. И поскольку он не имел смелости

объясниться с Юдит напрямую, то предпринял попыт-
ку обходного действия. Он съездил в город, купил там
листы желтой бумаги («желтый — это цвет любви», —
объяснил он мне, дивясь моему невежеству в столь кар-
динальном вопросе) и нарезал их на квадратики разных размеров, которые быстро заполнились словами,
превратились в любовные записки и начали скапли-
ваться, погребенные в запертом ящике стола.

Каждый вечер мама баловала себя маленьким глот-
ком, после чего тотчас возвращала бутылку граппы в ее
постоянное укрытие и снова принималась за работу.

Однажды она чем-то отвлеклась, и Глоберман, который всегда ухитрялся возникать в самые неподходящие минуты, заглянул в коровник и увидел бутылку на
столе. Он не сказал ни слова, но в следующий свой приход спросил:

— Может, госпожа Юдит соблаговолит и со мной
выпить разочек?

— Может быть, — ответила мама. — Если ты усво-
ишь, когда можно приходить и как нужно себя вести.

— Завтра в четыре пополудни, — сказал Глоберман. —
Я принесу бутылку, и я знаю, как себя вести.

В четыре часа послышался знакомый «Банг!» и зеленый пикап затормозил об ствол эвкалипта.

Глоберман, выбритый и наглаженный, без обычной
веревки и палки, в такой неожиданно чистой одежде и
шляпе, что его даже трудно было узнать (*ойсгепуцт* —
«разряженный», — таким прилагательным воспользовался Яков в своем описании), постучал тонкой гладкой
тростью в дверь коровника, после чего вежливо и сми-
ренно подождал ответа.

Юдит открыла дверь. Она была в том самом цветастом платье. Глоберман столь же вежливо поздоровался. Его глаза и туфли сверкали от волнения. Его лицо и руки источали запахи тонкого одеколона, жареного кофе и шоколада. Когда Юдит отступила от двери, он вошел, выставил на стол зеленую бутылку, поставил возле нее две выпуклые рюмки из тончайшего стекла и объявил:

— Французский коньяк. А также «*пути-фуры*», госпожа Юдит, которые хорошо идут с этим напитком.

Они сидели, медленно смакуя коньяк, и Юдит впервые почувствовала признательность к этому скототорговцу, который изменил ради нее свои обычные повадки, пил в меру и молча и был достаточно умен, чтобы воздержаться от грубых и бессердечных замечаний и не упоминать о Рахели.

Уходя, он спросил, можно ли ему прийти снова на следующей неделе, и с тех пор начал приходить каждый вторник со своим коньяком и «*пути-фурами*», стучал в дверь коровника и ждал, пока она пригласит его войти.

— Может, рассказать тебе что-нибудь? — спросил он, заранее уверенный в ее согласии.

— В каждом человеке остается что-то от ребенка, — объяснял он мне много лет спустя. — И на это «что-то» ты можешь его подловить. Мужики обычно ловятся на какую-нибудь занятную игрушку. Женщины, как правило, — на историю. А детей проще всего подкупить, — ты удивишься, Зейде, — научив их чему-нибудь, точка.

Он рассказал Юдит, что у женщин его семьи «во всех поколениях» во время любви менялся цвет глаз.

— Поэтому отцы всегда знали, сорван ли цветок дочерней девственности, а мужья знали, изменяли ли им их жены.

Потом он рассказал ей о младшем из своих братьев, который был настолько чувствительным и утонченным, что его тошнило в мясной лавке отца, так что в результате он стал вегетарианцем.

— Интеллигент среди мясников, такой застенчивый, такой деликатный — ну, прямо как цветок, как цыпленок, как поэт!

В конце концов этот интеллигентный отпрыск рода Глоберманов уехал в Париж учиться рисованию, и там друзья, напоив его однажды до ошеломления, положили ему в кровать какую-то девицу, чтобы она избавила его наконец от целомудрия и грусти. Наутро, проснувшись, он ощутил жар ее кожи, и нежные покалывания ее сосков, и кольцо ее тела, обхватившее его плоть, и влюбился в нее еще раньше, чем открыл глаза.

В тот же день они поженились в Парижской мэрии, и только после свадьбы он обнаружил, что она младшая дочь мясника.

Глоберман разразился громовым смехом.

— И сегодня он больше не вегетарианец и больше не рисует. Его любовь и ее отец сделали из него знатока свиного мяса и специалиста по конским колбасам, потому что от судьбы, и от крови, и от наследственности, госпожа Юдит, еще никому не удалось убежать. А если кто убегает, то Господь тут же посылает за ним свою большую рыбу, чтобы она его проглотила[1].

---

[1] «И повелел Господь большому киту проглотить Иону, и был Иона во чреве этого кита три дня и три ночи» (Книга пророка Ионы 2:1).

— Расскажи и ты что-нибудь, — попросил он, увидев, что Юдит не смеется. — У каждого есть своя маленькая торбочка за плечами, — сказал Глоберман. — Расскажи мне что-нибудь маленькое. Расскажи мне, какая рыба глотает тебя каждую ночь, госпожа Юдит. Куда она забирает тебя? Расскажи мне о своих руках, госпожа Юдит, о своих воспоминаниях, о той прекрасной морщинке, что между твоими бровями, о чем-нибудь, что ты оставила позади.

— Вот мои руки, Глоберман, — сказала мама, внезапно протянув к нему свои ладони. — Пусть они сами расскажут тебе.

Глоберман взял ее руки в свои. У него перехватило дыхание. Впервые за много лет он почувствовал, что в его сердце закрался страх.

— Откуда ты явилась, госпожа Юдит? — прошептал он.

— *А нафка мина*, Глоберман. — Мама отняла руки. — Какая разница!

— А почему сюда?

— Потому что здесь меня выплюнула большая рыба, — засмеялась госпожа Юдит.

Моше Рабинович только косился на дверь коровника и не говорил ни слова. Но Яков Шейнфельд не различал отдельных слов и слышал лишь смех, доносившийся из окна, и в его сердце нарастало отчаяние. Однажды он подстерег Глобермана в поле и, дождавшись появления пикапа, выпрыгнул прямо перед его фарами и выкрикнул горестно и громко:

— Почему ты отнимаешь ее у меня?! Ведь у тебя есть деньги, у тебя есть мясо, и женщины у тебя есть в каждом месте! Почему?!

Но крик этот не вырвался из его уст, он лишь прозвучал эхом в камерах сердца да отозвался трепетом в предсердиях. А Глоберман, которому чудом удалось остановить пикап буквально за шаг от дрожащего канарейщика, вылез из кабины и спросил:

— Ты что, спятил, Шейнфельд? Найди себе водителей получше, чтобы вот так вдруг выпрыгивать перед ними.

— Все в порядке, все в порядке, — пробормотал Яков и бегом бросился прочь.

После этого случая его желтые записочки начали мало-помалу выползать из своего ящика. Вначале они выпорхнули на пол, потом стали лепиться к стенам дома, затем к забору, а оттуда разлетелись по всей деревне: прикнопились к доске объявлений в помещении Комитета, приколотились к стенам молочной фермы, привязались жгутом пальмового волокна к столбам электропередачи, наклеились на древесные стволы.

— Понятия не имею, откуда у меня взялась такая смелость, — сказал он мне.

Решившись выставить свою любовь на обсуждение всей деревни, он уже не испытывал по этому поводу никакого стыда. Его любовные записки виднелись повсюду, привлекая людей своим ярким желтым цветом и сверкающими буквами. «На моем ложе по ночам», — написано было там. «Глубже, чем море», — шепталось еле слышно. «Когда же кончатся мои страдания?» — окликало воплем.

— Откуда у этого невежды такие красивые слова? — насмешливо удивлялся Деревенский Папиш.

Но Яков не обижался и однажды даже заявился на общее собрание и прямо посреди спора о том, не пора ли замостить подъездные пути к деревне, — в те дни там пролегала лишь старая базальтовая дорога и зимние дожди каждый год превращали ее в топкое болото, — встал и начал с большим воодушевлением говорить о запутанных тропах своей любви, и, как ни странно, не был призван к порядку или изгнан с собрания.

Деревня, как правило, не нуждается в серьезных причинах или профессиональном заключении, чтобы решить, что тот или иной ее житель — идиот или сумасшедший. Но в случае Якова получилось почему-то иначе. Словно какая-то мечтательная пелена застлала выжженные крестьянские глаза, когда они услышали его любовные признания, и соскользнула оттуда на их пергаментные щеки. Их грубые пальцы, чья кожа затвердела от рукояти косы и покрылась шрамами от острых, как лезвия, стеблей маиса, начали постукивать по столам с неожиданной мягкостью. Каждый желал ему удачи в его любви.

— Любовь, а?! — закричал Деревенский Папиш. — Вдруг у вас появилось чего еще ждать, кроме дождя, да?! Пусть сначала вернет сюда Ривку!

Но Яков словно почерпнул силу и поддержку в улыбках и кивках, которые крохотными огоньками доброжелательности затеплились в зале после его речи, потому что вскоре после того собрания набрался смелости обратиться в деревенский листок и под общей шапкой «К Юдит» пустил в широкое плавание на его страницах целую флотилию своих писем и записок, строки которых были напоены мольбой и любовью.

Он поднялся, поискал в ящике и вынул маленькую записку.

— Потом у меня был такой день, что я взял и сжег все эти записки, — сказал он. — Только одна маленькая случайно осталась. Посмотри, Зейде, какие красивые слова.

Большое Х сверкало вверху листка. Под ним было написано: «С заходом солнца я буду ждать тебя на поле с анемонами. Пожалуйста, не разочаровывай меня и на этот раз».

— А что означает этот «икс»? — спросил я.

— По-русски это буква *ха*, — сказал Яков. — На каждом листке, когда она не приходила, я ставил сверху такое Ха. Одно Ха, потом еще одно Ха, и еще одно. По-русски это насмешка судьбы: Ха-Ха-Ха.

Юдит не приходила, и однажды, в пять пополудни, Яков сам заявился к ней.

Юдит доила Рахель, и Яков хотел было улыбнуться и сказать, что он потерпит, пока она кончит, что он может немного подождать, что они оба могут успокоиться и даже получить удовольствие от этого ожидания. Но когда Юдит спросила его, зачем он пришел, его колени затряслись, как у ведомых на эшафот, он споткнулся, — «как идиот», сказал он, — о ведро с пойлом для телят, упал и ударился лбом об угол кормушки.

Удар глубоко рассек его лоб, он на миг потерял сознание, его лицо залилось кровью. Юдит бросилась к нему, отерла его лоб своей косынкой, присыпала рану коровьим сульфамидом, и не успел он еще понять, очнулся он или нет, как его рот уже сам собой открылся и пугающие страдальческие слова вырвались из него.

— Я вдруг сказал ей такую глупую вещь, Зейде, что если бы я был женщиной, я был бы она. Лежу на полу, в крови, точно какая-то глупая падаль, и на тебе: я — это ты, Юдит, я — это ты.

10

Номи было тогда лет одиннадцать, и она уже понимала, что происходит. Она спросила Юдит, какого мнения она о Якове, и Юдит сказала:

— Номинька, Яков Шейнфельд — большая зануда. Присмотрись к нему хорошенько и запомни, потому что всякая женщина должна знать, как выглядит зануда.

— А кого ты любишь больше всего? — спросила Номи.

— Тебя, — улыбнулась Юдит.

— Нет, Юдит, кого ты любишь больше всего из них троих? Папу, Шейнфельда или Глобермана?

— Из них троих я больше всего люблю тебя и Рахель, — сказала Юдит. — А сейчас, Номинька, дай мне отдохнуть немного и побыть одной.

— Мне не хватает этой ее «Номиньки», — сказала Номи. — Мне не хватает лимонного запаха ее рук, и мне не хватает еще многого, что связано с ней.

Я пересказал ей то, что поведал мне Яков, и она сказала, что он совершенно прав, — мужчины не ищут в своих женщинах мать или дочь, распутство или невинность, «все это глупости из книг, а сестру они ищут — сестру-двойняшку, которая заключена в каждом из них». Такую родную, такую близкую, такую обнаженно-доступную — и недосягаемую.

— Но вы все такие дурные. — Она обняла меня. — Только мы еще глупее, чем вы. Это ваше счастье.

— Что будет с нами, Номи? — спросил я.

— С вами, мужчинами?

— С нами — с тобой и со мной?

Она засмеялась.

— Все то же самое. Я спрошу, как тебя зовут, ты скажешь, что Зейде, я пойму, что ошиблась адресом, и
пойду спать с кем-то другим. Это происходит с нами
сейчас, и это же будет с нами дальше.

За годы до этого, когда мне было лет семь-восемь, а
Номи с Меиром еще жили в маленькой квартире мно-
госемейного муниципального дома, я однажды проснулся среди ночи от их громкого разговора.

Несколько минут спустя воцарилась тишина, дверь
спальни открылась, на стену коридора легла полоса
света, и Номи вышла из комнаты.

Я увидел ее. Она пересекла коридор, закрылась в ду-
шевой и открыла там кран, но ее всхлипывания были
слышны отчетливо и внятно, очень живые поверх, и
под, и внутри хлещущего шума.

Потом она вернулась в спальню. Свет из приот-
крытой двери высветил ее наготу — по диагонали, от
впадины над ключицей до золотистой дюны ее бедра — и, развернув, преподнес мне сияющий треугольник ее тела.

Я никогда никому не рассказывал об этой картине,
которая навсегда осталась во мне, но несколько лет назад, когда я спросил дядю Менахема, что он думает о
поисках сестры-близнеца, он сказал, что в этом есть
правда, но нет ничего нового, и об этом размышляли
уже в древности. Однако дело обстоит на самом деле
намного сложнее и проясняется нам, когда в этом уже
нет никакой пользы.

А Деревенский Папиш, презрительно фыркнув, сказал, что мужчины так уродливы, что ни у одного из них, — так он, во всяком случае, надеется, — нет сестры-близнеца. А потом добавил, что только безвыходность делает этих обезьян привлекательными для их напарниц.

Что же до Глобермана, то он расхохотался и сказал:

— Ну, Зейде, поздравляю, вот так оно и идет — поначалу все эти разговорчики про сестрицу-близнеца, потом ты ублажаешь себя рукой перед зеркалом, а чуток попозже захочешь, пожалуй, сесть на собственный шмок.

Но Яков, лежа, раненый и потрясенный, на грязном полу коровника, смотрел на свою возлюбленную. Охваченный волнением, он забыл, что она глуха на левое ухо, и истолковал ее озабоченность и недоумение как отвращение к той крови, что текла из его раны. Он вскочил и бросился к себе, а ворвавшись в дом, громко крикнул:

— Ривка! Ривка! Помоги мне! — но только эхо ответило ему, эхо пустых комнат, холодной половины постели, забытого инкубатора, в клетках которого остались одни лишь маленькие, высохшие трупики цыплят.

Только тогда до него дошло, что он уже много дней не видел жену, и он понял то, что давно уже знала вся деревня: что она ушла от него и больше он ее не увидит.

Он нащупал дорогу к поилке, отмыл брови, лоб и глаза от сульфамидного порошка и сгустков крови, потом сел перед маленьким зеркальцем для бритья, протер спиртом иголку и нитку, стиснул зубы и сшил рваные края своей раны. Нитка прожгла себе путь в его теле, края раны дергались под пальцами, пока не соединились, сблизившись друг с другом. Страшная боль пронизывала его, выворачивая суставы и выдавливая ручьи слез.

Отныне, решил он, лежа и дрожа в пустой постели посреди пустого дома, отныне он не будет тратить время на все эти утомительные разговоры, букеты, подарки, упреки, шутки и красивые слова, в которых он все равно не особенный умелец. Отныне он бросит вызов судьбе. Схватит ее за рога и подчинит своей воле — или пусть она забодает его насмерть.

— Теперь я хочу сказать тебе кое-что о судьбе, Зейде. Я буду рассказывать тебе про судьбу, а ты ешь и слушай. Там, у нас дома, был один богатый еврей, который любил играть с судьбой. Его звали Хаим, но все звали его: «Ле-Хаим», потому что он любил говорить «Лехаим» и сильно ударять бокалом о бокал. Глоберман делал «Лехаим» с твоей мамой деликатно, чтобы слышать, как звенит хрусталь, и говорил при этом: «Пусть уши госпожи Юдит тоже получат удовольствие». Но тот еврей делал свой «Лехаим» очень сильно, а после он слизывал кровь и вино со своих пальцев и с пальцев своей женщины, пока они не начинали оба таять от чувства. Такого человека, как этот «Ле-Хаим», я никогда не видел. Он когда-то пришел к нам в деревню, еврей лет шестидесяти, без жены, с двумя телегами и двумя детьми, и никто не знал, кто он, и что, и куда, и откуда. Денег у него было как воды в реке, и все его сундуки были набиты шелком и мехами. И он громко объявил, чтобы все слышали: «Когда я умру, мои малыши не будут просить милостыню. У каждого будет с чем начать жизнь».

И случилось то, что всегда случается, когда человек смешивает семью и деньги, — его дети выросли и начали ждать, когда он уже умрет, и этот «Ле-Хаим» начал ненавидеть своих детей, и он так сильно их возненавидел, что под конец решил бросить работу и потратить все свои деньги на самого себя, пока он еще жив, чтобы детям ничего не досталось. Вот так оно, Зейде, — когда человек сошел с ума, он уже не может остановиться. Самое большее — он может повернуть свое сумасшествие в другую сторону, но сумасшедшим он уже все равно останется. Этот еврей продал свой большой дом и самую красивую мебель, а себе оставил один маленький домик и двух лошадей, ездить на них с места на место, и одну служанку. Он рассчитал, что ему осталось еще семнадцать лет жизни, и прикинул, сколько денег ему нужно на одежду и на еду: столько-то кило мяса, и столько-то кило муки, и соли, и сахара, и столько-то литров вина, и столько-то поленьев, чтобы топить печь, и столько-то хрустальных рюмок, чтобы делать свой «Лехаим» с разными женщинами и порезать себе пальцы. Он все рассчитал до последней копейки, даже сколько выделить на тайные пожертвования для бедных[1], и на подношения для ребе[2], и на трапезы в субботы и праздники, и из тех семнадцати лет, что ему остались, не забыл вычесть те дни, когда ничего не едят, — пост Гедалии и Судного дня, и Десятое Тевет, и Таанит Эстер, и Семнадцатого Таммуза, и Девятого Ава,

[1] Пожертвования для бедных — обязательная заповедь в еврейской религиозной жизни.
[2] Во времена, когда у евреев отсутствовали центральные религиозные учреждения, раввины жили за счет подарков, которые делали им члены их общины.

а поскольку он был старшим сыном в своей семье, то еще и пост перед Песах. Ты вообще когда-нибудь слышал обо всех этих маленьких постах, а, Зейде? Все это вместе, семь постов в год за семнадцать лет, это дает на сто девятнадцать дней еды меньше, совсем немало денег и еще немного времени жизни. И он посчитал, сколько ему понадобится кусков мыла и других мелочей, потому что тут и там иногда отпадет пуговица с одежды и закатится бог знает куда, и приходится покупать новую, потому что тебе ничего не поможет, сколько бы ты ее ни искал. И еще он посчитал, во сколько ему обойдется кормить лошадей, и оставил деньги, чтобы купить новых лошадей, когда этих пошлют на живодерню, и даже нюхательный табак, и молоко для кошки, и зерна для птиц, — все он принял в расчет, этот «Ле-Хаим». Тогда его дети поняли, что он настроен очень серьезно, и подняли большой крик: «Отец ворует наше наследство!» И они пошли к раввину, но раввин сказал: «Ничего не поделаешь. Человек хозяин своим деньгам, и его воля должна быть уважена». Тогда сыновья сказали: «А что будет, если он проживет больше, чем у него денег? Он станет совсем старый и бедный, и это все свалится на нас». А «Ле-Хаим» сказал: «Я не проживу дольше. У меня все посчитано и измерено. Когда кончатся деньги, мне тоже придет конец, а когда мне придет конец, кончатся деньги». И чтобы застраховаться, он поехал в город Макаров и заказал себе там большие песочные часы, в которых было ровно столько песка и такое отверстие, чтобы хватило точно на семнадцать лет. Я помню, как эти часы привезли из города на телеге, обложенные досками и закутанные в вату. Внесли их во двор, и тогда «Ле-Хаим» увидел, что все сошлись посмотреть, и он поднял руку, он поднял, а потом опустил и крикнул: «*Ицт*! Теперь!» И тогда два специальных человека перевернули часы, чтобы все увидели, как время начнет идти к концу его жизни. Потому что чем эти песочные часы хороши, так это тем, что они показывают не время вокруг, а свое собственное время они показывают, и им все равно, что случилось раньше и что случится потом. И так много народа там собралось, и он так много говорил и хвастался своими расчетами, этот «Ле-Хаим», и своими песочными часами, и всеми теми деньгами, которые он себе оставил, и так долго рассказывал, как перед самым концом он будет сидеть перед этими часами и смотреть на последние песчинки своей жизни, как она уходит из тела, что по всей округе люди говорили только об этом. И в один прекрасный день, ровно через девять месяцев и одну неделю после того, как он бросил работу, и сидел на своем сундуке с деньгами, и ел себе селедку, и улыбался своему песку, вдруг вошли к нему в дом два бандита и одним махом разбили ему голову железным прутом, и эти песочные часы они тоже разбили, и все деньги забрали себе тоже одним махом. И все увидели, что «Ле-Хаим» был-таки прав: его время, и его деньги, и его жизнь кончились все вместе, одним махом, и, как он сам сказал, сыновьям ничего от него не осталось. Потому что если судьба задумала поиграть в какую-то игру, Зейде, то даже если это ты придумал эту игру, она сама устанавливает ее законы, наша судьба, и все ее правила. А судьба, и удача, и случай, чтобы ты знал, Зейде, они вовсе не там, где люди их ищут, в картах или в шеш-беш, совсем нет! Говорю тебе, Зейде, это все — в самой жизни. Поэтому я тебя заклинаю, никогда не играй в карты или в шеш-беш! Только в шахматы, потому что шеш-беш нам хватает и в жизни, когда кто-то выбрасывает очки, а мы должны делать ход. И карты нам тоже тасуют другие. Так совсем не нужно, чтобы это было еще и в игре.

11

Все это время Юдит продолжала терзать пустые сосцы Рахели, и в один прекрасный день то чудо, о котором говорил Блох, произошло и молоко действительно брызнуло. Вначале — редкими каплями, а потом струями, которые со дня на день становились все звончее.

— Все равно как настоящая дойная она не даст никогда, — сказал Моше.

— Главное, чтобы она оплатила ту еду, которую ты ей даешь, — ответила Юдит. — Ведь тебе именно это всего важнее, верно?

— И маленьких она никогда не родит, — угрюмо продолжал Моше.

А Глоберман, прослышав о молоке Рахели, отметил этот факт в своей записной книжке, но от надежд своих не отказался. Он знал, что Рабинович терпеть не может эту противоестественную корову, и по справедливости полагал, что Моше даже немного боится ее, а потому при каждом удобном случае снова напоминал ему о своем желании купить Рахель.

Умный был человек, и годы торговли наделили его тонким пониманием человеческой души. Он умел распознавать беспокойство и тревогу человека по мельчайшим подергиваниям шейных мышц, различал скрытую дрожь диафрагмы и, как по карте, читал по нахмуренному лбу.

Времена были тяжелые, и всякий раз, приходя к хозяину купить корову, Глоберман искоса поглядывал также на его детей. Он подмечал заплаты на их одежде и отмечал про себя, что носы изношенных детских ботинок срезаны ножом, чтобы старая обувь послужила растущему ребенку еще сезон. Он доставал из кармана коржики и оценивал, насколько жадно тянутся к нему детские руки.

— Смотри, — говорил он, бывало, — у вас тут говорят обо мне всякое разное, а что я делаю, если по правде сказать? Обыкновенный фокус-покус. Ты смотришь и видишь — вот стоит корова. Раз-два, фокус-покус, что теперь вместо коровы? Три бумажки по десять лир, вот что.

Теперь, когда надвигалась зима, Глоберман стал все чаще поговаривать о погоде, о непроходимой грязи в Долине и ой-ой-ой какие еще дожди и холода нас ждут в этом году, Рабинович, и ой-ой-ой во сколько тебе встанут куртки и сапоги для детей.

И о своих детях он говорил, о детях, которых никто никогда не видел и даже неизвестно было, существуют ли они на самом деле, но достаточно было ему упомянуть о «куртках для малышей», как на лбу крестьянина обозначалась хмурая забота. Глоберман замечал ее раньше, чем тот успевал ее почувствовать, и понимал, что время приспело и сейчас в самый раз достать узелок с деньгами, развязать его и пошелестеть бумажками.

Но Моше страшился гнева Юдит, а Юдит не переставала дергать вялое вымя Рахели, пытаясь разогреть ее до течки. По совету дяди Менахема она приносила ей сладкие рожки, подсластить ее обычную пищу, а по совету Шимшона Блоха бесстыдно гладила ее влажной теплой тряпкой по ягодицам и даже под хвостом — но, увы, напрасно.

— Приведи ее на несколько дней к Гордону, — предложил наконец Блох. — Пусть посмотрит на моего красавца — может, ей захочется тоже.

Когда они вдвоем пришли в его двор, Блох вышел из-под навеса — в своих резиновых сапогах, радостно улыбаясь.

— Ко мне или к быку? — спросил он самым невинным тоном.

Мама не сдержалась и улыбнулась.

— Шошана дома? — спросила она.

— Она в курятнике.

— Тогда я пойду на кухню и поставлю чайник.

Когда Шошана вернулась из курятника, на столе уже ждали две чашки чая.

— Ты видела, какие у нас замечательные цыплята? — спросила Шошана. — Мы купили у Шейнфельда его инкубатор. Он вдруг решил его продать.

Юдит промолчала.

— Тяжело ему, бедняге, с тех пор, как жена от него ушла.

Юдит помешивала чай. Ее взгляд был прикован к черным листочкам, кружившимся в чашке.

— А что у тебя слышно? — спросила Шошана Блох.

— Все в порядке, — ответила Юдит.

— Ты все еще в коровнике?

— Меня это устраивает.

— Это нехорошо для тебя, — сказала Шошана. —
И для Рабиновича это нехорошо. И для всей деревни. —
Она положила ладонь на руку мамы. — Это нехорошо,
Юдит. Ты уже не молодая девушка. Сколько еще ты бу-
дешь жить одна в коровнике?

— Меня это устраивает, — повторила Юдит.

— Сейчас ты еще сильная и здоровая. А что будет
через десять, через двадцать лет, а? А твое сердце,
Юдит? И твоя матка? Что будет с ними через десять
лет?

— *А нафка мина*, — сказала Юдит. — В моем сердце
пусто, а матка уже привыкла.

Она выпила еще чашку чая, обняла Рахель на прощанье за шею, сказала ей, что придет за ней через неделю, и пошла нанести короткий визит дяде Менахему.

Оттуда она вернулась домой — быстрыми, не даю-
щими задумываться, шагами.

12

Неделю Рахель оставалась с Гордоном, но так и не разо-
грелась. Один раз, правда, она попыталась перескочить
в его загон, и Блох, решив, что его план сработал, поспешил впустить ее туда. Но оказалось, что вовсе не к
любви рвалась Рахель. Она всего лишь хотела пободаться с Гордоном и действительно чуть не повалила
его на землю. Блоху удалось отогнать ее только с помощью холодной струи из шланга.

— Жалко времени и денег, — сказал он, возвращая
корову Юдит. — Эту твою девушку парни не интересуют. Забери ее домой и попробуй еще немного подоить.

Был зимний день. Дождя не было, но небо было сплошь затянуто серым расплющенным свинцом. Сильный запах растоптанной травы стлался за сапогами людей и копытами животных. В воздухе, то взмывая, то падая, парами носились раздраженные чибисы, элегантные и страшноватые на вид, в этих своих черно-белых нарядах, с их скрытыми кинжалами и с их резкими, хриплыми криками.

Они пересекли вади. Корова наглоталась воды и стала икать, сотрясаясь всем своим большим юношеским телом. Ее ноздри выдыхали пар в холодный воздух. Время от времени она осторожно толкала Юдит в бок или в спину, как будто вызывая ее пободаться, и Юдит отвечала ей похлопываниями по загривку, смеялась и бежала с ней рядом, но каменная тяжесть лежала у нее на сердце, и слезы, выдавленные холодом и тревогой, стояли в уголках ее глаз.

Вконец запыхавшись, они поравнялись с ореховыми деревьями Шейнфельда. Их голые ветки чернели тонким рисунком на сером полотнище неба, и темные комки вороньих гнезд казались кляксами краски, небрежно брошенными на небесную ткань. Сквозь деревья они увидели долговязую фигуру Глобермана, который шагал по дороге, громко и уверенно распевая.

Он тоже увидел их, замолчал, поднял палку и с размаху срубил фиолетовую головку чертополоха. Он улыбался, понимая, что теперь ничто не предотвратит их встречу.

Юдит, которая по той же причине пришла в ярость, замедлила шаги. Прежнее отвращение проснулось в ней. Вне рамок еженедельной выпивки в коровнике

Глоберман представлялся ей таким же опасным и циничным, как всегда.

Сойхер приблизился так, что их разделяла какая-нибудь дюжина шагов, остановился, стащил с головы грязную фуражку, прижал ее к груди и отвесил Юдит поклон.

— Госпожа Юдит... теленок Рахель... какая неожиданность... какая честь для бедного перекупщика!

— Ты что, выслеживал меня, Глоберман? Кто тебе сказал, что я здесь?

— Птица на хвосте принесла, — улыбнулся Глоберман. — Стоит госпоже Юдит выйти из деревни, как ветер утихает, птицы умолкают, а мужчины замирают...

Он вытащил из кармана небольшую коробочку и протянул ей:

— Тут маленький пустячок для тебя. Для двух твоих симпатичных ушек. *Ойрингелех фун голд*, маленькие сережки из чистого золота.

— Я никогда ничего у тебя не просила, и мне не нужны твои подарки, — сказала Юдит. — Я могу только выпить с тобой раз в неделю, и это все.

Рахель повернула толстую шею, захрапела и стала рыть землю копытом.

— Ни одна женщина не должна никогда ничего просить у Глобермана. Глоберман всегда знает сам, в себе и заранее, что какой женщине подходит, точка.

Он наклонился и протянул к ней руку с сережками, но Юдит не протянула руки их взять, и Глоберман улыбнулся, словно бы про себя:

— Куда направляется госпожа Юдит? Прогулять теленка?

— У нее течка.

— У нее течка? — насмешливо переспросил Глоберман. — У нее течка? У этой телки нет и никогда не
будет никакой течки. Посмотри на нее сама, госпожа
Юдит! У нее тело бычка, и *пуным* бычка, и *фиселех*
бычка. И лицо, и ноги. Не дай бог, придется-таки в конце
концов позвать Глобермана, а? И когда ее зарежут и рас-
кроют, ты увидишь, что у него внутри есть два яйца, как
у бычка.

Он подошел вплотную к Рахель, которая угрожающе опустила голову, но отступила назад.

— Она чует запах Глобермана, как старик чует запах
Ангела Смерти, — ухмыльнулся Сойхер. — Тебе приходилось когда-нибудь видеть старика за несколько дней
до смерти, госпожа Юдит? Как он не находит себе места, бродит по дому тихо, как мышь, нюхает в углах и не
спит? Посмотри на нее. Она чует сейчас что-то такое,
что мы не можем почувствовать. Знаки, которые мы не
можем понять. Так и старики перед смертью, они тоже,
как животные, хотят остаться одни, и так же женщины
за два-три дня до родов, когда они вдруг начинают убирать весь дом, и то же самое, когда чуют запах Ангела
Смерти.

И вдруг он сделал шаг вперед, протянул руку и провел ею по спине Рахели тем своим завораживающим
пощупыванием, которым всегда проверял толщину
мяса между позвонками и кожей.

От прикосновения его руки холодная дрожь пробежала по спинам обеих.

— Ой-ой-ой, это же самое лучшее мясо в мире! —
пропел Глоберман, и в голосе его послышалось вожде-
ление. — Нет в мире лучше мяса, чем мясо бесплодной
коровы. Но этого даже самые великие французские по-

вара не знают. Это знаем только мы, те, родившиеся на мясницкой колоде. И что только они не делают, эти тупицы в белых колпаках! И приправляют, и вымачивают, и ждут, и кормят своих животных всякой всячиной — я слышал, что в Японии этим несчастным *калбелех*, этим телятам, дают пиво, а во Франции так вообще делают им ванны из коньяка. И только одного они не знают, — где настоящее мясо для царского стола, точка! У бесплодной телки оно, у сестры-близнеца теленка, с телом мужчины и с запахом девочки, у которой никогда не будет течки, которую никто никогда не покроет и которая никогда никого не родит.

С востока приближалась большая стая скворцов, возвращавшихся с полей к своему ночлегу на больших деревьях возле водонапорной башни.

— Вот они, — сказала Юдит. — Значит, уже без четверти пять. Мне пора.

Как громадный диск, размером в четверть неба, летела стая и вдруг смешалась, разостлалась гигантской скатертью, перевернулась, выбросила побег, который потянул ее за собой, пока не растянул в широкую ленту, тут же свернувшуюся вокруг себя и вновь распластавшуюся, как огромный парус. Десятки тысяч крыльев и клювов подняли волну шума. Воздух задрожал и потемнел.

— Эту корову ты никогда не получишь, Глоберман, — сказала Юдит.

— Все коровы в конце концов попадают к перекупщику, — сказал Глоберман.

— Но не эта, — сказала Юдит. — Эта корова моя.

— Все мы твои, госпожа Юдит. — Глоберман нахлобучил фуражку и попятился, кланяясь. — Все мы твои, и

все мы в конце концов попадем каждый к своему перекупщику и каждый к своему мяснику.

13

— Так почему же я в нее влюбился? Ну, спроси, спроси
меня, Зейде, и я тебе отвечу. Потому что в нашей деревне работа — всегда одна и та же работа, и грязь всегда
одна и та же грязь, и пот всегда тот же самый, и молоко
с дождем такие же, и все всегда одно и то же, — так как
же мне было в нее не влюбиться? Каждый год одно и то
же. Снова ростки прорастают, и снова цветы расцветают, и опять хлеба, и опять молотьба, тут посадка, а там
прополка, и лето, и зима, и зима, и лето, и вдруг в таком
месте появляется женщина... и если ты еще спрашиваешь меня, почему я в нее влюбился, так я сам тебя спрошу: это жизнь для еврея? Взяли нас из синагоги, где все
время одни и те же молитвы и заповеди, и привезли в
Страну Израиля, в этот наш Кфар-Давид, а тут снова
все одно и то же, и я быстро понял, что главное здесь,
это что сегодня, вчера и завтра похожи, как родные
братья, и что я попался в ловушку, как птица. Ешь, Зейде, ешь, — чтобы слушать, не нужно останавливаться в
еде, этим она и хороша, еда, что можно есть и в то же
время слушать. Не то чтобы мне было тяжело работать,
и не то чтобы мне тяжело было ждать. Я, слава богу, работал с самого детства, и терпения у меня тоже хватит
на десять человек. Мы, Яковы, мы все, от праотца нашего Якова, умеем семь лет работать за любовь, и потом
еще семь лет, если надо. И нам все эти годы — это все
равно как несколько дней в наших глазах. И тот, кто

ждал любви, как я, у него достаточно терпения и для
лошадей, и для гусей, и для деревьев, и для дождя, а
главное — для времени. Потому что терпение для времени — это самое важное терпение. Не терпение одного человека к другому, или терпение в любви, или в работе, или в чем-нибудь еще, — а только терпение ко
времени. И к тому времени терпение, что идет по кругу, как времена в году, и к тому, которое идет по прямой, как наш возраст. Но здесь, у нас, ни апельсины никогда не появятся летом, ни петух никогда не снесет
яйцо, ни курица не снесет грушу. Самое большее, так
иногда станет немного теплее или иногда будет немного больше дождя. И наш Деревенский Папиш, с которым я никогда ни в чем не был согласен и который
думает про меня, что я дурак, а я про него думаю, что
он умный, и мы оба сильно ошибаемся, так этот Папиш через два года после того, как мы приехали сюда,
он уже тогда сказал — что тут происходит, друзья, что
это за жизнь? Сколько еще раз можно видеть каждый
год в тот же сезон на том же дереве те же самые желтые
лимоны? Как будто в шутку это было сказано, но на самом деле это очень грустно, то, что он сказал. Глоберман рассказал мне когда-то, как он видел в Нахалале
двух женщин, которые приехали в гости из города, и
они стояли возле загона для молодых бычков. Они себе стояли и смотрели, извини меня, туда, где у молодого бычка уже есть что увидеть. Стояли и смотрели, и
наконец одна из них открыла рот и спросила: «А что
они делают с молоком от этих бычков?» Ну, что ты скажешь на это, Зейде? А когда все вокруг перестали смеяться, вторая городская женщина хотела показать, насколько она таки да понимает, и она сказала своей по-

друге: «Дура ты, у них еще нет молока, у них вымя еще совсем маленькое, видишь?» Смешно, правда? Я вижу, что ты смеешься, так я хочу тебе на это что-то сказать, Зейде. Вот ты смеешься, но на самом деле эта история больше грустная, чем смешная. Потому что ты можешь целый день стоять на голове, а бычок все равно не даст молока. А еще бывает, что иногда какой-нибудь теленок рождается с двумя головами, или цыпленок с четырьмя ногами, и сразу поднимается шум и суматоха, и люди приезжают, и делают снимки, и спрашивают, как это, и что, и почему, а эти его четыре глаза уже закрываются, и две головы падают, и этот маленький несчастный теленок уже умер, и две его маленькие души — пуфф! и улетели, каждая из своей маленькой головы, и все люди, которые сбежались, тоже — пуфф! и разлетаются, и всё опять — пуфф! и спокойно возвращается на свое место, и точно так же всё, что было под солнцем, вот как я тебе сказал: пуфф! — и оно опять станет как было. А ты еще спрашиваешь меня, почему я в нее влюбился!

Хлопнула вторая дверца духовки, и на этот раз до меня донесся запах штруделя. Вот уже полчаса этот запах безуспешно добивался моего внимания, конкурируя с желанием слушать, а сейчас наконец с силой ворвался в пустоты моих ноздрей и завладел всеми моими чувствами.

Яков воткнул щепку в хрустящую корочку, вынул, облизнул ее и удовлетворенно причмокнул. Потом вытащил противень, с неожиданной ловкостью отделил выпечку тонкой сученой нитью и сдвинул на металлическую сетку.

Я ощутил дивный запах горящего рома, жженого сахара, лимонной корки, яблок и изюма.

— Видишь? — сказал Яков, — Пирог нужно остужать на сетке, а не в противне, тогда он не будет снизу сырой, как тряпка.

— Откуда ты все это знаешь? — спросил я.

— У меня был когда-то работник, это он научил меня всему.

На этот раз он жевал, издавая какой-то новый звук — звук зубного протеза. Он налил нам обоим что-то прозрачное и очень сильное, со вкусом груш. А потом сказал, что устал и чтоб я не трогал посуду.

— Завтра придет женщина, Зейде, она все уберет.

Он лег, почти свалился на кровать.

— О чем ты думаешь, Яков? — спросил я.

— О свадьбе. — Его голос задрожал. — О браке. О том, как правильно подобрать одно к другому — еду и желудок, тело и душу, чтобы они могли ужиться друг с другом. Ведь телу с душой, Зейде, куда труднее ужиться, чем мужчине с женщиной. Тут даже развестись нельзя, только покончить с собой можно, но какой тогда в этом прок? Тело и душа должны уметь расти вместе и стареть вместе, и тогда они вместе будут как две старые несчастные птицы в одной клетке, у которых уже нет никакой силы в крыльях, у обеих. Тело уже ослабело и клонится вниз, душа уже забывает и раскаивается, а убежать друг от друга тоже нельзя, и все, что им остается, это уметь прощать. Это та мудрость, которая остается, когда со всеми другими умничаньями уже покончено, — уметь прощать друг другу. Если не кому-то другому, то хотя бы самому себе. Душа своему телу, а тело своей душе.

Он вздохнул и умолк. Я сидел в кресле возле него и не мог понять, заговорит он снова или уже заснул.

Яков лежал на спине, подложив руку под голову. К моему изумлению, вторая его рука неожиданно поползла внутрь брюк, на ту глубину, в которой невозможно ошибиться. Заметив мой взгляд, он смутился и вытащил ее оттуда, но через несколько минут она снова прокралась обратно, словно наделенная собственной волей.

Мы оба ощутили неловкость, и Яков сказал:

— Смотри, Зейде, мне так приятней лежать, и ты, пожалуйста, не обижайся, но так мы с ним утешаем и поддерживаем друг друга. Мы уже оба совсем слабые и старые и теперь получаем удовольствие только от воспоминаний. Сколько уже друзей остается у человека в таком возрасте?

И мы оба засмеялись.

— Посмотри на нее, — сказал он, на миг задремав, но тотчас проснувшись, едва я стал подниматься из кресла. — Иногда я смотрю на этот красивый портрет и не могу вспомнить, кто эта женщина. Уже и на простынях нет ее запаха, и ее кожа давно не прикасается к моей, и памяти о ней не осталось у меня ни в сердце, ни даже в голове. И когда я говорю: «Ривка Шварц» или «Ривка Шейнфельд», — я тут же поправляю себя внутри: «Ривка Грин». Все, что она хотела, он сделал для нее, этот английский Грин. Забрал ее, вернулся с ней, купил ей этот дом и после сразу умер, потому она хотела остаться одна. У себя в Англии он был важная фигура, наполовину лорд, но в этой истории он был как артист с очень маленькой ролью. Его роль кончилась, и он ушел себе без всяких претензий. В каждом представлении у артиста есть одна какая-то роль, у кого больше, у кого меньше. Но в жизни мы участвуем сразу во многих представлениях, и у нас есть сразу несколько ролей. Если кто-нибудь сделает, к примеру, пьесу про жизнь Деревенского Папиша или Моше Рабиновича, у меня там будет очень маленькая роль, но если кто-нибудь сделает пьесу про жизнь твоей матери, там у меня, наверно, будет роль побольше, правда? И можно даже получить самую главную роль, если это будет пьеса о твоей жизни. Никогда, Зейде, не давай кому-то другому получить главную роль в пьесе твоей жизни, как позволил я.

— Как он жил с ней? После того, как отказался от нее раньше? — удивленно спросил я. — Не могу понять.

— Я не слышу! — крикнул Одед сквозь шум мотора. — Что ты сказал, Зейде? — И когда я выкрикнул свой вопрос, засмеялся: — Не будь ребенком, что тут непонятного? Что же ему еще оставалось делать, когда все его канарейки разлетелись и твоя мать отказалась выйти за него замуж? А в Тивоне его ждала красивая комната, хорошая еда, и одежда ее английского мужа тоже оказалась ему в самый раз. Тут тебе и уборщица, чтобы за ним убирать, и сиделка, чтобы подтирать ему задницу, и таксист, чтобы отвезти его по первому слову, когда ему вздумается посидеть на нашей автобусной остановке, и чтобы ждать его там, пока он кончит лопотать свои «заходите, заходите», и в кухне у него висит красивый портрет его жены, а возле кровати висит красивый портрет твоей матери. Так чем ему плохо?

— И Ривка согласилась на все это? — сказал я. — И на то, что он любит другую женщину?

— Любит другую?! Ну и что?! — крикнул Одед. — Пусть себе любит, кого хочет. Та все равно умерла, а эта жива. Какая разница, кого он любит, — главное, с кем он спит!

Он заглушил мотор. Раздался громкий натруженный выдох, и следом за этим выползла огромная ящерица тишины.

— Когда видишь, что твой конец близок, у тебя появляются другие мысли! — разрезал эту тишину крик Одеда.

Но Яков не видел, что его конец близок, и у него не было других мыслей, и любовь не исчезла ни из его тела, ни из его души.

— Теперь им наконец хорошо вместе, — сказал он мне, и его рука медленно двигалась внутри брюк, радуя и прощая, проверяя и утешая. — Теперь душа и тело хорошо узнали друг друга. Я знаю, где болит у него, а оно знает, где болит у меня.

14

Каждое утро он отправлялся к своим канарейкам, менял им воду и подстилки, готовил смесь из зелени и фруктов, кунжутных семян и свеклы, желтков и яичной скорлупы, давал мак нервным, гашиш мрачным и мед охрипшим.

— Сказать тебе правду? — спросил он меня. — Я совсем не так уж любил их пение. В мире есть птицы, которые поют намного-намного красивее.

Любил он на самом деле рутину своей работы, и одиночество, и покой, и то, что эта забота о птицах каждый день возобновлялась заново, да еще те свои желтые записки, которые продолжал развешивать на каждом деревенском углу.

И поскольку записки эти были открыты любому взгляду, а их цвет выделялся и бросался в глаза, и слова в них были простые и откровенные, жители деревни с интересом читали их и живо обсуждали, и вскоре на деревенской доске объявлений стали появляться их собственные записки — анонимные листки, вырванные из школьных тетрадей или блокнотов, обрывки пахнущей апельсинами упаковочной бумаги, грубые куски картона, оторванные от коробки с молочным порошком руками, которые жаждали написать и высказаться. Поначалу — по поводу любви Якова к Юдит, а затем — по поводу любви вообще.

В конце концов деревенскому комитету пришлось установить новую доску возле старой, потому что старая тем временем заполнилась таким множеством банальностей и пустословия, что деловые объявления секретаря комитета, киномеханика, председателя комиссии по образованию и ответственного за посевную совершенно потонули в этом бумажном море.

Новая доска была отведена исключительно под обсуждение вопроса о Якове и Юдит, и теперь возле нее всегда можно было увидеть людей, которые спорили, смеялись, обменивались мнениями, изрекали непререкаемые суждения по поводу любви или просто вздыхали.

И однажды вечером Деревенский Папиш пришел в коровник Моше Рабиновича и сказал Юдит:

— Ты не обязана принимать его ухаживания, но, как любая порядочная женщина в таких случаях, ты должна встретиться с ним, поговорить о том, о сем и объяснить ему все, что нужно.

Юдит поспешила повернуться к нему своим глухим ухом, но выражение «порядочная женщина» тотчас выбралось оттуда, обошло вокруг и ворвалось в ее сознание через то ухо, которое слышало.

Ее лицо помертвело.

— Я порядочная женщина, — сказала она грозно. — И я не виновата, что этот человек спятил. Я порядочная женщина. Разве это я у него просила, чтобы он меня любил? Это я развела его с женой?

— В таких вещах, Юдит, логика бессильна, — ответил Деревенский Папиш. — Сейчас это еще вопрос вежливости, но через пару недель речь уже пойдет, не дай бог, о спасении жизни.

— Перестань приставать к Юдит, Шейнфельд! — предупредил Якова Моше Рабинович. — Она приехала сюда работать, а не читать твои дурости.

Статьи в деревенском листке и объявления на доске комитета его не тревожили, но желтые записки набрасывались на него с каждого забора и кололи ему глаза. Его тяжелые кулаки сжимались от бессильной ярости, кожа на лбу дрожала от гнева и покрывалась морщинами. Одна такая желтая записка появилась прямо у него во дворе, прибитая к стволу эвкалипта, но Моше даже не стал ее читать — ему было достаточно места ее появления и цвета. Он сорвал ее, бросился во двор Якоби и Якубы, толкнул дверь пристройки обеими своими тяжелыми, короткими и толстыми руками, и та сорвалась с петель и рухнула на землю.

Канарейки пришли в ужас. Они начали метаться и колотиться в своих клетках, их крики и перья взметнулись в воздух, и Яков, повернув к Моше чистый, невинный взгляд, сказал ему: «Успокойся, Рабинович, ты пугаешь этих несчастных птичек».

Моше застыл от удивления. Яков успокоил канареек и, поскольку знал, что они могут охрипнуть от громких криков, принялся готовить им успокаивающую смесь из лимонного сока и меда. Моше в смущении поспешил вернуть дверь на ее место, а когда он ушел, Яков побрился и помылся, сменил одежду и вышел на очередное свое свидание — одно из тех, на которые Юдит никогда не приходила, так что все они заканчивались на «ха».

15

Все то время, несмотря на спор из-за Рахели и те резкие слова, которыми они обменялись в поле, Юдит и Глоберман продолжали встречаться раз в неделю на часок-другой, поговорить и выпить по рюмке.

Глоберман оставил в коровнике свою бутылку и рюмки, и однажды, когда Юдит сказала ему, что пьет из этой бутылки только в его обществе, его сердце вдруг обдало непривычным жаром.

— Это наша бутылка, — сказал он мягко. — Только для нас двоих. Выпьем, чтобы нам было хорошо, госпожа Юдит!

— Чтобы всем было хорошо, Глоберман, — сказала она.

— Хочешь, я расскажу тебе о своем отце?

— Рассказывай о чем хочешь.

— Всему, что я знаю, я научился у моего отца, — сказал Глоберман. — И прежде всего самому важному правилу для человека, который торгует мясом, — что принципы — это одно, а барыши — это другое, и их нельзя класть вместе в одну корзину.

— Это я уже заметила, Глоберман, — сказала Юдит.

— Отец научил меня, как покупать корову, как проверять, торговаться, обманывать и выигрывать. Когда мне было десять лет, он уже посылал меня спать в коровнике у хозяина коровы, проследить, не дает ли он ей соль, чтобы она много пила перед взвешиванием, и не делает ли он деньги из ее дерьма. Ты знаешь, как делают деньги из дерьма, госпожа Юдит? Дают корове в ночь перед взвешиванием что-нибудь для запора, и тогда все дерьмо остается у нее в животе и взвешивается как мясо.

Старый Глоберман покупал скот у арабов из Кастины и Газы.

— У него было большое дело. Он продавал мясо для турецкой армии, а потом для английской. Как-то раз он купил у шейха из Газы двадцать — тридцать голов сразу, дал ему задаток, а остальное, сказал, отдаст, как только все коровы благополучно прибудут на место. У этого шейха был пастух, совсем тупой парень, который приводил к отцу коров из Газы в Яффо, вдоль берега моря. Каждый раз он брал по пять коров, чтобы не потерять сразу все стадо, если случится наводнение, или нападут дикие животные, или, не дай бог, грабители.

Когда он привел первую партию, старый Глоберман встретил его с большим почетом, дал ему напиться, пригласил за стол и предусмотрительно положил рядом с тарелкой маленькую бутылку охлажденного ливанского арака.

— А это что? — с детским простодушием подивился пастух, прикоснувшись опытным и жаждущим пальцем к маленьким каплям росы, сгустившимся на донышке бутылки.

— Холодная вода, — ответил старый Глоберман, который хорошо знал силу религиозных запретов и слабость веры своего гостя.

Он щедро налил ему в стакан, и тот чуть не задохнулся от жгучей резкости напитка.

— Хорошая вода, — простонал он от наслаждения.

— Из нашего колодца, — сказал старый Глоберман.

— Хороший колодец, — сказал пастух.

— На здоровье. — Старый Глоберман прикоснулся ладонью к своему лбу. — *Ашраб*, выпей еще немного, *йа-сахаби*, ты ведь не пил всю дорогу, друг мой.

Он бросил в стакан гостя кусочки льда, подал ему маслины, очищенные огурцы и пучки свежей петрушки, и поджарил в *кануне*, на углях померанцевого дерева, куски мяса, а когда они кончили есть, и пить, и стонать от вкуса хорошей воды, старый Глоберман взял обуглившуюся головню и провел ею на стене своей лавки пять вертикальных линий и одну горизонтальную, которая их пересекла.

— Это те пять коров, которые ты привел сегодня, *хабиби*[1], — сказал он пастуху. — А теперь иди и приводи еще пять. И мы снова отведаем мяса, и выпьем еще немного хорошей воды из нашего колодца, и напишем

---

[1] Дорогой мой (*араб.*).

еще пять на этой стене. Так ты приведешь сюда всех своих коров, а в последний раз придет с тобой также уважаемый господин шейх, увидит все своими глазами и сам сделает расчет.

Они погрузили ладони в пепел и потом отпечатали их на стене, чтобы подтвердить счет коровам, после чего пастух попрощался с торговцем со словами благодарности и пожеланиями здоровья, сделал последний глоток перед дорогой и отправился назад в Газу.

Неделю спустя он пришел со второй партией коров, снова поел и выпил, и старый Глоберман провел еще пять угольных линий на стене лавки, и они опять подтвердили правильность счета пепельными отпечатками своих ладоней.

С последними пятью коровами пришел и шейх, владелец всего стада, получить свои деньги, и обнаружил — в этом месте Глоберман посмотрел на Юдит, похлопал по сапогам своей палкой и затрясся от сдавленного хохота, — и обнаружил ужасную вещь.

— Ну, скажи сама, госпожа Юдит, — подмигнул он. — Что, по-твоему, он обнаружил?

— Что?

— Что накануне отец побелил лавку... Три слоя побелки поверх всех линий, и подписей, и всего остального, и теперь попробуй поспорь с человеком, который родился на мясницкой колоде, сколько коров он уже получил! — И Глоберман наконец взорвался громовым смехом.

Юдит глотнула из своей рюмки и улыбнулась. Она развязала голубую косынку, и ее волосы рассыпались по плечам.

Снаружи потянул вечерний ветерок. Шелест эвкалипта усилился, и Глоберман понял, что еще немного — и госпожа Юдит поднимется и скажет: «Ну, Глоберман, уже половина пятого, мне пора на работу». Он встал, надел шляпу и приложил пальцы правой руки к ее полям в знак прощанья.

— Я лучше уйду сейчас, чтобы тебе не пришлось выпроваживать меня потом, — сказал он. — А другую историю я расскажу тебе в следующий раз.

Он вышел во двор, радуясь, что сумел поговорить с ней, ни разу не сказав «точка», и крикнул:

— Одед! Одед! — чтобы тот помог ему вывести пикап на дорогу.

— Если бы не наш эвкалипт, он так бы и въезжал с разгона прямо в гусятник Деревенского Папиша, — сказала Номи. — Посмотри, сколько вмятин он оставил на коре.

Порой я смотрю на этот покрытый шрамами гигантский пень, который раньше был могучим деревом, укрывавшим в своей шумной кроне вороньи гнезда: вон там, в развилке, маленький Одед когда-то соорудил себе место для ночлега, здесь пикап Глобермана с налету тормознул о древесное тело, в том вот месте Яков прибил свою любовную записку, а тут неподалеку сидит сейчас Моше Рабинович и разгибает руками гвозди, — и мое воображение заново наращивает обрубленное прошлое этого великана. Молодые побеги снова выстреливают во все стороны, постепенно утолщаясь и ветвясь, снова шелестит листва и удлиняются ветки, и вот уже опять слышится то жуткое скрежещущее предвестие, и я наклоняю голову в ожидании грозного треска разламывающейся древесины, рева падения, ужасного удара, и ничто не пробуждает меня от этого кошмара и не освобождает меня от ее смерти.

Лучше бы он выкорчевал и сжег этот пень, чтобы не торчал здесь как могильный камень. Но Моше любит этот обрубок, этот памятник своей мести, как он любит свой валун, свидетельство своей силы. Иногда он подходит к огромному камню и дружелюбно, как старого, знакомого врага, похлопывает по нему рукой, а в конце лета и в осенние дни, когда холодный послеполуденный ветер тянет с вершины Кармельского хребта и насквозь продувает сеновалы, он обязательно приходит к обрубку эвкалипта, обрывает сильной рукой все, даже самые маленькие побеги, появившиеся по краям среза, и снова напоминает пню, что это его наказание: «Умереть ты не умрешь, но расти ты больше не будешь».

Потом он усаживается на пень и принимается за работу. Деревянная доска лежит у него на коленях, и на ней кучка кривых гвоздей. И вскоре рядом уже начинает подниматься кучка выпрямленных гвоздей, и по мере уменьшения первой вторая все растет и растет.

Совсем старый человек. Всегда задыхается, и лицо вечно багровое, как будто от невидимого усилия. Сенильность кривит его губы, придавая ему вид ребенка, уму которого мир представляется чем-то непостижимо сложным. Но тоска по отрезанной косе все еще томит его сердце, и страшная сила все еще клокочет в его мышцах, и, хотя я знаю его уже много лет, мне по-прежнему хочется протереть глаза, когда я вижу, как он выпрямляет гвозди в своих грубых пальцах, как если бы то была простая железная проволока.

— Это его успокаивает, — говорит Одед.

Закончив выпрямлять гвозди, он до блеска надраивает их морским песком и отработанным машинным маслом. И когда они начинают сверкать, как новые, на его лице появляется довольная улыбка.

— Ему всегда нравились блестящие вещи, — рассказывал дядя Менахем, — и дома, будучи еще маленькой девочкой, он то и дело стыдливо приподымал подол платья, которое надевала на него мать, становился на колени и точными ударами молотка загонял гвозди в деревянный пол дома. Мать, которую волновала сохранность пола, тем не менее помнила, что у девочек бывают влечения, которые нельзя подавлять, и поэтому в конце концов начертила в углу кухни квадрат, метр на метр, и разрешила Моше забивать свои гвозди только в этом месте. По прошествии считанных недель весь квадрат уже был покрыт плотными рядами металлических шляпок, начищенных и сверкающих, как стекло. Он был очень симпатичной девочкой, — завершил свой рассказ дядя Менахем. — А мальчик, который в детстве был девочкой, носил платье и имел косу, запросто побьет потом в любовном состязании любого мужчину.

16

В один прекрасный день тетя Батшева вдруг появилась в нашем дворе, чуть не бегом отмахав несколько километров через поля, — белое от гнева лицо, черное от траура платье. Вид ее был таким непривычным и странным, что нашим деревенским недостаточно показалось мельком увидеть ее через окно — они повыскакивали наружу и последовали за ней.

— Что с тобой?! — испуганно бросился Моше к не-
вестке. — Почему ты в черном?!

— Это одежда вдовы! — объявила тетя Батшева. —
Ты что, не видишь?! Менахем умер, и теперь я вдова.

— Как это — умер?! — завопил Моше. — Что ты не-
сешь?! Ты что, спятила?!

С бьющимся сердцем вскочил он в седло и погнал в
соседнюю деревню. Брат вышел к нему навстречу как
ни в чем не бывало, здоровый и невредимый, вытер его
лошадь от пота, проследил, чтобы она не пила слишком
много после скачки, и налил кружку самому Моше.
А потом поведал, что и впрямь иногда изменял жене, но
Батшева, несмотря на всю свою ревность, подозритель-
ность и слежку, так и не сумела ни разу поймать его на
горячем.

— Это была ошибка с моей стороны, — каялся Менахем. — Нужно было дать ей шанс хоть разок поймать
меня с какой-нибудь «*курве*», а еще лучше — сразу с па-
рочкой, — она бы вмиг успокоилась. Если у женщины
есть подозрения, но нет доказательств, она вполне может сойти с ума.

Однажды Батшева допытывала его так долго, что он
в конце концов сломался и признал, что да, он часто
встречается с «*курве*».

— Где? — возопила Батшева.

— В моих снах, — сказал Менахем и расхохотался.

Он думал, что она засмеется тоже, потому что сны —
это законное и признанное убежище, и даже самые дес-
потичные тираны не имеют над ними власти, но Батшева подняла такой крик, что ему опротивели и она сама,
и ее ревность, и на этот раз он предпринял неожиданный по дерзости акт возмездия — начал встречаться со

своими «*курве*» в самом оскорбительном для жены месте — в ее собственных снах.

— Ты не оставила мне выбора, — улыбнулся он, когда она обвинила его в садизме. — Разреши мне встречаться с ними в моих снах, и мы уйдем из твоих.

— Через мой труп! — отрезала Батшева и в последующие дни убедилась, что ее сны начали подбрасывать мужу не только всё новые места свиданий, но и все новых «*курве*» для удовлетворения его небывалого распутства.

Она попробовала не спать, но неугомонный муж расширил свою пылкую деятельность и начал изменять ей также во снах наяву. И на этот раз — она видела это с полной ясностью, потому что во снах наяву все освещено ярким дневным светом, — он изменял ей также с Шошаной Блох, одной из немногих женщин, которых она никогда не подозревала.

— Я видела тебя с курвой Блоха! — вскричала она.

— Ну-ну, интересно, и что же мы с ней делали? — изобразил удивление дядя Менахем, а когда Батшева, набрав полную грудь воздуха, собралась открыть рот, мягко прикрыл его рукой и попросил: — Только рассказывай, пожалуйста, медленно-медленно, чтобы я тоже получил удовольствие.

Батшева выбежала из дома, посмотрела вверх, прямо на солнце, и с силой поморгала, но поскольку и это не помогло ей избавиться от стоявшей в ее глазах пары мерзких распутников, поехала с ними автобусом в Хайфу. Там она зашла в магазин одежды Куперштока и попросила черное платье.

— Когда ваш муж отошел? — сочувственно спросил продавец.

— Никуда он не отошел. Это я от него отошла, — заявила Батшева.

— Не понял, — сказал продавец.

— Для меня он умер, и я хочу платье для вдовы! — объявила Батшева. — Что тут непонятного?

Платье оказалось ей очень к лицу и доставило большое удовольствие. Она вернулась трехчасовым автобусом, сошла в центре деревни, постаралась продемонстрировать свой черный наряд всем и каждому и, наконец, проделав долгий путь с остановками у всех соседок, явилась в рожковую рощу мужа.

Менахем, по-прежнему источая изобличающий запах семени, подрезал в это время засохшие ветви на одной из крон и внезапно увидел свою вдову, стоящую под деревом.

Она подняла на него глаза, покрутилась туда-сюда и спросила ядовитым голосом:

— Мне идет?

— Очень, — улыбнулся Менахем, внезапно ощутив страстное влечение к этой симпатичной вдовушке, закутанной в траур и ярость. Он спустился с дерева, пылая желанием тут же уложить ее на землю, задрать юбку, раздвинуть и целовать белизну ее бедер под черным покровом.

Но Батшева отпрянула и подняла ужасный крик.

— Ты для меня умер! — визжала она. — Ты сам и все твои *курве*! И пусть все увидят меня в этом платье и будут знать, что всё, нет больше Менахема, Менахем умер, и жена его овдовела!

Так она кричала весь день без перерыва, продолжая ходить за ним и кричать повсюду, даже в доме, а между тем Яков Шейнфельд, поглощенный своими сердечными делами и ничего обо всем этом не зная, как раз в ту неделю приехал к Менахему, чтобы посоветоваться с ним насчет Юдит, и увидел, как Батшева бушует во дворе своего дома.

— Что случилось?! — испуганно спросил он.

— Он умер! — выкрикнула Батшева. — Ты что, не понимаешь, что значит, когда кто-то умирает?! Ты не знаешь, когда женщина надевает черное платье?!

Но в эту минуту покойник выглянул из окна и знаками показал Якову, что встретит его на сеновале.

— Ну, что ты скажешь? — спросил он.

— Может, мне прийти в другой раз? — извинился Яков.

— Нет, нет, — сказал Менахем. — Сейчас самое время для обсуждения вопросов любви.

Яков рассказал ему обо всех своих стараниях и ухищрениях, показал несколько желтых записок и пожаловался, что Юдит встречается с Глоберманом, слушает его истории и пьет с ним коньяк.

Менахем посмеялся, потом помрачнел и наконец воспылал нетерпением.

— Ты занимаешься мелочами, Шейнфельд, — сказал он гостю. — Разве это любовь? Пара *цеталех* и пара *фейгалех*? Несколько записочек и несколько птичек? Слушай меня хорошенько! Слушай и запоминай, потому что больше я говорить не буду. В большой любви помогают только большие планы. И на большую любовь могут повлиять только большие дела. А теперь извини меня, Шейнфельд, моя жена сидит по мне траур[1], и мне пора пойти утешить ее.

---

[1] По еврейскому обычаю ближайшие родственники все семь дней траура не выходят из дома и сидят на полу.

17

Много воды утекло с тех дней. Многое из того, что свершилось в ту пору, и те страсти, что бушевали тогда на улицах деревни, давно уже забыты. И шрам на лбу Якова, что раньше пламенел, как раскаленная нить, тоже побледнел с годами. Видно, он удачно зашил себе рану, и теперь этот шрам становился заметен лишь в те минуты, когда лицо Якова багровело от прихлынувших воспоминаний, тогда как шрам по-прежнему оставался бледным.

Так или иначе, но Яков решился на большое дело. В конце августа 1937 года, в один из пылающих дней месяца Элуля, уже под вечер, по всей деревне вдруг разнеслось очень громкое и взволнованное пение канареек, и прежде, чем люди успели понять, что оно доносится не изнутри, а снаружи пристройки, эти звуки уже переместились и пересекли главную улицу.

Все бросились наружу и узрели Якова Шейнфельда, который вел телегу, нагруженную четырьмя большими клетками с канарейками, прямиком ко двору Моше Рабиновича.

Люди один за другим потянулись следом, и вскоре его уже сопровождала молчаливая процессия, которая все разрасталась по мере движения телеги вдоль улицы.

Яков довел лошадь до самого коровника и позвал:
— Юдит!

Все вокруг было освещено теплым и пыльным сумеречным светом уходящего лета. То было время, когда на деревьях уже наливаются ранние гранаты, и набухшее в них томление с силой взрывает спелую кожуру. Время, когда горлицы медленно роняют кольчатые переливы своих голосов из темной глубины кипарисов. На вершине огромного эвкалипта собирались на свою ежедневную встречу вороны. Внутри коровника Юдит полоскала бидоны, а Моше Рабинович накладывал корм в кормушки в преддверии вечерней дойки.

— Он пришел к тебе, — сказал Моше.

Юдит не ответила.

— Выйди к нему. Мне не нужна здесь эта пьявка.

Номи утверждает, что он ревновал маму, но я думаю, что ему осточертели ухаживания Шейнфельда и он не мог больше выносить его приторную и дряблую навязчивость.

Он ощущал гнев и усталость и знал, что если выйдет к Якову или тот войдет в коровник, это не кончится добром.

Юдит выпрямилась над ведром, сняла голубую косынку, вытерла ею лоб и руки и вышла из коровника.

— Чего тебе? — крикнула она. — Чего ты хочешь от меня и от этих несчастных птиц?

И тут произошло то, что никогда не сотрется из людской памяти, и лучшим доказательством этого является тот факт, что даже люди, которые не были тому свидетелями, хорошо о нем помнят.

Яков схватил веревку, хитроумно обмотанную вокруг всех четырех засовов, и торжественно поднял руку.

— Это тебе, Юдит! — крикнул он.

Потом дернул за веревку, и четыре дверцы распахнулись разом.

Юдит потрясенно застыла.

И Моше, стоявший за стеной коровника, застыл тоже.

И Яков, который до последней минуты не верил, что сделает это, тоже застыл.

Наступила полнейшая тишина. Люди потеряли дар речи, как это всегда бывает при виде величайшего акта самоотверженности или самоотречения. Домашние и дикие животные онемели, увидев, как стирается граница между свободой и рабством. А ветер мгновенно затих, словно хотел освободить место многокрылой желтизне, которая должна была вот-вот заполнить воздух.

Канарейки, которые, конечно, догадывались о предстоящем большом событии уже с той минуты, когда их клетки были перенесены на телегу, тоже застыли от удивления и на миг замолчали, но тут же пришли в себя, и когда Яков снова крикнул: «Это тебе, Юдит!» — тишина, наступившая вслед за его криком, внезапно взорвалась восторженным желтым шумом тысяч ликующих крыльев, взмывших к свободе.

Толпа охнула в один голос, и Юдит, обманутая и рассерженная Юдит, почувствовала, как чья-то странная и сильная рука стиснула ее сердце.

— Теперь у тебя больше не будет канареек, Яков, — сказала она. — Жаль.

Яков слез с телеги и подошел к ней.

— У меня будешь ты, — сказал он.

— Нет, не буду! — Она отступила на шаг.

— Будешь, — сказал Яков. — Вот, ты уже только что в первый раз назвала меня Яков.

— Ты ошибся, Шейнфельд, — сказала Юдит, подчеркнув последнее слово.

Но Яков был прав. Это был первый раз, что она назвала его «Яковом», а не «Шейнфельдом», как обычно, и вкус его имени у нее на губах был как вкус горького миндаля, — непривычный и раздражающе-терпкий.

— Это ты делаешь ошибку, Юдит, — сказал Яков, дрожа и понимая, что его видит и слышит вся деревня. — После этих несчастных птиц я не могу дать тебе ничего большего, у меня только душа моя и осталась.

— И твоя душа мне тоже не нужна.

Она повернулась и скрылась в коровнике, и Яков, который уже знал ее привычки и понимал, что она больше не выйдет, взял лошадь под уздцы, развернул пустую телегу и направился к себе домой.

Моше Рабинович прервал дойку, распрямился и оперся спиной о стену.

— Ну что ж, Юдит, — сказал он наконец. — Может, теперь ты согласишься свидеться с ним.

— Почему вдруг? — спросила она удивленно.

— Потому что после такого дела ему остается только повеситься. Что еще остается человеку, который ради любви отдал свою честь, и труд, и имущество, и все-все? Он ничего себе не оставил.

Сам того не зная, он говорил с тем сочувствием, которое испытывают друг к другу двое мужчин, борющиеся за сердце одной и той же женщины, и к горлу Юдит подступила легкая тошнота.

— Не беспокойся за него, — сказала она. — Из-за любви к женщине не вешаются. Вешаются только из любви к себе.

— Сколько ты знаешь таких мужчин, которые сделали бы ради женщины то, что он?

— А сколько ты знаешь женщин, которым нравятся такие самоистязатели? — спросила Юдит. — И сколько женщин ты вообще знаешь, Рабинович? И с каких это пор ты стал такой участливый? И вообще — чего ты суешь свой нос в чужие дела? Я всего лишь твоя работница. Если ты хочешь что-то сказать, так говори о молоке, которое я для тебя дою, и о еде, которую я готовлю. И все.

Люди долго еще толпились во дворе и лишь по прошествии доброго часа стали постепенно расходиться, как будто отстояли на похоронах. Разговоры умолкли. Пыль улеглась. И предчувствие неминуемой беды повисло в воздухе.

18

— Когда я был мальчишкой, — рассказывал мне Одед, — отец, бывало, сидел по ночам и надраивал позеленевшие монеты, пока они не начинали сверкать, как золотые, и я все боялся, что вороны обезумеют и разобьют окна, чтобы их украсть. Странно, что тебе до сих пор не попалась в их гнездах такая монета.

— Они не прячут блестящие предметы в гнездах, — сказал я. — Они зарывают их в землю.

Его левая, более загорелая рука лежит на руле. Правая пляшет между переключателем скоростей и многочисленными кнопками и рукоятками. Время от времени она поднимается, чтобы объяснить или подчеркнуть что-нибудь.

Его раскрасневшееся лицо блестит, серая майка прилипла к складкам живота, безволосые ноги в сандалиях — на деревянных пластинах педалей.

— На старом грузовике, чтобы рулить, нужны были стальные руки. Сейчас, с усилителями руля, и гидрав-

лическим сиденьем, и ретардером, и полуавтоматом, и
прочими шикарными штучками, все мои усилия — это
стукнуть ночью рукой по будильнику, — сообщил он
мне и сам взорвался смехом. — Я как-то сказал Дине:
«Давай махнем в Америку, возьмем себе от нашего по-
луприцепа одну только лошадку, без телеги, самую
большую лошадку — с двойной кабиной для спанья, с
холодильником, с вентилятором, и радио, и душем, и
всеми прочими штучками, которые они там напридумы-
вали. Такая лошадка, если отцепить от нее прицеп,
она просто поет, как гитара, это самая лучшая, самая
удобная и самая мощная машина в мире. И гулять в ней
по Америке, Зейде, и смотреть на все вокруг сверху, из
кабины, — что может быть лучше? Едешь себе милю за
милей, леса мелькают, и пустыни, и поля, и горы, а когда ты меряешь милями вместо километров, так все вообще выглядит иначе. Потому что миля — это миля, а
километр — это километр. Достаточно только вслу-
шаться в эти два слова: «миля» и «километр», — чтобы
почувствовать, какая между ними разница. Ну что может водитель сделать здесь, у нас? Перевезти несколько литров молока, пару баклажанов, яйца и перец. Ну,
максимум, из нашей Долины в Иерусалим. Как тот разносчик из продуктовой лавки, со своим велосипедом и
ящиком на багажнике. Хорошо еще, что иногда тебя
просят люди из армии перетащить несколько танков
из Синая на Голаны или из Голан в Синай. Это хоть немного ближе к чему-то серьезному. Не то чтобы я, упа-
си боже, смотрел свысока, но в этой стране настоящий
трейлер не может даже развернуться путем, приходится подать немного назад, чтобы не залезть при этом за
границу. А там страна бесконечная, большая, широкая,

ни на что не скупится. Там, когда говорят «Великий Каньон», так он действительно и каньон, и великий, а не
как тот, куда нас однажды повезли на экскурсию, еще
до основания государства, на самый край Негева, возле
Эйлата, и мы целый день перлись под солнцем, чтобы
увидеть этот великий каньон, а он оказался точно как
щель в заднице, — и маленький, и красный. Там, у них,
каньон — это каньон, и гора — это гора, и река — это
река. Такая Миссисипи, к примеру, — это ведь все равно что море. Знаешь, как нужно писать Миссисипи?
Ну-ка, посмотрим на тебя, Зейде, ты ведь у нас «тилли-
гент с университета», посмотрим, как ты умеешь обра-
щаться со всеми этими «пи» и «си»... Ладно, не напря-
гайся, я тебе скажу — у них, у американцев, есть для
этого такая коротенькая песенка, мне ее одна девчон-
ка напела, попутчица из Америки, вот послушай: «Эм-
ай-эс, эс-ай-эс, эс-ай-пи-пи-ай...» — здорово, верно?
И еще в Америке, когда ты въезжаешь на заправку, тебе
уже готова хорошая еда, и чистый туалет, и музыка, и
не успеваешь ты допить свой кофе, как тебе уже снова
наливают полную чашку, — рефилл, они это называют:
пишется, как сменный стержень для авторучки, рефилл, но произносить надо «ри-филл». Я видел в одном фильме — сидит себе такой водитель в буфете на
заправке, вытянул ноги в ковбойских сапогах, пьет кофе, и тут к нему подходит официантка, солидная женщина, не какая-то там безмозглая писюха, а такая женщина, которая уже кое-что видела в своей жизни, сама
в белых туфлях, будто она медсестра, и в маленьком
переднике, и когда у него осталось примерно четверть
чашки, она спрашивает — послушай, Зейде, как она
спрашивает: «Вуд ю лайк э рифилл, сэр?» Ну?! Это тебе

не то что здесь, у нас, где везде на заправках такие жмоты, что им жалко каждый грош, и они тебе наливают вместо кофе такой «боц»[1], что от одного названия уже хочется вырвать, и к нему мокрый бутерброд с дохлым помидором, и сортир у них засран доверху, а бумагу ты должен принести с собой сам. И правда — кому здесь нужен туалет на заправке? У нас страна такая — куда ни поедешь и где ни окажешься, всегда можешь струей достать до собственного туалета.

Белесые туманы и приятный запах разогретой древесной смолы плыли из сосновых рощ на горных склонах. Солнце всползало на небо. Огромный грузовик соскользнул по спуску, на перекрестке свернул налево, потом, немного поднявшись, направо, и взгляду разом открылась вся Долина, будто веером развернувшись из-под колес.

Одед набрал полную грудь воздуха, повернулся ко мне и улыбнулся:

— Каждый раз, когда я навещаю Номи в Иерусалиме, она спрашивает меня об этой вот минуте, когда машина выезжает из вади Милек. Поднимается налево, поворачивает направо, и вдруг открывается наша Долина. Тут тебе Гваот Зайер, в той стороне Кфар Иошуа и Бейт Шаарим, а там Нахалаль и еще дальше Гиват а-Морэ. Долина. Так вот, она спрашивает, а я ей говорю: «А ведь ты скучаешь, сестренка, верно? Так ты только слово скажи — я тут же приеду и заберу тебя обратно домой». И видел бы ты физиономию ее Меира, когда я ей это говорю!

---

[1] Грязь (*ивр.*); название напитка, в котором порошок кофе оседает на дно чашки, образуя темный осадок.

С высоты кабины земля, по которой скучает Номи, расстилается, сколько хватает глаза, до голубоватой стены далеких гор. На расчерченных в клеточку полях там и сям сиротливо торчат одинокие большие дубы — напоминанием о величии леса, который тянулся здесь прежде.

— Ты ведь знаешь, что мы с твоей матерью не были такими уж друзьями. Но насчет Меира мы с ней были согласны во всем, — сказал Одед.

Мы пересекли пересохшее русло Кишона, миновали Сде Яков, взяли правее и с громким ревом взлетели к Рамат Ишаю, который Одед по старинке называл Джедда. Спустились, снова поднялись и возле здания бывшей британской полиции Одед в восьмидесятый раз поведал мне историю сержанта Швили, который ходил тут по арабским деревням с винтовкой в руках, наводил порядок и вершил правосудие.

— Так ты напиши об этом, Зейде! — кричал он. — Иначе зачем я тебе все это рассказываю?! Ты запомни и напиши, слышишь!

19

«В конце концов, они все помрут до единой, — сказал Деревенский Папиш. — Это домашние птицы, балованные, они понятия не имеют, что такое погода».

Но выпущенные на волю канарейки Якова Шейнфельда с неожиданным героизмом перетерпели солнце и ветер, дождь и град.

Они подкреплялись семенами чертополоха и крохами из коровьих кормушек, гнездились на любом дереве и бесстрашно взирали на сов, кошек и ястребов. Эти хищники на лету сбивали зябликов и синиц, но на питомцев Якова не покушались. И теперь канареек можно было увидеть на каждом деревенском столбе и на каждой крыше, а под конец зимы они начали еще совокупляться со щеглами и зеленушками, и рождавшиеся в результате бандуки перенимали у них искусство ухаживания и неблагодарную роль наемных менестрелей.

Несметными полчищами желтых почтальонов любви носились поющие самцы повсюду, желтыми записками прилипали к веткам и, будто армия наряженных в желтое канторов[1], возносили к небу древнюю мольбу, которой нет ни конца, ни начала.

И несмотря на это, Юдит не отозвалась, и когда, спустя год после освобождения, отчаявшиеся птицы вернулись к Якову, признали свое поражение и попросились в прежние клетки, деревня бурно вознегодовала. На сей раз эта Юдит нашего Рабиновича перешла всякие границы, — возмущались все.. Но Яков, вопреки общим предсказаниям, не повесился. В тот год, в начале которого канарейки были выпущены на волю, а в конце вернулись, он прекратил свои открытые ухаживания. Его записки уже не расцвечивали деревню желтизной, и он редко появлялся на улицах. Все дивились и недоумевали, но сам он был спокойней, чем всегда. Он разрешил канарейкам вернуться в прежние клетки, но перестал их запирать, и птицы начали прилетать и улетать по зову сердца. Теперь они уже почти не пели, и Яков слышал лишь шум их бесчисленных крылышек,

---

[1] Кантор — служитель в синагоге, ведущий молитвы и трубящий в шофар.

как человек порой слышит шум собственной крови, когда лежит в темноте, томимый бессонницей, и листает воспоминания, прислушиваясь к бьющимся в висках сосудам.

Иногда он поднимался на ближайший холм, подолгу стоял там под большой пальмой и глядел вдаль, будто высматривал кого-то. При подходящем направлении ветра отсюда можно было услышать крики, песни и мелодию гармошки, доносившиеся из лагеря итальянских военнопленных, и тогда Яков внимательно вслушивался и чему-то понимающе улыбался.

Но обычно он возвращался на обочину, усаживался на камне и ждал. От этого напряженного ожидания его кожа дрожала, как у возбужденной лошади, глаза слезились от пыли, а пальцы сплетались, хрустя суставами. В те дни тут еще не было автобусной остановки, и когда ее начали строить, решено было расположить ее именно там, где когда-то сиживал Яков Шейнфельд, потому что к тому времени водители и прохожие уже привыкли останавливаться здесь, чтобы обменяться с ним одним-двумя словами, так что атмосфера ожидания, приличествующая всякой автобусной остановке, уже была в этом месте наготове.

Возвращаясь домой, он первым делом заходил в пристройку к канарейкам, чистил кормушки от проросших и погибших семян и отмывал покинутые поилки от налета соли, что собирался на стенках.

— Только большие планы и большие дела, — повторял он шепотом. — В большой любви помогают только большие дела.

Опустевшие клетки с их настежь распахнутыми дверцами и высохшим пометом шептали ему в ответ, что его вожделения действительно должны подождать, пока мир и время созреют для этого. Пугающим было это понимание, похожим на размышления о размере вселенной, о беге времени и о невидимых канатах сил притяжения, а также на все прочие мысли, на подступах к которым разверзаются бездны, затянутые шлейфами черных туманов.

— Точно какой-нибудь бутон, который ждет и ждет и открывается в точно положенный ему день, — объяснял он мне, шагая по кухне. Нетерпение томило его, как поэта, ищущего утешения в метафорах. — Точно улитки, которые вдруг вылазят из земли, все разом и все в один и тот же зимний день. И каждая в своем месте. Как это получается, Зейде? Как они знают? Какие-нибудь люди скажут тебе, что это Бог. Так я спрашиваю тебя: что, у еврейского Бога уже нет более срочных дел, чем эти улитки? Но когда есть свет, вместе с теплом, и вместе со временем, и вместе с водой в земле, и все это сходится одно с другим, и все готово и ждет — тут уж у улитки нет выхода, и она вылазит. И тогда я сказал себе — ты сам, Яков, ты сам приготовишь все так, чтобы у нее тоже не было выхода.

Он вывел меня на веранду своего дома. Было темно, но Яков уверенно указал на запад, в сторону невидимого хребта Кармель, и провозгласил:

— Пророк Элиягу знал все эти секреты уже давным-давно.

— Если ты правильно уложишь дрова, — сказал он, — огонь загорится сам собой. А если ты скажешь дождю все положенные заклинания, тут же приплывет маленькая тучка и выронит свои капли.

Теперь он казался взволнованным и печальным одновременно, то вставал, то садился, ломал старые пальцы, говорил о «естественном порядке вещей» и высшем проявлении этого порядка — силе притяжения Земли, огромной, все скрепляющей, все подчиняющей, все охватывающей и озабоченной тем, чтобы все было на своем месте.

— Тела тянут и держат друг друга, — сказал он. — Деревья не ходят. Коровы не летают. Вода не выплескивается из бассейна. Звезды, в отличие от людей, не разбиваются друг о дружку. И в силу этих законов, — утверждал он, — если ты соединишь все кусочки мозаики вместе, то и последний — потерянный, желанный кусочек — тоже притянется и займет свое место. Так я понял то, что сказал мне Менахем Рабинович, — насчет большой любви и больших дел. Что если весь мир будет готов — и столы, и скамейки, и хупа, и платье, и еда, и раввин, — тогда и невеста обязательно придет. И тут мне стало понятно, что все, чем я занимался раньше, эти канарейки, и подарки, и записки, и мольбы, все это было неправильно. Не за любовью ее я должен был гоняться, не за сердцем ее, не за телом. Только приготовить нашу свадьбу. Приготовить так хорошо, что она вынуждена будет прийти. Сначала я понял все это, как во сне, но потом ко мне пришел мой толстый работник Ненаше, и когда он пришел, я понял: вот, Яков, теперь ты научишься делать все, что нужно для свадьбы. Теперь ты приготовишь для свадьбы все, что нужно приготовить. И тогда все само собой станет на свое место, как ему положено.

20

Рахель была продана Глоберману зимой 1940-го, в ту неделю восточных ветров, которая порой приходится на середину февраля, а порой — на начало марта, и всегда заново изумляет Долину пятью набухшими, дождливыми ночами и шестью днями глубокой небесной синевы и омытого, сверкающего солнца.

Юдит воспользовалась третьим из этих солнечных дней и поехала с Номи в Хайфу, купить кое-что для хозяйства, а Моше воспользовался их отсутствием и продал корову.

Сердце и разум, каждый на свой лад, хотели бы понять, почему. Но этот вопрос, в сущности, не так уж важен, и если на него и есть ответ, он никого ничему не научит. Ибо хотя многие из нас тоже не сумели обрести свое счастье, но лишь немногие выпустили ради любви на волю тысячи канареек, и уж совсем считаные продали скототорговцу бесплодную корову, которую любила женщина, работавшая в их хозяйстве.

Возможно, Моше попросту сдался на уговоры Глобермана, а быть может — взбунтовался, но не исключено также, что ему захотелось показать, кто здесь хозяин. А может, он просто нуждался в деньгах? У меня нет никакого объяснения этому, как нет у меня объяснения многим другим человеческим поступкам, кроме разве того, что не раз повторял мне сам Глоберман: *«А менч трахт ун а гот лахт»*. — Человек хочет, а Господь хохочет. Человечек строит планы, а Господь улыбается себе в бороду. Тем не менее, даже если причины не имеют значения, последствия всегда важны. Рахель была продана на бойню, мама спасла ее и вернула домой, и по истечении девяти месяцев на этом свете появился я, Зейде Рабинович.

Сделка, понятно, была совершена тайно и торопливо.

Ни Рабинович, ощутивший неожиданный прилив храбрости, ни Глоберман, жадность которого обычно превозмогала все прочие гнездившиеся в нем чувства, на сей раз не торговались совсем. Глоберман, всегда пунктуально пересчитывавший плату на глазах у хозяина, теперь без всякого счета сунул в руку Рабиновича скомканную пачку денег и тотчас поспешил удалиться со своей добычей. Он привязал к рогам Рахели свою веревку и на всякий случай помахал палкой перед ее носом, потому что опасался, что эта мужеподобная, сильная и непредсказуемая корова бросится на него, как только он потянет ее за собой.

— У быка, у того на морде написано, что он собирается сделать, но у такого *тумтума,* как эта, никогда ничего не поймешь, — объяснил он Моше.

Однако в отсутствие Юдит корову словно покинули все ее силы. Рахель покорно прошла за Глоберманом три шага, будто смирившись со своим приговором, но потом вдруг замычала стонущим голосом и совсем по-человечески села на зад, широко растопырив ноги, словно бы из сильного парня разом превратилась в уставшую до смерти старуху.

Рабинович и Глоберман были достаточно опытны, чтобы понять, что заупрямившаяся корова может задержать их на часы, а между тем их обоих страшило скорое возвращение Юдит и неизбежный взрыв ее ярости.

— Ты должен мне помочь, Рабинович! — озабоченно сказал Глоберман.

Обычно крестьяне помогали Сойхеру только при продаже телят. Когда же хозяин продавал дойную корову, он уходил в дом, чтобы не видеть, как ее забирают, а если еще корова была любимой, — то и далеко в сады, где долго оправдывался перед самим собой, деревьями и камнями, или же шел в центр деревни и жалко путался там у всех под ногами, дожидаясь, пока Сойхер уйдет со своей жертвой и ее мычание окончательно стихнет вдали.

Такое поведение ожидалось и было общепринятым, так что Глоберман и сам никогда не просил помощи у хозяев. Но теперь Моше торопливо подошел к Рахели сзади, намотал ее хвост на кулак и с силой крутнул. Неожиданность и боль заставили ее подпрыгнуть, она поднялась и послушно пошла за покупателем.

В сумерки Номи и Юдит вернулись из Хайфы. Когда они увидели опустевшее стойло Рахели, Номи закричала и заплакала, но Юдит сказала ей только:

— Иди в дом, Номинька — и больше не произнесла ни слова.

Она доила вместе с Моше в молчании, от которого у него пересыхало в горле и пальцы каменели так, что причиняли боль коровьим соскам. Потом ушла в свой угол и задернула за собой занавеску.

Моше, который приготовился было к упрекам и гневу и заранее запасся жалобами и оправданиями, побрел в дом, поужинать с детьми. Одед сидел с ним за столом, но Номи лежала в своей кровати — молча и с закрытыми глазами.

Одед сказал:

— Хорошо, что ты ее продал, отец. Она все равно никуда не годилась.

— Иди спать, Одед, — сказал Моше.

Сам он еще немного походил по дому, потом снова вышел и долго месил шагами грязь у северной стены коровника, а когда наконец вошел внутрь, обнаружил, что Юдит там нет. Тревога и облегчение наполнили его, но не смешались друг с другом, и поэтому томили его всемеро против обычного. Он вернулся в дом, лег на кровать и застыл в ожидании.

Снаружи завывал ветер. Резкий запах мокрых кипарисов стоял в воздухе. Эвкалипт размахивал могучими руками.

Дождь припустил, забарабанил по крыше, зашумел тоской в водостоках, перекрыл все другие звуки мира. Но Моше напряженно вслушивался, прикрыв глаза, пока не различил доносившееся по ветру далекое дыхание и глухие шаги, словно поступь тяжелых копыт по грязи. Звуки, казалось, становились все громче, но никак не могли приблизиться к дому. Несколько раз он вскакивал с кровати и выходил наружу и наконец натянул сапоги и в одной рубашке на голое тело побежал через поля в сторону эвкалиптовой рощи.

Грязь с чавканьем засасывала его ноги, сырой, холодный воздух обжигал легкие, но, добежав до первых эвкалиптов, запыхавшийся и уставший, он не осмелился войти в рощу. Тяжелыми шагами вернулся он в дом, разделся, снова лег на кровать и с силой сжал веки.

«Поди-поди-поди-поди», — услышал он вдруг, а потом его словно позвали по имени: *Мейделе* губами матери, и «Рабинович» губами Юдит, и «мой Моше» гу-

бами Тонечки, которые заливала вода, — но он не знал,
вправду ли слышит чьи-то голоса, или, может, то лишь
порывы ветра, или шум дождя, а возможно, листва сто-
нущего во дворе эвкалипта или просто толчки боли в
его собственном черепе.

Он снова вышел во двор, — голый, в наброшенном
на плечи одеяле, постоял, трясясь от холода, но никого
не увидел, и только часом позже, уже заснув, услышал
лязг засова, опускаемого в гнездо на воротах коровника, — звук был такой отчетливый, как бывает только в
безошибочных сновидениях, и Моше понял, что наконец-то спит, и две минуты спустя, снова завернувшись в
одеяло и не открывая глаз, медленно, словно в дреме,
прошагал к коровнику и там увидел их обеих, насквозь
промокших и закоченевших, как лед.

Рахель, из ноздрей которой поднимался холодный
пар, стояла на своем обычном месте, наклонив голову в
сторону Юдит, лежащей у ее ног на грязном бетонном
полу то ли во сне, то ли в обмороке.

— Что она здесь делает? — закричал Рабинович.

Юдит не ответила.

Она вся промерзла, волоски на ее коже стояли торч-
ком, а в глазах застыли холод и ненависть, как у мертвой рыбы.

Моше проснулся. Он бросился в дом и увидел, что
мятая пачка денег, которую сунул ему Глоберман, лежит на своем месте.

Сердце его окаменело. Когда он снова вернулся в
коровник. Юдит уже поднялась с пола, разожгла огонь
в железной бочке и вытирала Рахель сухими мешками.

Обе они стонали от холода и усталости.

— Где ты взяла эту корову? — крикнул Моше.

Юдит чихнула, и все ее тело передернулось в ознобе.

— Это не твое дело, Рабинович, и не поднимай на меня голос, слышишь? — медленно сказала она.

— Какими деньгами ты ему уплатила?

— Успокойся, тебе это не стоило ни гроша. — Она отжала мокрые волосы. — Я выкупила Рахель, и теперь она моя.

— Сойхер вернул тебе корову?! — воскликнул Моше. — Сойхер никогда еще никому не возвращал купленную корову. Кто слышал такое?!

Юдит не отвечала.

— Ты украла ее!

Юдит засмеялась, и столько издевки и злобы слышалось в этом смехе, что Моше ужаснулся правде, которая уже наваливалась на него.

— Если ты уплатила не деньгами, то чем же тогда?! — шепнул он дрожащим голосом, как будто ответ, которого он еще не слышал, уже стиснул его горло.

— Теперь Рахель моя, — повторила Юдит. — Ее молоко ты можешь получать взамен за еду, которую она ест, и за стойло, которое она занимает, но сама она теперь моя.

— Чем ты ему уплатила, курва?! Своей пиздой?! — крикнул он вдруг с неожиданной для самого себя грубостью, с таким волнением, которого в себе не подозревал, и такими последними словами, которые, казалось ему, его губы и язык никогда бы не смогли выговорить.

Его слова словно пригвоздили Юдит к месту. Только ее голова медленно повернулась, как на оси, и обратилась в его сторону.

— Я уже слышала однажды такие слова, — сказала она с каким-то странным спокойствием, подняла прислоненные к стене вилы и пошла на него.

Она не замедляла и не ускоряла шаг, не хитрила и не запугивала — просто послала вилы вперед резким движением, в котором даже ненависти не было, одно умение, и Моше, который тотчас понял, что это не пустая угроза, отступил назад, споткнулся и, пытаясь за что-нибудь ухватиться, зацепил ногой лопату, торчавшую в навозной канавке.

Одеяло соскользнуло с него, и он упал на спину, прямо в замерзший навоз. Вилы снова нацелились на него тем же умелым и деловитым движением, которым их втыкали обычно в кучу комбикорма, но на этот раз ему не удалось увернуться и одно острие воткнулось в его руку.

Рана была глубокой и неожиданной, и Моше закричал от боли, но лицо Юдит оставалось спокойным и холодным. Она вырвала вилы из его руки, и когда она замахнулась в третий раз, Моше откатился в сторону, вскочил и как был, голый, бросился наружу.

Дома он запер дверь, свалился на пол, но потом ползком добрался до крана, отмыл тело от крови, грязи и навоза, а на рану плеснул немного спирта. Его трясло не столько от самой слабости, сколько от новизны этого ощущения. Он перевязал руку, забрался в кровать и мало-помалу начал понимать, что пальцы, которые стискивают его горло, когда он хочет глотнуть или уснуть, — не пальцы гнева или страха, а простые тиски ревности. Странным и чуждым было ему это чувство, тоже никогда не посещавшее его прежде.

Он снова уснул и снова проснулся, потому что не услышал привычного вопля Юдит, удивился, почему, и уже хотел было подняться и заглянуть в коровник, но боль в руке и нарастающая пульсация под мышкой напомнили ему о произошедшем и сказали, что лучше оставаться в постели. Он закрыл глаза, и ему стало сниться, что кто-то навалился ему на грудь, но никого там не было, только руки ангела и белые бедра, охватившие его тело, и соски, что обожгли ему грудь двойным клеймом владения, и ангельский палец, скользнувший по его губам со словами:

— Ша... ша... а теперь спи... ша...

Губы прошептали ему в шею:

— Прости, — и теплый, влажный с изнанки шелк гладил, и целовал, и сладостно охватывал вкруговую его плоть, и его желание было таким огромным, что сон продолжался и после того, как он открыл глаза, но тут боль в раненой руке усилилась до невыносимости, и его стал баюкать и укачивать жар.

Тяжелый и сладкий запах, позабытый и памятный одновременно, накрыл его лицо, будто распростершееся поверху платье.

— Кто ты? — спросил он, и никто не ответил.

Гроза снаружи уже затихла, и красногрудки завели своей предрассветный стрекот, одна — с гранатового дерева Тонечки, ее соперница — со двора Деревенского Папиша. Рабинович понял, что остался один и сумеет поспать еще часок. Но когда он проснулся вторично, солнце уже ушло из оконной рамы, воробьи и вороны завершили свои рассветные песни, голуби вернулись с деревенского склада кормов и теперь ворковали сытой воркотней набитого зоба, воздух был уже прозрачный, теплый и сухой, и только запах мокрой земли, шедший от его тела и из распахнутого настежь окна, оставался ему свидетелем.

Юдит подала ему большую чашку чая с лимоном в постель, осмотрела его рану и сказала:

— Не вставай сегодня, Моше. Я уже подоила вместо тебя.

— Сама?

— Нет, я сходила на рассвете к Шейнфельду, и он пришел мне помочь, — сказала она.

С той поры Юдит больше не кричала по ночам.

— Есть женщины, которые чувствуют миг зачатия, — сказала мне Номи. — Я уверена, что у нее было то же самое. Нюх на эти дела у нее был, как у животного. Даже время созревания своих яйцеклеток она тоже знала до секунды. Она сама мне об этом рассказала, когда у меня начались месячные, и она поговорила со мной как женщина с женщиной. Так что переспала она в ту ночь со всеми тремя или забеременела, не переспав ни с кем, только она одна знала во всей точности. Но сейчас, Зейде, это уже действительно ничего не меняет. Этот свой секрет она забрала с собой в могилу. В могиле твоей матери, Зейде, очень тесно от обилия секретов.

Так или иначе, ее вопля больше никто никогда не слышал. Некоторым, правда, слышался смех, доносящийся из коровника, другие не слышали ничего, но все поняли: что-то произошло, — и по деревне пошли слухи и толки.

Как это обычно у нас, никто не знал, действительность порождает слухи или наоборот, но признаки всё множились и становились все непреложней: белки ее глаз потемнели, груди поднялись, и хотя живот еще не выпирал, но несколько человек уже видели, что она собирает и жует щавель.

И однажды утром, месяца через два с половиной после той ночи, Моше вошел в коровник, увидел, что она рвет в канаву, опершись о спину Рахели, и понял, что все сплетники были правы.

А еще через несколько недель к нему, словно сговорившись, явились Глоберман и Шейнфельд и сказали:

— Рабинович, нельзя, чтобы Юдит растила ребенка среди коров.

И они втроем отправились в коровник, чтобы поговорить с ней, но Юдит сказала, что ей хорошо и удобно в углу, где она рядом со своей любимой Рахелью. Трое мужчин переглянулись, вернулись в дом и начали спорить, и мерить, и чертить планы. А на следующий день Глоберман и Шейнфельд поехали на пикапе в город, а Моше Рабинович вышел во двор и принялся копать яму под фундамент.

После полудня пикап вернулся, проседая под тяжестью мешков с цементом, песком и щебнем, нагруженный большими пластмассовыми тазами, инструментами и досками для опалубки, и Глоберман зашел в коровник, вынес оттуда бутылки коньяка и граппы, свою и Юдит («Это нехорошо для нашего ребенка в животе»), и заполнил шкаф цветастыми платьями для беременных, сухофруктами, своими знаменитыми *пути-фурами* и колбасами.

Строительство нового коровника продолжалось месяца два, и после того, как коровы были переведены туда, Рабинович взял десятикилограммовый молоток и разбил все бетонные перегородки и кормушки в старом коровнике, Шейнфельд и Глоберман вынесли обломки, и на следующей неделе они втроем построили там новые внутренние стены, которые образовали две комнаты, кухню и душевую, прорубили дополнительные окна и положили решетку для новых потолочных плит.

Под конец появился хозяин магазина, где они купили все строительные материалы, и так люди впервые увидели Городского Папиша, предполагаемого брата нашего Папиша Деревенского, который неожиданно оказался вполне реальным человеком и на глазах всей деревни из анекдота превратился в осязаемый факт. Городской Папиш яростно спорил со своим деревенским братом по каждому мыслимому поводу, а сам тем временем настилал полы, штукатурил и белил стены, прокладывал проводку и трубы, которые вдохнули в новое строение жизнь и сделали его домом — тем самым домом, в котором я родился, в котором растила меня мать, домом, где раньше был коровник, чьи плитки до сих пор сохраняют воспоминания и от стен которого в теплые дни поднимается слабый запах молока.

Все это время трое мужчин почти не разговаривали между собой, но в тесном пространстве коровника каждый день неизбежно находились очень близко друг к другу. Иногда они соприкасались плечами, иногда руками, а когда Сойхер привез из друзской деревни, что на горе, дровяную печь чугунного литья, он позвал Моше, и тот перенес ее в руках из пикапа в коровник, а Яков пошел и срубил два дерева в своем заброшенном саду и привез полную телегу чурбаков для топки.

— Это для тебя, Юдит, — сказал он. — Апельсиновое дерево горит сильно и дает хороший запах.

21

— От кого она беременна? — спросила Номи Одеда.

— Эта? От всех троих! — ответил Одед.

— От кого она беременна? — спросила Номи отца.

— Ни от кого, — сказал Моше.

— От кого ты беременна? — спросила Номи у Юдит.

— *А нафка мина*, — ответила Юдит, а когда Номи стала приставать н плакать, сказала ей наконец: — От себя я беременна, Номинька, от себя.

— Ты помнишь день, когда ты родился здесь, в этом коровнике? Помнишь, Зейде?

— Никто не помнит день, когда он родился.

— Я помню. Я была тогда здесь.

— Я знаю.

— Может, я останусь здесь с тобой и не вернусь в Иерусалим, а?

— У тебя есть ребенок, Номи, и у тебя есть муж в Иерусалиме.

Теплые запахи деревенской ночи вплывали в окно. Мое сердце возносилось в клетке ребер, и в темноте слышался шелест сбрасываемой одежды.

— Не зажигай свет, — сказала она, потому что не знала, что я лежу с закрытыми глазами.

Она нырнула в кровать и спросила:

— Как тебя зовут?

— Зейде, — сказал я.

Черные дрозды запели снаружи, согревая своими голосами предрассветный холодок и раскрашивая небо на востоке оранжевостью клювов.

— Твои глаза стали голубыми, Зейде, — сказала Номи. — Открой, посмотри, и ты сам увидишь.

Застарелая скорбь смотрела из ее глаз. Ее слезы сверкали. Она поднялась с кровати, белея в полутьме.

— Посреди урока в школе я вскочила и бросилась сюда. Она уже лежала на полу и в воздухе был тот запах, знаешь, как от дяди Менахема осенью, но это был запах ее вод, которые уже отошли. Только женщины и врачи знают этот запах.

— Не пугайся, Номинька, — сказала Юдит. — И не зови никого. Сходи в дом и принеси чистые простыни и полотенца.

Ее лицо исказилось от боли.

— Не умирай! — отчаянно крикнула Номи. — Не умирай!

И губы Юдит осветила улыбка.

— От этого не умирают, — сказала она. — Только еще дольше живут.

И она начала смеяться и стонать вперемежку:

— Ой, как я буду теперь жить, Номинька, как долго я буду теперь жить!

В углах под крышей, в слепленных из грязи гнездах, громко кричали ласточкины птенцы, широко разевая голодную красноту своих зевов. Во дворе коровника мычала Рахель, толкаясь головой в железные ворота.

— А сейчас, — сказала Юдит, — *а курве* родит себе новую девочку.

Лежа на спине, она задрала платье на живот, уперлась пятками в пол, раздвинула бедра и приподняла зад.

— Быстрей! — велела она. — Положи под меня простыню!

Номи в ужасе смотрела в ее распахнутую наготу, которая казалась ей вопящей.

— Что ты видишь там, Номи? — спросила Юдит.

— Как стена внутри, — ответила Номи.

— Это ее голова, сейчас она начнет выходить, и ты помоги ей, только медленно-медленно. И не волнуйся, Номичка, она сейчас выйдет. Это будут легкие роды. Ты только расставь руки и прими ее.

— Это мальчик, — сказала Номи.

— И тогда она просто рванула платье, — так рассказывала мне Номи, ее слова и губы в углублении моей шеи и тепло ее бедер на моем животе, — и пуговицы разлетелись во все стороны, и она снова сказала: «Быстрей, Номинька, быстрей, я уже не могу больше, положи его мне на грудь». И я положила тебя ей на грудь, белая, как у голубя, была у нее грудь, и тогда она завыла.

Номи хотелось выбежать, спрятаться куда-нибудь от этого воя, потому что вплоть до этого мгновения Юдит была хладнокровна и решительна, а теперь последние ночные вопли начали подниматься из глубин ее живота и вырываться из ее рта.

Номи пятилась, машинально вытирая липкие руки одна о другую, пока стена не поддержала ее сзади, и все глядела на женщину, извивавшуюся перед ней в месиве соломы и крови, — затихающий в горле крик, новорожденный сын в ее объятиях.

Шейнфельд, Рабинович и Глоберман явились на обрезание в своих лучших костюмах и ни на мгновение не отходили от меня.

Яков, который тогда еще не умел шить, купил мне несколько комплектов одежды для новорожденных.

Моше Рабинович сколотил для меня колыбель, которую можно было поставить на ножки или подвесить к потолочной балке.

А Глоберман, верный себе и своим убеждениям, принес большую пачку денег, послюнявил палец и начал делить их на пять маленьких кучек, громогласно объявляя гостям:

— Это для мальчика, это для матери, это для отца, и это для отца, и это для отца... — пока Деревенский Папиш и Городской Папиш не крикнули на него в один голос:

— Дай уже свой подарок и заткнись наконец!

22

Спи, мой Зейделе, мой мальчик,
Спи, сынок, а я спою.
Ты мне лучше всех на свете,
Баю-баюшки-баю,
Спи, мой Зейде, я про птичку
Песенку тебе спою.
Ты как птичка-невеличка,
Баю, Зейделе, баю.

«Если Ангел Смерти приходит и видит мальчика, которого зовут Зейде, он тут же понимает, что ошибся, и идет к кому-нибудь другому».

С полным доверием к имени, которое она мне дала, я вырос в абсолютном убеждении, что в тот день, когда стану дедушкой и буду уже соответствовать своему имени, Ангел Смерти явится ко мне, потеряв терпение, с багровым от ярости, как у всех обманутых, лицом, выкрикнет мое истинное имя и выплеснет чашу моей жизни на землю.

Я помню маленькие, очень четкие картинки — картинки раннего детства.

Однажды я проснулся ночью и увидел, что она лежит на спине. Стояла жаркая летняя ночь, она сбросила простыню, руки ее были раскинуты, грудь обнажилась. Обычная строгость сошла с ее лица, даже вечная складка между бровями разгладилась. Я поднялся укрыть ее, и когда простыня взметнулась над ее телом, она потянулась, расслабилась и улыбнулась во сне, и словно волны прокатились по наготе ее тела. Я снова взмахнул простыней и снова дал ей опуститься, пока из маминого горла не вырвался мягкий стон, но когда я поднял простыню в третий раз, ее глаза вдруг открылись. Суровым и холодным был их взгляд, совсем как ее голос, который произнес:

— Хватит, Зейде, иди спать.

Я сказал:

— Но мне хочется, чтобы тебе было приятно.

Я помню, как мама встала, и взяла меня за руку, и решительно отвела в мою кроватку, а сама вернулась и легла в свою кровать, но мы оба знали, что мы оба не спим.

И еще я помню, как в три с половиною года Яков научил меня читать и писать, потому что я ныл, что единственный в семье не могу прочесть весенние записки дяди Менахема.

И еще я помню, как Глоберман давал мне сосать тонкие, соленые и очень вкусные пластинки сырого мяса.

И еще я помню, как мы играли с Моше в «Страшного медведя» и как я первый раз упал с эвкалипта. Все вокруг, включая меня самого, были уверены, что я убился, но когда я открыл глаза, ожидая увидеть Бога и ангелов, мама сказала мне:

— Вставай, Зейде, нечего разлеживаться, ничего с тобой не случилось.

Ее рассказы вошли в мои воспоминания и смешались с ними. Ослица, например, умерла от старости еще до моего рождения, но я ясно помню, как она ухитрялась воровать ячмень у лошади: когда та набирала полный рот, ослица кусала ее за шею, лошадь пыталась укусить ее в ответ, и тогда ячмень вываливался из ее рта, и ослица быстро подбирала его с пола.

— Я тоже помню это, — сказала Номи. — И еще я помню, как мы с ней ели гранаты, — сначала сидели на папином камне, а потом на той бетонной дорожке, которую он проложил для нее. И я помню, как она посылала меня ловить голубей и как она их убивала. Она растягивала их шею двумя пальцами, пока там не щелкало что-то, и тогда она чуть прикусывала нижнюю губу.

Мы стояли возле дерева вороньих собраний на кладбище Немецкого квартала в Иерусалиме, и Номи со смехом вызывала меня на соревнование, кто быстрее влезет на это дерево.

— Падать ты умеешь лучше, но забираться — я заберусь быстрее.

А потом она сказала:

— Я должна навестить мать Меира. Может, пойдешь со мной? Она живет недалеко отсюда.

Номи называла свою свекровь «мать Меира» или «госпожа Клебанова», поэтому я так и не знаю ее имени. Может, я и знал его, когда мне было пять лет и Номи с Меиром только что поженились, но с тех пор ухитрился забыть. У нее в саду был великолепный куст роз, миндальное дерево, уже прореженное старостью, и ползучая жимолость.

Ее розовый куст был каким-то особенным. Он был высотой с дерево и с шипами, как кошачьи когти, такой огромный и могучий, что вообще не нуждался в уходе и поливке, а запах его был настолько сильным, что прохожие останавливались, словно от удара, а мелкая мушиная живность вообще падала в обморок, заплутав в его глубоких цветочных лабиринтах.

Даже в дни войны и осады[1], когда все декоративные растения погибли от жажды, этот куст, как с гордостью рассказывала госпожа Клебанова, по-прежнему зеленел листвой и даже не думал завянуть.

Госпожа Клебанова была вдова, и хотя явно старалась быстрее состариться, черты ее лица все еще говорили о былой красоте — того рода красоте, от которой порой хотят освободиться.

— Я помню тебя, — сказала она. — Ты сын работницы. Ты был на свадьбе Меира, совсем маленький мальчик, верно?

— Я тоже была на той свадьбе, — сказала Номи. — Меня ты случайно не запомнила?

---

[1] Имеется в виду Война за независимость (1948—1949 гг.), когда арабские (иорданские) войска окружили и осадили Иерусалим.

— У тебя какое-то странное имя, да? — допытывалась госпожа Клебанова.

— Меня зовут Зейде, — сказал я.

— И сколько тебе лет?

Мне было тогда двадцать три.

— Человек такого возраста и с именем Зейде, он попросту обманщик, — изрекла госпожа Клебанова. — Скажи, пожалуйста, вы ведь жили в коровнике вместе с коровами, ты и твоя мать, это верно?

— Что-то в этом роде, — сказал я. — Но я уже не жил вместе с коровами, я жил в доме, который раньше был коровником.

— Это звучит очень забавно, — подытожила госпожа Клебанова. — Я помню, что мы потом говорили об этом с родственниками моего покойного мужа — женщина с ребенком и живет в коровнике.

С веранды послышались странные металлические постукивания. Ответившее им эхо было громче, чем они сами.

— Это птицы стучат по баку с водой. Только они еще и навещают меня, — пожаловалась мать Меира.

Я посмотрел в окно. На веранде стоял большой бак на четырех подпорках. Типичный иерусалимский запас воды на случай новой осады. Госпожа Клебанова имела привычку разбрасывать на нем хлебные крошки, и воробьи склевывали их с жестяной крышки. Они были признательны ей, как и надлежит маленьким голодным птицам, живущим в холодном, жестоковыйном и безжалостном городе, и госпожа Клебанова с удовольствием подмечала благодарность, которую излучали их круглые глазки. А эхо, отвечающее на постукивания их клювиков, — сказала она, — сообщает ей, сколько воды осталось в баке.

Иногда слышался удар более тяжелого и сильного клюва, и тогда она знала, что это ворона, слетев с большого кипариса, согнала воробьев и теперь клюет их хлеб.

Госпожа Клебанова не любила черных птиц размером больше ее ладони. Она тут же выскочила на веранду, вооруженная праведным гневом и грозно вздыбившейся щеткой в правой руке, и с криком:

— Вон отсюда! *Гей авек*! *Рух мин гон*! — прогнала мерзкую воровку.

С пылающим лицом она вернулась в комнату и пошла в кухню успокоиться и приготовить нам чай. Номи шепнула мне, что на собак ее свекровь обычно кричит на иврите, на коз — по-арабски, а на кошек — на идиш, но что касается ворон, то она не знала, к какой национальности они относятся и на каком языке говорят, и потому на всякий случай пользовалась всеми языками сразу.

Мы выпили сладкий, вкусный и пылающий жаром чай и поднялись уходить.

— Забрать ее в Иерусалим было все равно что вырвать цветок из земли и бросить на дорогу, чтобы его раздавили, — сказал Одед.

Годы, прошедшие с тех пор, как его сестра вышла за Меира, нисколько не притупили его досаду. С детских лет он часто брал меня с собой на деревенской автоцистерне, чтобы я навестил их в Иерусалиме. Заспанный и возбужденный, я бежал в темноте на молочную ферму. Одед разрешал мне забраться на цистерну и проверить заглушки, а когда мы выезжали за деревню — даже потянуть за тросик гудка над его левым плечом.

Потом я засыпал и просыпался снова лишь с рассветом, когда Одед уже маневрировал задним ходом, чтобы загнать цистерну во двор молочной фирмы «Тнува» в Иерусалиме. Номи уже стояла там и махала нам рукой, Одед отвечал ей громким приветственным гудком, а кладовщик выбегал из конторы с криком:

— Тисе, тисе, просу вас! Сто это за сум в сесть утра?! В Иерусалиме порядосные люди в сесть утра есё спят!

И Азриэль, водитель автоцистерны из Кфар-Виткина, кричал ему издали:

— Смулик, Смулик, ты сам потисе, сам сумис громсе всех!

Цистерна останавливалась, двигатель замолкал с могучим выдохом, Одед спрыгивал с подножки, чтобы обнять сестру, и тотчас лез обратно в кабину, чтобы достать огромный пакет, который Юдит послала Номи из деревни. Пакет всегда был завернут в коричневую обёрточную бумагу из-под молочного порошка и перевязан верёвкой для обвязки соломы, и в нём всегда были овощи и фрукты, гранаты в сезон, сметана, и творог, и яйца, и письмо.

— Это из дому, Номи. Смотри, это только для тебя, слышишь? Съешь всё сама, а ему ничего не давай. Чего ты смеёшься, я серьёзно говорю!

— Если бы я был там, когда он появился, это бы всё так не кончилось, — мрачно заявил Одед. — Он бы не забрал её, и она бы не пошла за ним, он бы у меня вообще не вошёл в наш двор. Пришёл с полей, паразит, как шакал, который приходит своровать курицу из курятника. Не понимаю, как твоя геройская мать не турнула его оттуда, как только он вошел!

А два-три дня спустя, на обратном пути, я всегда просыпался в ту минуту, когда цистерна пересекала вади Милек и передо мной снова раскрывалась моя жаркая, любимая, широкая Долина. Одед снова рассказывал мне о поезде, который ходил здесь раньше, и об измученных голодом овцах, которых арабы выводили пастись на деревенские поля, «а мы шли на них и прогоняли их кнутами», и о старых британских зенитных батареях, и о похождениях местного полицейского сержанта Швили, и о развалившейся каменной трубе над бывшей кухней, в том месте, где когда-то находился лагерь пленных итальянцев, которых охраняли ленивые бездельники-часовые, и о запахах их еды, и о песнях, которые вечно доносились оттуда.

— Так ты обязательно напиши обо всем этом, Зейде, да? — орал он, перекрикивая мотор.

23

Яков вскипятил на огне кастрюлю воды, вылил яйцо на ладонь, процедил белок между расставленными пальцами, а желток положил в миску. Немного вина, немного сахара, и вот уже в его руке засверкал веничек, поднялся пар, и запах вина разошелся в воздухе.

— Желток от яйца, — сказал он, — это сила, и это мать, и это жизнь.

Его рука, такая быстрая и точная над миской, слегка задрожала, когда палец окунулся и вытащил за собой пробу.

— Никогда не забывай меня, — сказал он вдруг.

— Конечно, — сказал я.

— И Глобермана тоже, и Рабиновича.

— Ты устал, Яков? Хочешь, чтоб я ушел?

— Открой, пожалуйста, дверь от шкафа.

Я открыл.

— Достань, пожалуйста, эту коробку, — сказал он.

Белая, плоская и длинная коробка стояла там за одеждой, как призрак покойника. Я помнил ее и знал, что в ней.

— Открой, — сказал Яков.

Старая ткань наполняла коробку белесым туманом.

— Это свадебное платье твоей матери. — Его голос дрожал. — Ты помнишь его? Я его пошил своими руками.

Мое тело отпрянуло, мои глаза увлажнились. Хотя мама надевала его лишь на несколько минут, это пустое платье показалось мне скорлупой, сброшенной в поле после линьки, коконом, который безнадежно ждет тела своей хозяйки, — совсем как мы с Яковом.

— На пути ко мне она была, с этим платьем на ней, и она в нем, и вдруг что-то случилось. Все уже сидели за столами и ждали ее, и тут ты, Зейде, пришел вместо нее. Маленький мальчик десяти лет, вот с этой коробкой в руках, с этим платьем внутри — разве ты не помнишь? Ты пришел и дал мне его, перед всей деревней ты мне его дал, и убежал, не посмотрев мне в глаза. А потом все гости ушли, а я зашел в дом, и закрыл дверь, и упал на кровать с этим платьем, а вся посуда, весь красивый немецкий фарфор остался снаружи, на столах, на потребу солнцу и мухам. Целую неделю я так лежал. Спать я не спал, и снов у меня не было, и сердце у меня было холодное, как лед, а когда они вернулись, мои сны, они вернулись уже совсем перед тем большим снегом, в феврале тысяча девятьсот пятидесятого года. Ты был тогда маленький мальчик, Зейде, но, наверно, ты тоже помнишь тот снег. Кто же не помнит большой снег тысяча девятьсот пятидесятого года?! По всей стране шел тогда снег, даже в Иорданской долине выпало несколько сантиметров. Что тебе сказать? Это действительно была большая неожиданность. Тут в деревне от этого снега сломались деревья, и куры поумирали, даже два теленка замерзли до смерти, а во времянках недалеко отсюда умерли несколько новых репатриантов, потому что вся крыша кухни упала им на голову. Но для нас, которые приехали из такого места, где снег был пять метров глубиной, и в сани запрягали сразу трех лошадей, и волки были размером с телят, и у людей ладонь прилипала к железной ручке колодца, — для нас этот снег был как детские игрушки. Разве это снег? И где тут сани? И волки? Для грязи мы делали здесь сани, чтобы притащить молоко на молочную ферму, да один раз Деревенский Папиш выстрелил в волка, который вошел к его гусям, так что тебе сказать, Зейде? — Папиш сказал, что это волк, но он был как большая кошка. Если бы он не сказал, что это волк, я бы сказал, что это самое большее шакал. Но снег?! Ладно, я понимаю, немного снега в Иерусалиме или в Цфате, но здесь, у нас? В этой маленькой деревне? В этой нашей Долине, где всегда тепло? Кто мог себе представить такое?! Никто не был к этому готов. Особенно деревья не были к этому готовы. И особенно этот ваш эвкалипт. Разве это дерево для снега? Ну скажи мне, Зейде, такой вот эвкалипт из Австралии — разве это дерево для снега? Я понимаю, яблоко, или вишня, или береза — я видел, как они стояли под снегом, но такой вот эвкалипт, у которого все тело внутри мокрое и мягкое, и все листья у него остаются на зиму, и они держат больше снега, чем могут вынести, — он просто ломается, и все. Одна снежинка, и еще одна, и еще, и еще — до той последней снежинки, которая говорит: *«Ицт!»* «Сейчас!» — она говорит, и большая ветка на самом верху ломается и падает, и ее треск был слышен по всей деревне, и ветер, который свистел в листьях, когда она упала, тоже все услышали, а потом слышали удар, и все вскочили и побежали туда. Потому что все знали этот эвкалипт Рабиновича, с его вороньим гнездом на самом верху. Ты ведь лазил туда, когда был маленьким, помнишь? Глоберман, и Рабинович, и я — мы бегали внизу, как сумасшедшие, от страха, что ты, не дай бог, упадешь, а Юдит смеялась, потому что мальчик, которого зовут «Дедушка», с ним ничего не может случиться. Но сейчас тебе уже нужно быть осторожным со своим именем, Зейде, сейчас ты уже не маленький мальчик, а Ангел Смерти не прощает, когда его обманывают. Он себе ждет, и ждет, и ждет, когда придет его минута, и я иногда думаю, Зейде, что у каждого из нас есть свой собственный Ангел Смерти. Он рождается вместе с человеком, и живет все время рядом с ним, и ждет его всю жизнь, и поэтому, если кто-нибудь уже совсем старый, он будет жить еще много лет, потому что его Ангел Смерти тоже уже не молод и тоже не так уж хорошо видит, и руки у него уже немножко дрожат, и утром, когда он встает, у него ломит все кости, и в конце концов, когда ему наконец удается тебя убить, он сам умирает через минуту после тебя, как пчела, которая ужалит человека и всё, тут ей капут, весь дух из нее выходит со свистом.

А тут одинокая женщина, твоя мама, и не так чтобы очень большая красавица, но с таким открытым, светлым лицом — как окно в сад! И та складка от боли, которая у нее между бровями, такое бывает только у женщины, которую любовь порезала прямо по телу, а не только по коже, и если ты видишь, как она доит корову, или режет овощи для салата, или моет ребенка, ты сразу понимаешь, какими добрыми могут быть эти руки. Ты опять спрашиваешь, почему я влюбился в нее, да? Чего я хотел от нее, ты хочешь знать? А что вообще такой человек, как я, может хотеть от женщины? Ты извини меня, Зейде, но не *тухес* ему нужен, такому человеку, и не *цицес*, и даже красота уже тоже не имеет отношения к делу, и весь заряд у него уже приходит к концу, и не только ум, но все тело уже начинает скучать у него, и как говорил Глоберман: «Когда столько девок перепробовал, даже *шванц* уже начинает зевать от скуки». Тогда добрых рук — вот чего такой человек хочет. Добрых женских рук, чтобы они погладили его, чтобы немножко взболтали тину, что у него в душе, таких рук, что как вода — проходят себе тихо-тихо по телу и шепчут: «Я здесь, Яков, я здесь... ша... спи уже, Яков, ты не один... ша, Яков... спи...»

Четвертая трапеза

1

Четвертый ужин Яков приготовил мне в 1981 году, через несколько недель после своей смерти.

Простой и покойной была его смерть. Смерть человека, душа которого ушла медленно и тихо, — не рванулась бурей из клетки ребер, не вспыхнула в последний миг перед тем, как угаснуть, не была извлечена из тела насильно. Таксист нашел своего постоянного клиента лежащим на диване в столовой, в одежде и в туфлях. Он рассказывал потом, что лицо Якова было совсем спокойным, а тело хоть и холодным, но еще не окоченевшим, и никакой внутренней борьбы или боли не отражалось ни в выражении лица, ни в позе.

— Я тоже уже не так чтобы молод, — сказал мне таксист. — и я бы хотел умереть так же, как он.

Смерть Якова застала меня в Иерусалиме. Томимый бессонницей, я лежал в гостевой комнате Номи и Меира, и тут внезапный телефонный звонок прервал их ночную беседу. Они всегда беседовали по ночам, и я всегда прислушивался к их разговору, но мне ни разу не удалось выудить внятные слова из потока их горького тихого бормотанья.

Это была уже не та маленькая квартира в жилом массиве, где я гостил у них в детстве, — теперь они жили в своем собственном, красивом, просторном каменном доме. В те давние времена Номи и Меир спали в одной узкой кровати в одной комнате, потом они стали спать в одной широкой кровати в одной комнате, потом в двух узких кроватях в одной комнате, а сейчас они спят в двух широких кроватях в двух отдельных комнатах. Время можно отсчитывать и такими переменами.

По своему обыкновению, я лежал и смотрел на дверь, зная, что она никогда больше не откроется и треугольное лезвие света не вырежет и не развернет перед моими глазами золотистый срез тела и коридора.

Всякий раз, когда Яков описывал тех девушек, что стирали на речке Кодыма, с гордостью именуя это «вечной картиной любви», я вспоминал свою собственную вечную картину: юная женщина, выхваченная светом из ночной темноты, ее влажная щека, четко вычерченная талия, сверкающее каплями тело. Мне хотелось вернуться в ту комнату и, свистнув, вернуть к ноге то умчавшееся время, чтобы снова увидеть мерцающее в полутьме обнаженное тело, которое никогда не вернется.

Но тогдашняя невинность давно уже покинула меня, а юность давно уже ушла из ее тела, да и вообще — есть ли в мире более жалкое занятие, чем попытки заново воспроизвести былое? Куда лучше всех этих потуг — наше воображение, и куда лучше воображения — выдумка, а лучше всего этого — просто наша память.

Меир поднял трубку.

— Да, — услышал я его голос, — он здесь, — и тут же позвал: — Это тебя, Зейде. И скажи ему, пожалуйста, кто бы это ни был, что сейчас четыре утра.

— Я здесь, в иерусалимской Тнуве, — сказал Одед на другом конце провода. — Я подумал, может, тебя интересует узнать, что Шейнфельд умер.

— Когда? — спросил я, удивившись остроте боли, внезапно вонзившейся мне в живот.

— Вчера утром.

— Почему мне не сообщили? Почему не позвонили раньше?

— Кто это «не сообщили»? Кто это должен был тебе звонить? — раздраженно спросил Одед. — Его уже похоронили. Еще вчера, после обеда.

— Когда ты возвращаешься в деревню?

— Можешь подождать меня на выезде из города. Мне здесь работы еще на полчаса.

Всю обратную дорогу я думал только об одном. О тайне, которую знали только я и она. О тайне ее последнего отказа от его любви. Со дня ее смерти я все готовился и собирался с силами, чтобы открыть Якову эту тайну. Я рассказывал ему о ней, идя по улице и беззвучно шевеля губами, я шептал из своего старого наблюдательного ящика, в котором давно уже не умещался, я выкрикивал ее широко распахнутым ртом и громовым голосом в далекой дубовой роще, — но до настоящего признания дело так и не дошло.

Одед, чувствуя, что я переживаю и раскаиваюсь, молчал всю дорогу.

Даже когда я вдруг произнес вслух:

— Так даже лучше. Если бы я ему сказал, его бы давно уже не было, — он сделал вид, что моя исповедь утонула в шуме мотора, и не отозвался ни словом.

Несколько дней спустя меня пригласили в адвокатскую контору в Хайфе и сообщили, что тот красивый дом на Лесной улице в Тивоне, вместе с садом, кухней и всем содержимым, отныне становится моим.

— Что вы думаете с ним сделать? — спросил адвокат.

— Сдам кому-нибудь, — сказал я.

— Я бы снял его с удовольствием.

— Дайте мне десять дней и потом можете вселяться.

Адвокат опустил глаза и откашлялся.

— Там в кухне висит портрет женщины, — смущенно сказал он. — Я был бы вам благодарен, если бы вы оставили его там.

— Вы знали ее?

— Госпожу Грин? Не в ее юности, к сожалению, но уже под старость, — сказал он. — Я был их адвокатом, ее и господина Грина. Несколько лет назад, когда она скончалась и я пригласил сюда господина Шейнфельда, чтобы вручить ему ключи от дома, который она ему завещала, я узнал от него, что он был ее первым мужем. Должен признаться, что это было для меня большой неожиданностью. А сейчас этот дом наследуете вы, господин Рабинович. Вы позволите задать вам личный вопрос: что вас связывает с этой семьей?

В ту ночь господин Рабинович ночевал в своем новом доме.

Как обычно, он уснул только на рассвете, и у него не было снов.

Наутро он услышал громкий стук в дверь.

— Кто там? — спросил господин Рабинович.

— Это из магазина.

Вошел молодой парень, пахнущий колбасой и лавровым листом. Он, казалось, хорошо знал это место — направился прямиком в кухню, положил в холодильник несколько пакетов, разложил по полкам овощи и фрукты, со звоном поставил бутылки.

— Все оплачено, — сказал он и положил на стол визитную карточку своего магазина и белый запечатанный конверт, адресованный мне.

Уже у двери он повернулся ко мне, глубоко втянул воздух и произнес:

— Мы очень сожалеем, господин Рабинович Зейде. Господин Шейнфельд Яков был хороший человек и действительно понимал толк в еде. Может быть, он не так уж разбирался в названиях разных вин, но сковорода смеялась у него в руках, а нож танцевал. Мой хозяин специально ходил нюхать запахи из этого дома, когда господин Шейнфельд Яков варил, а возвращаясь в магазин, говорил нам: «Это большая честь — продавать продукты такому человеку, потому что этот человек умеет варить в трех медных кастрюлях одновременно». Мой хозяин просил передать и вам, господин Рабинович Зейде, что если вы останетесь здесь жить, мы будем рады обслуживать вас тоже.

Парень закончил свою речь, произнесенную на одном дыхании, и вышел.

Господин Рабинович Зейде начал искать и разбираться.

В конверте он нашел рецепты для четвертого ужина.

В ящике прикроватной тумбочки его ждала голубая косынка матери.

Ее великолепное свадебное платье висело в шкафу, освободившись от прежней картонной скорлупы. Белоснежное, разглаженное, не пахнущее ничем.

Господин Рабинович Зейде вынул его из шкафа, разложил на кровати, сел в большое кресло и заснул.

2

Как отчетливы воспоминания: листья кленов желтеют, и облетают, и уплывают по воде, словно отделенные от тела ладони. Крестьяне разбирают ловушки для диких уток и собирают с крыш фрукты, которые разложили там высыхать.

Как неизменен ход времени: ветер приходит с севера, светлеют тончайшие простыни облаков, падают первые снежинки и по утрам волчьи следы подходят вплотную к деревенским заборам.

Земля поворачивается. Зима подходит к концу. Как послушны весне твари живые: соловьи заливаются в камышах, цветущие яблони стыдливо распускают белые шлейфы и пчелиные шафера бережно приподымают их на крыльях, перед глазами Якова качаются пьяные бабочки, запутавшись в паутине его памяти.

Золотого и зеленого становится все больше. Солнце поднимается все выше, и вот уже — как знакомы, как выразительны эти картины — крохотный зимородок покачивается над своим отражением в воде, ветер гребет по листве берез, и девушки выходят стирать одежду и простыни на камне, что на изломе русла.

В эту пору, рассказывал мне Яков, главные цвета любви раскрашивали его сердце, потому что в любви подростка, говорил он, больше удивления, чем желания, больше восторга, чем ревности, и она больше всех будущих любовей, ибо сильна эта любовь, как сила его тела, и вес ее как его вес.

В те детские дни, добавлял он, он любил не одну какую-то женщину, но всех женщин сразу, и любил землю, которая несла на себе их сладкую тяжесть, и небо, что было как полог над великолепием их голов, и единого еврейского Бога, который привел их к порогу его жизни.

Он томился желанием к их коленям, упиравшимся в черный береговой сланец. Их груди пели ему из вырезов их рубах. Сверкающие воронки воды не переставали вращаться в его сердце. С того места и под тем углом, откуда он смотрел, девушки казались ему плывущими по огромному водному простору, позолоченному солнцем. Ветер играл их подолами, прижимая, обрисовывая, взметая, облегая.

— Вечная картина любви, — снова повторил Яков, радуясь не только своему воспоминанию, но и этим красивым словам, которые сумели сложить его косноязычные губы.

3

У меня нет склонности к кулинарии и нет особого интереса к еде. Как и любой человек, я получаю удовольствие от хорошей пищи, но никогда не вдаюсь в детали ее приготовления, не интересуюсь ее составляющими и даже не подумаю забираться в какие-то дали специально ради нее. Тут я разделяю мнение Глобермана: «Хорошая еда — это такая еда, после которой ты вытираешь тарелку куском хлеба, точка».

Стол уже ждал меня, накрытый и терпеливый. Большие белые тарелки, теперь уже мои, сверкали на скатерти. Медные кастрюли пламенели на стене, как заходящие солнца. В кухонном столике затаили дыхание ножи. Кого из них выберет новая рука, которая откроет ящик?

Я повесил рецепты Якова перед глазами и повязал
на бедра его передник.

Поначалу я испытывал некоторый трепет, потому
что все мои познании в кулинарии ограничивались,
как я уже объяснял, нашей — Моше и моей — обычной
едой: яичницей, овощным салатом, картофельным пю-
ре и вареной курицей. Но указания Якова были просты,
мясо — послушно, приправы и овощи — заранее при-
готовлены и разложены. Половники сами собой танцевали в моих руках, сковороды и кастрюли отзывались с
радостным послушанием, и вскоре я почувствовал себя
достаточно уверенным, чтобы управляться с несколькими горелками одновременно.

Радость и скорбь не смешивались в моем сердце. Пары воды и капли жира не мешали друг другу. События
происходили не вместе, а рядом — этакие соседи по лестничной площадке во времени. Я резал, пока жарил,
мешал, пока выжимал, улыбался, печалясь, выпаривал,
смешивал, посыпал, кипятил, вспоминал, плакал, при-
правлял.

И закончив, я позволил себе некую долю церемон-
ности, которую люди порой позволяют себе, оставаясь
наедине.

Повернувшись лицом к столу, я снял передник, рас-
кланялся и торжественно погасил все горелки.

Ривка смотрела на меня со стены со странным любопытством, которого я никак не мог понять, пока не
вспомнил, что сейчас я уже намного старше ее.

— *Эс, майн кинд!* — сказал я ей насмешливо и подал
себе последний ужин.

4

— Что там у нее было внутри, что там было у нее под кожей, какие секреты, которые помнит женщина не головой, а телом, — кто же когда-нибудь узнает? Ведь и ты, Зейде, ничего не знаешь о своей матери. Ну что ты знаешь? Что она приехала поездом, и растила детей Рабиновича, и варила, и стирала, и мыла, и полоскала, и доила, и делала все, что делают все женщины в деревне, но жила в коровнике, одна, и ночью кричала? Вот и все, что ты знаешь. Временами я думал, что она пришла сюда, чтобы что-то искупить. И потом, эта телка, которую она растила, — зачем человек так растит животное и зовет его Рахель, если не для искупления? Но ты никогда не мог услышать от нее ни одного слова, и на лице ее ты тоже не мог увидеть ничего. Ее лицо было открыто, как окно, что против сада, но с другой стороны оно тоже ничего тебе не открывало. Это был ее способ скрывать. Она много скрывала тогда, и я еще по сей день многое скрываю ради нее. А ты что думал, — что я тебе рассказываю все до последнего? И Рабинович, наверно, тоже знал кое-что, но он никогда не копался в таких вещах, и потом — он столько лет жил внутри собственного горя, что его уже не очень интересовали несчастья других людей. Только раз, когда кто-то пришел в комитет, жаловаться, что она кричит по ночам, Моше вошел к ним в помещение и сказал: «Что, ее крик сушит вымя у ваших коров? Ведь нет? Так чего же вы лезете и какое вам дело? Каждый себе кричит. Только Реувен кричит громко, а Шимон кричит тихо». Вот так он сказал, а потом повернулся и вышел. Я сначала не понял, кто эти Реувен и Шимон, пока Деревенский Папиш не объяснил мне, что это имена, которые дают на иврите для примера. И тогда я подумал о себе, что такое имя, как Яков, мое имя, — оно никогда не будет ни для чего примером. Но она, правда, так сильно кричала каждую ночь, что сердце могло разорваться на части. Ночные голоса ведь не скроешь. Это тебе не то что какой-нибудь Зейде, что можно никому не говорить, кто его отец. Это не просто женские секреты — откуда ты приехала? кого ты любила? Все эти секреты, если они не оставляют знаков на теле, то где же? В душе? Какие уж там знаки можно оставить в душе? Такие звуки весь день ждут темноты, чтобы их услышали. Всю ночь она лежала в коровнике, возле своей коровы, эта жевала свой корм, а эта жевала свои воспоминания. И вот этот вой... всю ночь... как волчья душа — летит над деревней, и взлетает, и опускается, и ищет... и ищет... Что тебе сказать, Зейде? Тут были люди, я не буду называть имена, которые говорили: «Если эта Юдит нашего Рабиновича будет еще долго так выть, к нам скоро набегут шакалы, искать своих родичей». А потом пошли выдумки, одна почище другой. Один сказал, что это у нее женское, потому что у нее там внутри боли, которых мужчины вообще не могут понять, потому что у них нет таких мест. Один сказал, что это из-за любви. Один сказал, что это у нее раскаяние во время сна. Ведь каждый человек в чем-то раскаивается, в большом или в маленьком, и есть такие люди, которые раскаиваются тихо, а есть такие, которые раскаиваются криками, и еще есть люди, которые всю жизнь только и делают, что раскаиваются. Я когда-то знал одного плотника-украинца, который один раз раскаивался, что поел, а другой раз — что любил, и еще раз — что что-то такое сказал, и еще — что что-то такое сделал. Разве мало у человека причин раскаиваться?! Бывало так, что он приходил к человеку домой, чтобы переделать комод, который сделал ему за неделю до этого, дважды его поймали, когда он раскапывал могилы на кладбище, потому что ему стало жалко того дерева, из которого он сколотил гробы, и еще он два-три раза в год менял себе имя, а старое свое имя бросал совсем, как змея бросает свою старую кожу в поле, чтобы оно само разбиралось со всеми его старыми делами. Вот ты, Зейде, ты ведь всегда жаловался на свое имя, когда был мальчиком, — так почему ты не поменял его, как этот плотник, а? Ведь ты тоже мог пойти в правительство и сказать: «Не хочу больше быть Зейде, хочу быть Гершон, хочу быть Шломо. Хочу быть Яков». Вот было бы хорошо, если бы тоже был Яков. Но это очень опасно, потому что такие имена, как мое и твое, — это судьба. С такими именами, как наши, не играют.

5

То было время, когда Вторая мировая война шла к концу, и однажды ночью к Якову в дом заявился загадочный незнакомец.

— Это был очень странный человек, но такой, что он никак не мог прийти случайно. Я сразу же понял, что он мне послан. Как послана была Юдит, и та змея, что укусила Якоби, и наш счетовод-альбинос. Потому что он тоже пришел с полей, а не с главной дороги, как и все они.

Так или иначе, но торопливый умоляющий палец постучал в дверь, и когда Яков открыл, в темноте перед ним высился толстый и уродливый великан с жидкими, оттянутыми назад волосами и маленькими глазками испуганной мыши.

На нем была синяя рабочая форма, которую Яков немедленно опознал. В таких комбинезонах ходили итальянцы из лагеря военнопленных, который англичане разбили неподалеку от деревни. Эти итальянцы в синем часто появлялись на наших полях. В проволочной ограде лагеря был лаз, о котором все давно знали, и они выбирались через него наружу, в поля, чтобы нарвать всяких душистых трав и по-детски поиграть в догонялки.

Но у этого итальянца глаза так и бегали, а кожа совсем взмокла от пота. Он встал перед Яковом на колени и на очень приличном иврите произнес, тяжело дыша и даже отдуваясь от страха:

— За мной гонятся! Спрячь меня, ради бога!

— Кто это за тобой гонится? — спросил Яков.

— Спрячь меня, господин хороший! — умоляюще повторил пленный. — Хотя бы на одну ночь!

— Ты что, еврей? Откуда у тебя такой иврит? — спросил Яков с подозрением.

— Я могу говорить на любом языке, который слышу, — сказал человек, и Яков испугался, потому что гость вдруг заговорил его голосом. — Если захочешь, я и тебя могу научить, только позволь мне войти и закрой дверь, я все тебе расскажу внутри.

— Нельзя просто так впустить в дом незнакомого человека! — все еще упирался Яков. — Я должен кому-нибудь сообщить...

Но незнакомец вдруг выпрямился в полный рост, осторожно, но решительно втолкнул Якова внутрь, вошел следом и закрыл за собой дверь.

— Не сообщай, не говори никому! — взмолился он.

— И ты знаешь, Зейде, почему я его пожалел? Не потому, что он убежал из лагеря, и не потому, что он вдруг заговорил моим голосом. А потому, что он присел к столу, три пальца он сунул в чашку с солью, взял немного, переложил себе на вторую ладонь и стал лизать ее оттуда, — совсем как корова со своего камня в стойле. Я много раз видел такое. Когда человек так лижет соль, значит, он уже совсем потерял силы и дошел до самого конца. Моя мать стала такая в последний год перед смертью. У нее всегда был маленький камешек соли на столе и еще один, поменьше, в кармане. Такие люди, когда они чувствуют слабость, они берут себе немножко соли в рот, как другим нужен сахар, иначе у них подгибаются колени. Я всегда мечтал, как я когда-нибудь заработаю так много денег, что куплю своей маме такую же тонкую белую соль, как у богачей, чтоб она не лизала себе тот серый камень, как корова. И когда я увидел, что этот несчастный итальянец тоже делает так, я понял, что ему и правда нужна помощь.

Яков нарезал беглому пленному хлеба и сыра, пожарил ему яичницу, сел рядом, глядя, как он ест, а потом повел в старую пристройку для канареек.

Он принес ему два мешка опилок из курятника и сказал:

— Ложись тут. Завтра поговорим.

Наутро Яков проснулся раньше обычного, потому что канарейки распелись во весь голос. Несколько минут он лежал, уже проснувшись, но в конце концов встал. Мысль, которая была наполовину решением, а наполовину желанием, созревала в его сердце и не давала больше уснуть.

Он вошел в пристройку и увидел, что пленный итальянец уже проснулся и, лежа на мешках с опилками, дирижирует канарейками, энергично размахивая двумя толстыми, как сосиски, пальцами.

— Как тебя зовут? — спросил он.

— Сальваторе. — Пленный поднялся на ноги и отвесил церемонный поклон.

— А фамилия? — спросил Яков

— Просто Сальваторе. Человек, у которого отец и мать уже умерли, жены не было и нет, а детей никогда не будет, — такой человек не нуждается в фамилии.

— Сальваторе, — сказал Яков, — сядь, пожалуйста. Мне неприятно, что ты стоишь.

Пленный сел, но и сидя он заполнял всю пристройку.

— Где ты жил в Италии?

— В маленькой деревне, на юге, в Калабрии.

— Тогда ты должен знать, Сальваторе, как это бывает в маленькой деревне, что нельзя никого и ничего спрятать, — каждый знает, что варится в кастрюле у другого. Даже в земле я не могу тебя здесь спрятать. Но ты говоришь на иврите и выглядишь как любой другой в нашей деревне, так давай мы дадим тебе еврейское имя, оденем тебя в местную одежду и скажем всем, что ты мой работник.

Так Сальваторе превратился из итальянского пленного без фамилии в еврейского работника по имени Менаше. Менаше Бэр.

Никто не знал, кто он на самом деле, потому что Сальваторе был великолепный имитатор и кроме своего родного языка свободно говорил на иврите, немецком, английском, русском, арабском и идиш. С Яковом он говорил только на иврите и всегда называл его только «Шейнфельд», а когда тот сделал ему замечание, ответил, что не смеет называть его по имени, «и потому, что я всего-навсего твой работник, и из-за самого твоего имени».

Яков купил ему рабочую одежду, чтобы он не расхаживал в синем комбинезоне военнопленного. Вскоре выяснилось, что Сальваторе умеет доить, обрезать черенки винограда, заливать бетон, косить траву, сжигать древесных гусениц и чинить любую сантехнику, так что через несколько недель вся деревня уже знала, что у нового работника Шейнфельда золотые руки, и его стали то и дело звать поработать там и сям за малые деньги.

Он был полон благодарности Якову и изо всех сил старался услужить и помочь ему. Он варил, мыл посуду, убирал дом, ухаживал за садом. Он нашел остатки роз, которые альбинос когда-то высадил возле дома Якоби и Якубы, высвободил их из смертельных объятий вьюнка и привил к ним новые сорта. Все были потрясены, когда он продемонстрировал свое умение уничтожать кротов, убивая их прямо в глубине норы слепым ударом вил. В деревне думали, что у него за спиной богатый крестьянский и технический опыт, не понимая, что всеми этими умениями он был обязан той же способности к имитации, которая помогала ему в изучении языков. Стоило ему хоть с минуту приглядеться к человеку, который доил, или стриг, или строил, или косил, и он уже способен был производить те же действия и движения с неожиданной точностью и завидным мастерством. Даже такие тяжелые и специальные работы, как укладка плиток на новом полу или обработка коровьих копыт, он осваивал вприглядку и тут же приступал к делу, как давний умелец.

Одна только Номи Рабинович заподозрила что-то
неладное. Однажды она сказала, что работник Шейнфельда «какой-то странный», а когда ее спросили, что
она имеет в виду, сказала:

— Он на вид совсем не Менаше. Он на вид, скорее,
Ненаше.

С тех пор это прозвище пристало к нему, и вскоре
все стали называть его Ненаше.

Как-то раз Ненаше удалось опередить Глобермана и назвать — его голосом и на идиш — точный вес выстав-
ленной на продажу коровы.

— Как ты это сделал? — спросил его Яков, когда они
вернулись домой.

— Я сделал такое же лицо, какое делается у него, когда он смотрит на корову, и у меня тут же выскочил в
голове ее вес, точка, — сказал Ненаше.

— Не делай этого больше, — сказал Яков. — Глоберман человек опасный. Он не маленький мальчик. У него много ума, а жалости нет совсем. Если он заподозрит
тебя в чем-то, это очень плохо кончится.

Но сам он так настойчиво расспрашивал своего работника об этой его способности к подражанию, что
Ненаше в конце концов засмеялся и сказал, что на самом деле у него нет никакого особого таланта к подражанию, он просто подражает таланту подражания своего отца, который был «великий артист и имел свой
передвижной кукольный театр».

Ненаше оказался человеком весьма чувствительным, и слезы, выступившие на его глазах при воспоминании о покойном отце, были такими крупными, что
соскользнули по его щекам и упали на бедра.

— Свой рост я тоже унаследовал от него, но отец был худой, а я вот стал такой толстый.

Яков спросил, как это он так растолстел, и Ненаше рассказал ему, что когда-то, в молодости, у него был возлюбленный.

— Каждую ночь я готовил ему и себе порцию *забайоне*, для сил и для любви. Потом мы расстались, но я по-прежнему продолжал готовить эти ночные *забайоне*, уже для воспоминаний и ел их из-за тоски. И вот так я растолстел.

Яков смутился. Ему никогда не доводилось слышать, чтобы человек так свободно говорил о любви между мужчинами, и он не знал, что значит слово «*забайоне*», которое казалось ему смешным, грубым и странным одновременно. Тогда Ненаше взял два яйца, нашел немного сладкого вина, отделил желтки на ладони, добавил сахар, вскипятил воду, взбил и подал Якову попробовать.

— Как вкусно! — взволнованно воскликнул изумленный Яков. — Как это такие простые продукты и такая небольшая работа дают такой замечательный результат?

— Если у тебя будет вино получше, Шейнфельд, получится еще вкуснее, — сказал Ненаше.

— Расскажи мне еще о твоем отце, — попросил Яков.

И Ненаше рассказал ему, что отец его так увлекался подражанием, что со временем совсем забыл, как звучит его собственный голос, и всегда говорил голосом последнего человека, с которым разговаривал перед этим. И в результате его жена всегда знала обо всех его изменах и любовных связях, потому что, возвращаясь домой под утро, он во сне говорил голосами ее лучших подруг.

— Он был не такой, как я, — сказал Ненаше. — Он любил женщин, и женщины любили его, потому что он умел изобразить любого мужчину, которого они хотели.

— Кого же он им изображал? — спросил Яков, с волнением ожидая ответа, который осветил бы и разогнал туманы над его собственной любовью.

— Ты, наверно, думаешь, Шейнфельд, что он изображал им Казанову? Нет, они все просили, чтобы он изобразил им их собственных мужей.

Яков не понял, почему.

— Они надеялись, что он изобразит их не совсем точно и будет только чуточку похож на их мужа, а не совсем то же самое, — засмеялся Ненаше. — Всякая женщина любит своего мужа, она только хочет немножко его подправить, тут и там.

— А отчего он умер? — поинтересовался Яков.

— *А нафка мина!* — ответил Ненаше голосом Якова. — Однажды он вернулся с похорон своего друга, не стал ни с кем говорить, лег в постель и тоже умер. Вначале никто не верил, думали, что он просто подражает умершему другу, и не хотели ему мешать, и только когда от него завоняло, все поняли, что на сей раз это по-настоящему.

Года три-четыре было мне тогда, и я помню его как сквозь туман. Иногда он заходил к нам в детский садик, вырезал для нас маленькие цветные фигурки из бумаги и изображал глупое квохтанье индюшек, громкие наставления нашей воспитательницы и воинственные трубные звуки гусей во дворе Деревенского Папиша.

Его талант подражания был уже известен всем. Некоторые им восторгались и всякий раз просили Ненаше показать свое уменье, но были и такие, которым казалось, что его странная способность выходит за границы привычного загона человеческого существования, и это вызывало у них безумное негодование. Его подражания были такими точными, что удивляли даже животных и птиц. Ненаше пугал кур голодными кошачьими воплями и усыплял их протяжными скорбными вздохами обмирающих от жары несушек. Дойных коров он лишал молока, с жутким сходством цитируя Глобермана, а коров-первотелок доводил до течки, декламируя экстатически-возбуждающие трудовые призывы Гордона и Блоха[1] их же голосами вперемежку. Но высшим его достижением было подражание крикам соек, этих самых крикливых и самых нахальных из всех пернатых.

К тому времени сойки уже лет десять как переселились из рощи в деревню всем своим синекрылым и галдящим цыганским табором. Они с легкостью приспособились к новому месту, воровали еду, подглядывали и перенимали людские привычки и вскоре уже присвоили себе монополию на все проказы, подражания и обманы: кричали как испуганные матери, свистели условным свистом влюбленных и в самые неподходящие моменты вопили «Н-но!» и «Тпру!» над головами лошадей в упряжке.

И вот теперь появился этот итальянский военнопленный и воздал сойкам их же монетой: он совершенно запутал их жизненный распорядок криками ухаживания и соблазна, которые издавал как раз в разгар сезона кладки яиц, в полдень тревожил их отдых глухими вздохами филина, а на вершине любовного экстаза вспугивал паническими воплями голодных птенцов.

---

[1] Намек на глашатаев т.н. «религии труда», призывавшей евреев к самоотверженной работе на земле.

6

Одед все еще хранит в кармане водительские права времен мандата, и когда во время очередной нашей поездки
он показал мне эту пожелтевшую бумажку, припомнив,
как, будучи еще мальчишкой, получил ее от Глобермана,
я вдруг ощутил странную, грустноватую веселость, живо
припомнив этого человека, к которому — как и мама —
питал неприязнь и симпатию одновременно.

— Этот «*дрек*», говнюк этот, был тот еще ловкач! —
прокричал Одед. — Жаль, что ты унаследовал от него
только ноги, а не голову.

В половине второго ночи, когда я прихожу на молочную ферму, Одед уже там — отвинчивает трубы, закрывает клапаны, перепрыгивает через высокие пери-
ла цистерны, затягивает крышки.

Потом мы двигаемся в путь. Резкий запах зубной пасты и крема для бритья наполняет кабину. Щека Одеда
воспалена от полуночного бритья, и я гадаю, так же ли
выглядит его левая щека. Я уже столько лет сижу справа
от него, что его вторая щека для меня такая же загадка,
как другая сторона Луны.

Он не такой сильный, как его отец, — с Моше Рабиновичем мало кто может сравниться, — но унаследовал от него некоторые черты, и, как это не раз случается с отцом и сыном, глядя на него, не скажешь, то ли
сын — улучшенный вариант отца, то ли, наоборот, его
слабое подобие. Одед был одним из лучших в деревне
по пережиманию рук, но поднять знаменитый валун
Моше ему не удавалось. Он пробовал и так, и эдак, а когда стали раздаваться смешки, перенес свои попытки
на ночь, перед тем, как выезжал с цистерной.

Как-то раз шейнфельдовский работник увидел его за этим занятием и спросил, что он пытается сделать.

— Хочу поднять этот камень, — сказал Одед.

— Человек не может поднять такой камень, — сказал Ненаше.

Одед показал ему выцветшую надпись, сделанную когда-то его матерью, но поскольку способность Ненаше к подражанию не распространялась на чтение, а выдать свой секрет итальянский пленный боялся, то он тут же бросился к Якову и спросил, что там написано.

Яков продекламировал ему фразу, которую каждый человек в деревне знал на память: «Тут живет Моше Рабинович, который поднял меня с земли», — и Ненаше загорелся и заявил, что коли так, то он тоже поднимет этот валун.

— Ничего у тебя не получится, — сказал Яков. — Многие уже пытались, и все осрамились.

Ненаше вернулся к валуну, сделал несколько попыток и осрамился тоже, но это не повлияло на его хорошее настроение. Его новая жизнь уже даровала ему ежедневную крестьянскую рутину, и теперь он добавил к ней также ежедневные попытки поднять валун Рабиновича. Каждое утро, вставая, он выпивал сырое яйцо и чашку цикория, надевал рабочую одежду и выходил в поле, а в полдень облачался в кухонный наряд, сшитый из старых Ривкиных платьев, повязывал передник и варил обед. После полудня он снова переодевался в рабочую одежду и работал во дворе, а перед вечером выпивал еще одно сырое яйцо, в очередной раз шел к валуну и терпел очередное поражение.

7

Медленно-медленно, исподволь, втирался Ненаше в жизнь Якова.

— Я вижу, тебе не очень нравится еда, которую я готовлю, — с сожалением сказал он однажды, когда Яков оставил тарелку почти нетронутой.

— Это очень хорошая еда, — сказал Яков, — но это еда для итальянцев. Люди привыкают к той еде, которую ели когда-то дома.

Ненаше пошел к Ализе Папиш и попросил у нее разрешения посмотреть на нее, когда она готовит, и уже на следующий день зарезал курицу и приготовил Якову бульон, в котором плавали душистые золотые капли, размял картошку с жареным луком, сметаной и веточками укропа и насыпал в тарелку крупную соль.

Яков ел и блаженствовал, а после еды Ненаше накапал на свои большие ладони несколько капель зеленого масла, велел своему хозяину снять рубашку и промассировал ему плечи и затылок.

— У тебя между плечами тело очень твердое, Шейнфельд, — заметил он. — Может, какая-то женщина не отвечает тебе взаимностью?

Задетое самолюбие, свойственное разочарованным мужчинам, не склоняло Якова к откровенности, и Ненаше прекратил свои расспросы. Но несколько недель спустя, нарезая тесто для *креплэх*[1], он вдруг спросил самым невинным тоном:

— Как, ты сказал, зовут человека, который поднял этот камень?

---

[1] Креплэх (*идиш*) — суповые вареники (пельмешки) с мясом, имеют треугольную форму в честь трех праотцев.

— Я тебе уже говорил — его зовут Моше Рабинович, — ответил Яков, — и это написано на камне.

Он рассердился, потому что почувствовал на себе проницательный взгляд итальянца.

— У него в коровнике я видел женщину, которая сидит там и пьет граппу.

Яков промолчал.

— Кто эта женщина?

— Это Юдит, которая работает у Рабиновича, — сказал Яков и, хотя напряженно ждал этого вопроса, не сумел скрыть дрожь, которую вопрос и ответ придали его голосу.

— Я никогда не видел, чтобы в этой стране пили граппу, — сказал Ненаше. — Где она ее достает?

— Глоберман ей приносит.

— Почему это Сойхер приносит ей граппу, Шейнфельд? Почему не ты?

Яков молчал.

— И еще я видел у нее маленького мальчика, — продолжал Ненаше. — Он каждый день приходит посмотреть, как мне не удается поднять валун его отца.

— Это не его отец! — воскликнул Яков и тут же понял, что допустил роковую ошибку.

— А кто его отец?

— Это не твое дело, — сказал Яков.

— Этот ребенок выглядит так, как будто сам еще не решил, на кого он похож.

Яков молчал.

— Я чувствую здесь рану, — сказал Ненаше. — Я могу тебе помочь.

— Мне не нужна твоя помощь, — сказал Яков и вдруг, не веря собственным ушам, услышал, что произносит: — Что бы там ни было, в конце концов она все равно будет моя.

Какое-то мгновение у него все еще оставалась надежда, что это не он сказал эти слова, а Ненаше произнес их его голосом. Но итальянец посмотрел на него и сказал:

— Шейнфельд, ты ведь уже знаешь, что я не люблю женщин, но именно поэтому есть вещи, которые я понимаю лучше обыкновенных мужчин.

— Я знаю, — сказал Яков.

— И главное, я знаю самую важную вещь, тот секрет, которого ты не знаешь.

— Какой секрет? — спросил Яков.

— Что в любви есть правила. Любовь — это не просто шаляй-валяй, как бог на душу положит. Нужно соблюдать правила, иначе любовь убьет тебя, как лошадь, которая чувствует, что на ней нет узды. Это очень простые правила. Первое: мужчина, который действительно хочет женщину, должен на ней жениться. И второе: мужчина, который хочет жениться, не может сидеть дома и ждать, что бог ему поможет.

— Ты уже научился говорить «шаляй-валяй»? — улыбнулся Яков.

— Не уходи от разговора, Шейнфельд. — Лицо Ненаше стало серьезным. — Я сейчас говорю с тобой о твоей жизни, так не спрашивай меня о моих словах. В любви есть правила, а где есть правила, там мир проще. Мужчина, который хочет жениться на женщине, должен уметь станцевать свадебный танец, сварить свадебный обед и сшить свадебное платье. А не сидеть дома, ждать и твердить: «В конце концов она все равно будет моя».

Яков задрожал. Итальянец ясно и просто сформулировал все те смутные размышления о том, как обуздать и направить свою судьбу, которые уже годы гнездились в его мозгу, но страшились сбросить свои метафорические наряды и вылететь в открытый мир.

— Посмотри, пожалуйста, на ворон в небе. В любом месте они ведут себя одинаково. И здесь, и в Италии. Вороны — это самые умные из птиц. Посмотри, как их самцы ухаживают за самками.

— Я знаю, как они ухаживают! — рассердился Яков. — Я знаю птиц немного лучше, чем ты.

— Сейчас как раз подходящий ветер, чтобы вороны показали нам свое представление, — глянул Ненаше в окно. — Ну-ка, выйдем со мной во двор, Шейнфельд, и посмотрим, что ты знаешь о воронах.

Они вышли. Вороний самец, поднявшись высоко вверх, мгновение покачался на теплом воздухе и тут же, сложив крылья, упал, как камень. Прямо перед клювом своей темной и восторженной подруги, сидевшей на одной из веток, он разом развернул хвост и крылья. Послышался негромкий хлопок, серовато-черное тело остановилось в падении, перевернулось, взмыло в воздух и набрало высоту.

Таким стремительным и ловким был этот кувырок, что казалось, будто птица нисколько не потеряла скорость, и теперь она уже снова снижалась, крутясь и содрогаясь, словно ее подстрелили и она падает навстречу смерти, но в последнюю минуту, затормозив у самой земли, резко взмыла снова.

— Вот так они делают во всех местах и во все времена, — сказал Ненаше. — И хотя он и она живут всю жизнь вместе, он каждый год обольщает ее заново.

Таковы правила. Но если этот самец споет ей серенаду и принесет граппу, она на него даже не посмотрит.

— На земле он такой уродливый, — сказал Яков.

— Поэтому, Шейнфельд, он ухаживает за ней в воздухе, а не на земле. Первое правило ухаживания: ухаживай там, где ты красивый, а не там, где ты уродливый.

Яков заявил было, что он уродлив и в воздухе, и на земле, но Ненаше сказал:

— У каждого есть одно-два места, где он красив. — А потом добавил: — Любовь — это дело упорядоченное и разумное. Тут нужны мозги. Как строят дом, и как водят машину, и как варят еду, и как пишут книгу — так же и любят.

— Сердце или разум, — устало сказал Яков. — *А нафка мина.*

— Это очень *нафка мина*, — возразил Ненаше. — Но сейчас я вижу, что ты улыбаешься, Шейнфельд, значит, у тебя еще есть надежда.

И Яков, которого уже слишком долго качали и уносили неожиданные и невыразимые волны любви, вдруг ощутил, что ему наконец-то покойно и приятно в направляющих и уверенных руках правил и с этим большим и странным человеком, который так хорошо их изучил и знал путь к заветной суше, что лежит за ними.

— Ты помог мне, когда я нуждался в помощи, Шейнфельд, и поэтому я отплачу тебе добром за добро. Я добуду для тебя женщину из коровника Рабиновича. Тебе только придется танцевать, варить и шить. Таковы правила.

— Я не умею танцевать, и я не умею варить, и я не умею шить, — сказал Яков.

— Для танцев и варки есть свои правила, — сказал Ненаше. — А всему, что имеет правила, можно научиться.

Он кончил мыть посуду, стряхнул руки над раковиной, вытер их о передник и вдруг подошел к Якову, поднял его на ноги и сказал:

— Извини меня на минуточку, пожалуйста.

Он положил руку на макушку Якова, а другой рукой
сжал его плечо.

— Пожалуйста, не падай! — приказал он и легким
уверенным толчком повернул его на месте, как юлу.

Яков закрыл глаза, потому что у него приятно за-
кружилась голова и в темноте этого головокружения
поплыли пугающие оранжевые линии, и хотя он не
сказал ни слова, но услышал свой голос, который произнес:

— Ты научишься танцевать!

На рассвете Яков вошел в пристройку для канареек,
отобрал несколько великолепных бандуков, которые
любили там ночевать, и попросил Глобермана взять его
вместе с ними в Хайфу в своем пикапе.

— Ты снова завелся со своими птицами? — спросил
Глоберман.

— Я продаю их, — сказал Яков. — Мне нужны деньги.

Всю дорогу он думал, как ему найти того английского офицера, даже имени которого он не знал, но когда
они подъехали к воротам военно-морской базы, он
увидел, что офицер этот стоит там, как будто ждал его
все эти долгие годы. Он выглядел точно так же, как в те
дни, когда приезжал к альбиносу, но на его рукаве при-
бавилось золотых полос, а в волосах — серебряных.
Яков отдал ему бандуков, и офицер щедро уплатил ему.

Оттуда они направились к арабскому магазину тканей напротив вокзала, где Яков отобрал большие куски цветной материи, которые Ненаше велел ему купить. Затем они поднялись в центр города, и в музыкальном магазине на улице Шапиро он приобрел в рассрочку большой граммофон с бронзовой ручкой и огромным раструбом, а также четыре пластинки, которые Ненаше наказал ему привезти.

— У любви есть правила, — объяснил Яков насмешливо наблюдавшему за ним Глоберману, когда тот спросил, что означают все его покупки. — Думаешь, только вы с Рабиновичем знаете это? Теперь вы оба увидите, что я тоже знаю! Любовь требует поступать по порядку, и тогда Юдит в конце концов будет моей. И она, и мальчик.

Когда они вернулись в деревню, Яков увидел, что возле забора его дома собралась небольшая толпа. В глубокой яме, вырытой посреди двора, стоял, удерживаемый веревочными растяжками, высокий, как мачта, ствол молодого эвкалипта, который Ненаше срубил в роще и приволок во двор. Итальянец быстро раскатал куски ткани, привезенные Яковом, и умелыми, сильными движениями натянул их на веревки, соорудив вокруг эвкалиптового шеста большой разноцветный шатер, который выглядел как огромный цветок и издавал приятный свежий запах.

Потом, сунув отвертку в карман и зажав в зубах плоскогубцы, он с ловкостью гигантского кота забрался на электрический столб на крыше коровника.

— Осторожней с электричеством, — сказал Яков.

— Не беспокойся, — засмеялся Ненаше. — Я когда-то видел, как работает электрик.

Он что-то отрезал, привинтил, обмотал и протянул оттуда провод внутрь шатра. Граммофон он поставил на деревянный ящик, а четыре пластинки положил возле него. Потом зажег лампу, закрыл полотнищем вход в шатер, торжественно остановился перед Яковом и сказал:

— Сейчас мы начнем.

— Во всем мире, — утверждал Ненаше, — существуют всего четыре вида танцев, а в каждом из них не больше четырех основных движений. Поворот, прыжок, шаг вперед, шаг назад, — перечислил он.

— А вправо и влево? — спросил Яков.

— Вправо —это назад от налево, а вперед — это налево от вправо, — сказал Ненаше, с жалостью посмотрев на него, и продолжил свои объяснения, заявив, что все остальные танцы — не что иное, как вариации, подражания или развития четырех основных танцев: танца кружения, или вальса, танца воспоминаний, танца войны и танца касания, или танго, самого возвышенного и величественного из всех. — Все остальное, — презрительно сказал он, — все эти танцы пастухов, жнецов, охотников, а также танцы дождя и вина, и все те танцы, в которых люди держатся за руки и танцуют в круге, — это вообще не танцы.

Яков рассмеялся и вдруг сообразил, что это его первый громкий смех за многие годы, с тех самых пор, как Юдит приехала в деревню. А Ненаше присоединился к нему таким похожим смехом, что казалось, будто это вернулось пугающее эхо, отразившись от большого кряжистого тела итальянца.

— И именно поэтому, Шейнфельд, я буду учить тебя танцевать танго, — провозгласил Ненаше. — Не для того, чтобы понравиться ей, и не для того, чтобы кос-нуться ее. Ты выучишь танго, потому что таково прави-ло: жених должен протанцевать с невестой танго.

Он завел граммофон, положил пластинку, и Яков испугался и встал, подумав, что сейчас ему прикажут танцевать, и тело его смутилось от этой мысли. Но Не-наше положил тяжелую руку на его плечо, усадил его обратно и велел слушать, не двигаясь и не подымаясь с места.

— Ты только сиди, и слушай, и не двигайся совсем, чтобы мне не пришлось тебя привязывать, — предупре-дил он. — Ты только слушай, и слушай, и слушай, а дви-гаться даже не думай. Так мы будем повторять каждый день, пока твое тело наполнится.

Сначала Яков слушал танго ушами, потом диафраг-мой и животом, а через несколько часов, когда душа его взбунтовалась и он захотел встать, было уже слиш-ком поздно — его тело было совсем мягким и вялым, и мышцам не удалось поднять его новую тяжесть.

Он растянулся на полу шатра, как человек, лежа-щий под теплым дождем, а вечером, когда Ненаше вдруг остановил граммофон, поднял своего ученика и вывел его во двор, Яков обнаружил, что его плоть вы-ходит из берегов, а ноги ходят такими новыми для те-ла шагами, что он рассмеялся от неожиданности и сча-стья, и все его мышцы смеялись вместе с ним.

8

Теперь Ненаше стал полностью командовать в доме Шейнфельда.

Он назначал распорядок дня, варил еду, планировал уроки для Якова и следил за его упражнениями. Он приказывал, когда идти и когда возвращаться, когда вставать и когда отдыхать.

— Распорядок — это очень важная вещь, — повторял он.

Порой Яков видел, что Ненаше оценивает его испытующим взглядом и даже принюхивается к нему с таким выражением, которое, видимо, скопировал у садоводов, когда они пытаются определить, созрели ли яблоки для уборки.

— У любви есть правила, Шейнфельд, — повторял он свою заветную фразу. — Самое важное правило я тебе уже сообщил: любовь — это дело разума, а не сердца. Сейчас я сообщу тебе еще одно важное правило: в любви нужно давать много, но никогда нельзя снимать с себя всю кожу и открывать все до конца. И еще, как я тебе уже сказал, любовь, как и всякая работа, занятие или искусство, требует упорядоченной жизни с определенными часами отдыха и еды. Отныне ты больше не будешь выходить на улицу, — сказал он. — Ты не будешь больше видеться с людьми, а особенно с ней. Ты будешь ходить только по своему дому, двору или полю. Только так. Раз-два-три-четыре, раз-два-три-четыре. Нет, Шейнфельд! Ты не будешь считать. Я буду ходить рядом, и я буду считать: раз-два-три-четыре. Цифры приходят из мозга, а мозг, не забывай, мозг — это помеха для танго. Вальс — это танец для мозгов, уан-степ — это танец для мозгов, и чарльстон — это тоже танец для мозгов, пусть для тупых, но для мозгов. Даже наша тарантелла — это для мозгов. Но танго — это касание, танго — это танец вот для этого, здесь...

И с этими словами тело итальянца внезапно скользнуло, как широкая беззвучная молния, и оказалось за спиной ученика, прижавшись крутой грудью кузнеца к его затылку, крепким животом — к его спине, а большими ладонями — к его ребрам, откуда Ненаше с силой провел ими по бокам Якова к выступам его тазовых костей и дальше вниз — по внутренней, чувствительной и испуганной стороне бедер.

— Здесь, — сказал он. — Вот для чего танго. Чтобы трогать.

Он обнял Якова еще теснее:

— Отсюда оно начинается и сюда оно идет.

Яков почувствовал, что его ягодицы испуганно сжимаются, а душа готова выпорхнуть из клетки ребер.

— Не мозгами, — выдохнул Ненаше ему в затылок. — Если бы у тебя были мозги, ты бы не позвал меня, Шейнфельд, и меня бы здесь не было...

Яков хотел было сказать, что он вовсе его не звал, но словно откуда-то из нутра к нему вдруг пришло понимание, что это лишено смысла. Руки Ненаше обнимали его, ноги Ненаше вели его, и бескрайнее золотисто-зеленое половодье весны плескалось вокруг, но не заливало его.

9

Время прошло. Мировая война закончилась. Яков раздумывал, не скрыть ли это от Сальваторе. Но в конце концов сжалился и рассказал.

Итальянец тяжело задышал, сказал:

— Я пойду пройдусь немного, — и через час вернулся и заявил, что хочет остаться.

— Я думал, что ты захочешь вернуться домой, в свою калабрийскую деревню, — сказал Яков.

— Тот, у кого отец и мать уже умерли, жена не ждет и детей никогда не будет, не обязан возвращаться никуда, — сказал Сальваторе. — Здесь меня называют Менаше. Я чиню вещи, и лечу раны, и варю, и шью, и убираю, и танцую. А сейчас, Шейнфельд, — за дело!

С концом войны в деревню вернулись парни, которые пошли добровольцами в британскую армию. Они принесли с собой новые привычки: пили пиво, пели английские песни и рассказывали о тоске и чужбине. То и дело к ним в гости заявлялись армейские дружки, и вот так однажды появился тут и парень из Иерусалима, Меир Клебанов.

В тот день Одед был в поездке, Юдит варила на кухне, Моше работал на складе кормов, а Номи сидела на крыше коровника и заменяла попорченные черепицы. Когда она выпрямилась, чтобы отереть лоб, солнце на миг отразилось от корпуса шедшей вдали легковой машины и тут же из-за ее движения погасло, как будто там вдали открылся и тотчас закрылся чей-то сверкающий глаз.

В те времена машины в Долине появлялись не так уж часто, и Номи следила за ней, пока не увидела, что легковушка остановилась возле старого здания полиции на главной дороге, за полями.

Маленькая черная точка отделилась от машины и двинулась прямиком через их поле, и Номи все смотрела на нее и еще не знала, что через четверть часа эта точка войдет с поля во двор, а через несколько месяцев женится на ней и заберет с собой в Иерусалим. Издали она не могла даже различить, то ли это точка-мужчина, то ли точка-женщина.

Маленькая фигурка прошла краем соргового поля, потом миновала строй старых грейпфрутов в апельсиновой роще за вади, медленно пересекла русло, постепенно приближаясь и все более укрупняясь в размерах, и наконец превратилась в молодого человека, имя которого еще не было известно, но облик уже угадывался, а походка выглядела все более легкой и свободной.

Хотя Номи не могла пока услышать, но что-то в этой походке намекало, что парень свистит, и теперь она уже понимала, что путь, которым он движется, ведет его прямиком к ним во двор. И действительно, вскоре послышалось слабое, постепенно усиливающееся посвистывание, и Номи узнала одну их тех солдатских песен, что принесли с собой вернувшиеся с войны.

Когда он был уже достаточно близко, Номи увидела парня лет двадцати семи, густые гладкие волосы которого были по-городскому расчесаны на прямой пробор, кожа казалась нежной и светлой, черты лица — не очень красивые, но и не уродливые, а складка на брюках цвета хаки — острая и прямая.

— Ты кого-то ищешь? — окликнула она, когда он проходил мимо коровника.

Свист оборвался. Взгляд поискал вокруг. Его туфли на рифленой подошве были начищены до блеска и сверкали даже сквозь полевую пыль.

— Это частный двор, — пояснила Номи.

Теперь незнакомец наконец догадался, что слова доносятся с крыши, и поднял глаза.

— Извините, — сказал он. — Я ищу Либерманов.

У него был приятный баритон, и слова он произносил отчетливо. Пронесся порыв ветра, и руки Номи торопливо прижали платье к бедрам.

— Со двора на улицу, налево, шестой дом отсюда.

— Спасибо, — сказал парень. Но, сделав несколько шагов, остановился, повернулся и спросил: — Когда ты сойдешь оттуда?

— Позже.

— Я бы поднялся к тебе, но я боюсь высоты.

— Тогда тебе и вправду лучше остаться внизу.

— Как тебя зовут?

— Эстер Гринфельд, — ответила Номи.

Парень вытащил из кармана блокнот и авторучку, нацарапал что-то, вырвал листок, положил его на землю, придавив его камешком, чтобы не улетел, и выпрямился:

— Налево, шестой двор отсюда, Либерманы.

Сказал и ушел.

Оба они знали, что она не удержится и спустится с крыши посмотреть, что он там написал, и оба знали, что она будет дожидаться, пока он выйдет со двора и скроется за поворотом, чтобы он не увидел, как она спрыгивает с крыши на кучу соломы и торопится к записке.

«Жаль, что Эстер Гринфельд получит все те письма, которые я пошлю тебе», — было написано на листке.

Через два часа, когда парень вернулся, снова вошел во двор и в поисках Номи обошел коровник, все время глядя наверх, Номи вновь окликнула его:

— Сейчас я здесь.

Она уже кончила менять черепицы и теперь сидела в старой «тарзаньей хижине» Одеда, подкрепляясь гранатами. Эвкалиптовые ветки скрывали ее. Сквозь листья она видела, как он подходит к огромному стволу, обходит его вокруг и поднимает взгляд.

— Ты когда-нибудь спускаешься на землю?

И тут из коровника появилась Юдит и гневно спросила, кого он тут ищет.

— Эстер Гринфельд.

— Здесь нет никакой Эстер Гринфельд. И во всей деревне нет никакой Эстер Гринфельд. Иди поищи себе Эстер Гринфельд в каком-нибудь другом месте.

Номи удивилась ее каменному тону, потому что обычно Юдит была приветлива к проходившим и всегда предлагала им воды.

— Ты слышала? Здесь нет никакой Эстер Гринфельд! — крикнул парень вверх громко и весело. — Ты Номи Рабинович. Я спросил у Либерманов, кто эта девушка в шестом дворе справа, и они мне всё рассказали. Ты Номи Рабинович, и я буду тебе писать.

С этими словами он пошел к выходу, а Юдит шла следом за ним, словно выталкивая его со двора глазами, и резко отирала руками передник, как будто готовилась к сражению.

— Я вернусь! — крикнул парень. — Меня зовут Меир Клебанов, и я вернусь.

И весь долгий обратный путь к главной дороге он проделал пятясь, словно таща за собой невидимую и неразрывную паутинку, и все размахивал руками, посылая воздушные поцелуи, и поцелуи эти, и сами руки все удалялись и уменьшались в размерах, пока не стянулись снова в черную точку, что пересекла вади и стала уходить вдоль строя старых грейпфрутов, а потом по краю соргового поля, и так до самой дороги, где была проглочена трехчасовым автобусом.

Через два дня из Иерусалима пришло первое письмо, открывшее долгий, голубой и непрекращающийся поток продолговатых конвертов. В деревне начали поговаривать, что у Номи Рабинович есть «парень в Иерусалиме», а через несколько недель Меир вернулся и пришел с визитом.

Одед и на этот раз был в отъезде, а Юдит раздраженно и враждебно сказала:

— Этот парень не для тебя, Номинька, — и не позволила пригласить его в дом.

Номи вынесла Меиру и себе еду во двор, и они вдвоем ели в тени эвкалипта.

— Ну и характерец у твоей матери, — сказал Меир.

— Характер у нее действительно тот еще, — сказала Номи, — но она мне не мать.

Меир с наслаждением продолжил еду и не стал задавать лишних вопросов. Потом Номи проводила его до главной дороги и поцеловала под пыльной казуариной.

— И ровно через минуту я вернулся из Тель-Авива на своей цистерне, — причитал Одед, — и на другой стороне дороге увидел какого-то парня, который ловил попутку. Но Номи там уже не было, и я не разобрался, что к чему. Вот что может сделать одна минута.

10

— Говорю тебе. Шейнфельд, у нас в доме что-то неладно, — снова проворчал Ненаше.

Он принюхивался, и рыскал, и наконец нашел собрание желтых записок, когда-то предназначавшихся для Юдит. Его лицо исказилось, и он потребовал, чтобы Яков немедленно их сжег.

— Ты видишь, Шейнфельд? — Он погрел руки над костерком. — Посмотри, и ты сам увидишь. Любовные письма горят, как любая другая бумага.

До обеда Ненаше немного работал во дворе, а иногда нанимался в другие хозяйства. Но большую часть дневных часов они проводили вдвоем. А перед вечером Ненаше отправлялся в дом Рабиновича, в очередной раз попробовать поднять камень Моше.

Мне тогда было уже лет пять-шесть, и я хорошо помню эту картину: работник выходил из дома Шейнфельда, растирая огромные ладони и подбадривая себя громким рычанием. Он шел довольно быстро, а потом вообще переходил на бег, и все деревенские дети бежали за ним следом. Он бежал широкими пружинистыми шагами, неожиданными для такого громоздкого тела, и на бегу забавно раскланивался во все стороны и боксировал с невидимым противником.

— Макс Шмелинг[1], — ворчал Деревенский Папиш. — *Пинкт бедиюк*. Тютелька в тютельку.

Добежав до камня, Ненаше ни на секунду не останавливался. Он наклонялся, он обхватывал, и он ухал. Он багровел, и пыхтел, и тянул, и стонал. Но камень Рабиновича, который уже одолевал еврейских мясников, и черкесских кузнецов, и лесорубов с хребта Кармель, и салоникских греков из Хайфского порта, знал раз-

---

[1] Макс Шмелинг (1905—2005) — многократный чемпион Германии по боксу в супертяжелом весе; после победы Шмелинга над «непобедимым» Джо Луисом Гитлер провозгласил немецкого боксера «символом арийской расы», не зная, что Шмелинг укрывал у себя двух еврейских подростков, детей своего антрепренера-еврея.

ницу между подлинным усилием и его имитацией и не поднимался ни на миллиметр.

Наши деревенские все ожидали, когда наконец Ненаше со злости пнет камень и сломает себе большой палец на ноге, но он никогда не злился, не пинал, не ломал и не хромал.

— Нельзя сердиться на камень, — говорил он. — Камень ничего не понимает и ни в чем не виноват. Все дело в уме. В конце концов я его все-таки подниму, в точности как Рабинович.

И возвращался в свой шатер, к своему ученику, к своим пластинкам и к своим танцам.

— Целый день мы только и делаем, что танцуем, — жаловался Яков. — Но ведь ты говорил еще о варке и шитье.

— Скоро, скоро, — ответил Ненаше.

Они гуляли по участку, и Ненаше сказал:

— Этот твой маленький сад тебе уже не нужен, Шейнфельд.

И действительно, грейпфруты и апельсины уже попадали с веток, так и не собранные никем, плодовые мушки вовсю жужжали на деревьях, и всем садом завладели сорняки.

— Апельсиновое дерево дает очень хороший огонь для варки, — продолжал Ненаше. — От него получаются горячие угли и хороший запах. Пришло время срубить твои деревья, а когда они высохнут, мы с тобой будем учиться варить на них свадебную еду.

Яков купил на складе два топора и большую двуручную пилу, и они с Ненаше спилили сад — тот сад, который за многие годы до того он посадил вместе с Ривкой, тот сад, в котором он стоял в тот день, когда Юдит приехала в деревню, и где под третьим деревом в третьем ряду Ривка нашла голубую косынку своей беды.

Все его мышцы ныли от боли. На ладонях вспухли волдыри. Глаза пекло от резкого масла, которым сочились апельсиновые обрубки. Ненаше посмотрел на него и засмеялся.

— Делай как я, — сказал он. — Изображай человека, который никогда не устает.

Он обрубил ветки и уложил их плотными рядами.

— Ну вот, Шейнфельд, — сказал он, — теперь у тебя уже нет сада, куда ты мог бы вернуться.

Я встал, вскипятил немного воды в кастрюле и вылил в ладонь два яйца. Потом растопырил пальцы, дал белкам стечь между ними в раковину и взбил веничком желтки с сахаром, с вином и с тем сладким отражением, которое ожидало их в моей памяти.

Не прекращая взбивать, я поставил миску на кастрюлю с кипящей водой и продолжал размешивать еще две минуты. Желтки согрелись, впитали вино и собственную жидкость, превратились в гладкую массу, и наконец в воздухе родился густой запах забайоне. Кончив облизывать палец, я встал и провел языком по верхним зубам справа налево и слева направо: слад-далс-слад-далс-слад-далс-далс-далс-далс-далс...

Потом прижал язык к нёбу и проглотил слюну, заполнившую мой рот.

Вернулся к столу, посидел, ощущая, что живот мой полон, а голова пуста, а затем собрал тарелки со стола, отнес их в раковину и вымыл.

Оконное стекло над раковиной сверкало чистотой, и мягкое солнце, стоявшее на «уже-семь-вечера-сейчас-я-зайду-за-горизонт», освещало сад. Пузырьки воспоминания всплывали и лопались один за другим, разворачивая и лаская, и лицо Якова за световыми бликами на стекле было смягчено печалью.

— Ты спрашиваешь, почему я влюбился в нее, Зейде?

Он улыбнулся, словно говорил сам с собой, потому что я ничего не спрашивал, во всяком случае вслух.

— Не только я один, — продолжал он. — И Глоберман в нее влюбился, и Рабинович, и Номи тоже в нее влюбилась. Мы все вместе, каждый по-своему, ее любили, и так она растила тебя с тремя отцами, но без одного-единственного отца, и с того дня, что ты родился, сразу трое мужчин считали тебя своим сыном и следили за тобой и друг за дружкой тоже. Знаешь, когда Глоберман умер, я ведь пошел на его похороны не только потому, что так положено и мне было его жалко, но еще чтобы увидеть, что на этот раз он действительно умер, а не пытается сбить цену на корову. И думаешь, Рабинович не пришел туда точно по той же причине? Мы все следили друг за дружкой, а вся деревня следила за нами. И все гадали и спрашивали, чей же это ребенок, и только я не понимал, о чем они говорят. Ведь когда есть любовь, можно и во сне забеременеть. Но однажды, для уверенности, я остановил ее на улице, схватил за руку и сказал: «Скажи, Юдит, ты приходила ко мне ночью? Может быть, ты приходила так, что я даже не почувствовал? Тогда, в ту ночь, когда Рабинович продал твою корову?» Знаешь, Зейде, порой женщина, когда она очень хочет ребенка, может сделать такое. Приходит ночью, и мужчина даже не чувствует и не знает ничего или думает, что ему снится сон, и он боится проснуться, как это со мной уже много раз так случалось, будто я лежу с открытыми глазами, и мне снится, что она пришла, и она со мной, и ее руки я чувствую здесь и здесь, и ее губы на моих, и, ты меня извини, Зейде, ее соски тоже точно на моих. Люди всегда спрашивают, зачем у мужчин на груди есть соски, и на это есть разные ответы. Раньше всего говорят, что это для того, чтобы мы помнили, откуда мы произошли, а потом говорят еще, что это для того, чтобы мы помнили, кем бы мы могли быть, и третье, говорят, что это для того, чтобы мы могли совершить чудо и дать молоко. Ведь иногда, Зейде, ты бы и хотел сделать чудо, но у тебя нечем его сделать, так наш еврейский Бог уже об этом подумал и дал тебе для этого соски. Если Он мог сделать воду из скалы, так что, Он не может сделать молоко из мужчины?! А теперь я тебе скажу, Зейде, что все это сказки. Соски у мужчины только для того, чтобы он мог точно расположить себя против женщины. Если его губы на ее губах и их соски друг против друга, то их глаза тоже смотрят один в другой, и все остальное тело точно подходит одно к другому. Так, может быть, ты действительно приходила ко мне в таком сне? Ведь когда я лежал так по ночам с открытыми глазами, мне уже много раз казалось, что ты со мной, Юдит, и вокруг шеи, и вокруг бедер ты обнимала меня, всеми своими руками и ногами, и ты вся была со мной, я это много раз видел с открытыми глазами, но в ту ночь я закрыл глаза и увидел, что это правда, и все, что у нас есть, оно на самом деле точно одно против другого — грудь против груди, и рот против рта, и глаза против глаз, и ее руки на всем моем теле, гладят, будто проходят по шелковой воде и говорят: «Я здесь, ша... Яков... ша... ша... я здесь... ты не один... а сейчас спи, Яков, спи». И от всех этих «ша», и этого «Якова», и этого «спи» я в конце концов поднялся и пошел с ней в коровник и, наполовину проснувшийся, наполовину сонный, помог ей там доить рабиновических коров. Так потом, когда я видел, как растет ее живот, я думал, что, может, все это на самом деле было, может, она действительно была со мной, потому что ты ведь знаешь, как это бывает: под конец ты просыпаешься, и тогда с одной стороны ее уже нет, но с другой стороны ты видишь, извини меня, что у тебя там мокро, и ты чувствуешь, что весь воздух заполнен запахом осени. И для того, кто понимает, это знак, что пришло время любви. Так мне сказал Менахем Рабинович. Осень — это когда животные ищут пищу, чтобы растолстеть на зиму, а для людей — это время, когда они ищут кого-нибудь, чтобы спать вместе в холодную ночь. А весна, она просто для того, чтобы прыгать, и радоваться, и делать детей. Из-за этого есть весной люди, которые кончают с собой, потому что совсем не все хотят участвовать в этом веселье. Это, как у нас пели в Пурим, «должны вы веселиться», пока как-то раз Рабинович не надел одежду своей Тонечки, которая утонула, и стал выглядеть точно как она, и поднялся на сцену, и показал всем, что значит, когда заставляют веселиться. Так почему мы заговорили про осень, Зейде? Из-за этого запаха рожков? А разве есть лучше доказательство, что ты была со мной? Разве семя выходит из мужчины само собой? Я все это сказал ей там, на улице, и тогда она вырвала свою руку из моей и сказала: «Не делай из себя посмешище, Шейнфельд! Я не приходила к тебе ни ночью, ни днем, и в этом животе у тебя нет доли и удела, и даже не думай ни о чем таком». «Так у кого тогда есть доля и удел? Ну, давай, скажи мне, Юдит, у кого они есть?» И у меня все тело тряслось. «Ни у кого, кого ты знаешь, и ни у кого, на кого ты думаешь, — она мне ответила. — И не думай, что если ночью я пришла к тебе, а утром ты помог мне доить, так у тебя уже есть права». Но я не оставлял ее в покое, потому что живот и злость — они были ее, но сон и семя были мои. И я приходил к ней, чтобы повидать ее, а она прогоняла меня. Один раз она мне сказала: «Ты видишь эти вилы, Шейнфельд? Ты сейчас получишь этими вилами в свой живот, если не перестанешь говорить о моем животе». Я не мог слышать, как она называет меня «Шейнфельд». Ведь только три раза она назвала меня «Яков», а не «Шейнфельд»: первый раз, когда я выпустил для нее всех птиц, и второй раз, когда она была со мной тогда ночью, а про третий — это я тебе сейчас расскажу. Ты думаешь, я испугался? Я тут же раскрыл свою рубашку, и я сказал: «А ну, воткни свои вилы, Юдит!» Потому что беременная женщина, у нее есть капризы, и с этим нужно считаться. Она хочет поесть что-нибудь — дай ей поесть. Она хочет ссориться — дай ей ссориться. Она хочет ткнуть тебя вилами — дай ей ткнуть себя вилами. И тогда она засмеялась. Как сумасшедшая она смеялась: «Ну, что с тобой будет в конце концов, Яков?!» И вот так, с вилами в руке, это был третий раз. И за несколько дней до родов я пошел и купил нужные вещи, и желтую птичку из дерева я тоже сделал, чтобы тебе было чем играть, и после того, как ты родился, я снова и снова приходил и говорил ей снова и снова: «Я прощу тебя, Юдит, только скажи мне, чей это мальчик?» — пока один раз она подняла руку и ударила меня по лицу: «Ну ты и нудник, Шейнфельд! Мне не нужно прощенье — ни от тебя, ни от кого дру-

гого». «Нудник», Зейде, — это очень обидное слово в
любви. А на мой вопрос она так и не ответила. До самого конца ничего мне не сказала. Мы прибежали туда и увидели: половина эвкалипта уже на земле, и эти
побитые яйца несчастных ворон в снегу, и черные перья, и голубая косынка — все там было, только не ответ. И Рабинович стоял там и уже наточил топор — как
будто это чему-то поможет! Как будто дерево сделало
это нарочно! И тогда я подумал, Зейде, что, может, это
не Судьба, а ее брат-злодей, которого мы называем
Случай. Потому что у Судьбы есть два брата — я тебе
уже рассказывал об этом? Нет? Так вот, хороший брат
у Судьбы — это Везенье, а плохой ее брат — это Случай. И когда трое этих братьев начинают между собой
смеяться, так вся земля дрожит от испуга. Так Везенье,
Зейде, это было, что она приехала к нам, а Случай —
что она умерла, а Судьба — что она уже была по дороге на свадьбу, которую я ей приготовил, и в том свадебном платье, которое я для нее сшил, и вдруг по дороге что-то случилось. Ведь такой большой эвкалипт в
Стране Израиля, — разве это не Случай? И такой большой снег в Стране Израиля — разве это не Случай? А
то, что ты, Юдит, пришла ко мне ночью — это Судьба
или это Везенье? А такой бумажный кораблик, который приплывает к девушке, — это нарочно или это
случайно? Что я могу тебе сказать, Зейде, — сейчас все
это уже ничего не меняет. *А нафка мина*, как она всегда говорила. Вся деревня шла за ней на кладбище, и
только я один не пошел. А ну, спроси меня, почему я не
пошел? Я скажу так: потому что я почувствовал, что если бы вместо этих похорон была свадьба, меня бы не
пригласили. Ты меня понял? Вот я и не пошел. Ну, так

это старое сердце, которое всю жизнь было одиноким, будет еще немножко одиноким. Оно уже привык-
ло быть одиноким, так оно будет еще немного одиноким, да?

11

— А когда же мы будем шить свадебное платье? — забес-
покоился Яков, когда они кончили обрезать и складывать ветки вырубленного сада.

— Всему свое время, Шейнфельд, — сказал Ненаше.

— А когда я наконец буду танцевать с женщиной?

— Когда придет время, Шейнфельд, — сказал Ненаше.

— Почему ты все время называешь меня «Шейнфельд»? Почему не «Яков»?

— Все своим чередом, — сказал толстый итальянец. —
Платье, и женщина, и имя.

— Ты просто получаешь удовольствие от всех этих
игр, но я так не научусь никогда.

— Во-первых, нет ничего плохого в том, чтобы получать удовольствие, а во-вторых, ты научишься и ты
будешь уметь, — сказал Ненаше. — А пока тебе и не нужно танцевать с женщиной. В танго не важно, есть женщина или ее нет...

— Но ты сказал, что танго — это трогать! — сказал
Яков.

Ненаше улыбнулся:

— Женщины, Шейнфельд, так похожи одна на другую, что это, по сути, ничего не меняет, а танго — это
действительно значит трогать, но это не то, что в дру-

гих танцах. В танго ты можешь трогать и будучи вместе, и когда ты один, и с мужчиной, и с женщиной.

Прошло еще несколько недель. Движения Якова становились все уверенней. Ненаше смотрел на него с удовлетворением и все более широкой улыбкой, хвалил и то и дело выкрикивал бессмысленные наставления и странные сентенции, вроде:

— В танго быть вместе — значит быть порознь, — или: — Ты не ее ведешь, а себя с ней, — от чего ноги Якова заплетались, а сердце воробышком трепетало в груди.

Но итальянец знал свое дело и однажды утром, поднявшись, провозгласил:

— Настал день!

И Яков понял, что его учитель накануне был у Деревенского Папиша, потому что именно эти слова и этим торжественным тоном произнес Папиш в тот день, когда впервые вошел в загон к своим молодым гусям с трубкой для откорма в руке.

Яков решил, что сейчас его наконец выпустят танцевать с напарницей, но Ненаше церемонно поклонился, протянул к нему свои толстые руки, затрепетал ресницами и спросил:

— Станцуешь со мной? — так стыдливо потупившись, что Яков невольно расхохотался, хотя страх тотчас вошел в его тело.

Он собрался с духом, подошел к учителю и мгновенно обнаружил себя в уверенной и приятной ловушке.

Его сердце испуганно колотилось, но ноги и бедра уже хорошо знали свои обязанности, а тело, словно обретя независимость, само прижалось к твердому животу Ненаше, — и вот они уже танцевали.

— Вот так это в танго. Один раз ты мужчина, а я женщина, а другой раз ты женщина, а я мужчина, и иногда мы оба женщины, а порой оба мужчины, — смеялся итальянец.

От него приятно пахло, и Якова смущало прикосновение этого большого, умелого тела, и широкой направляющей ладони на спине, и сильного требовательного живота, который толкал его и играл им, а пуще всего смущали его наставления, которые обрушивались на него с нарастающей частотой:

— Женщина — это не рояль, который нужно толкать!

— Женщина — это не слепой, которому нужно указывать дорогу!

— Женщина — это не камень, который нужно поднять!

— Женщина — это не воздушный шарик, который нужно держать, чтобы не улетел!

— Так что же такое женщина?! — неожиданно для себя закричал Яков.

И тогда Ненаше улыбнулся ему в ухо и, продолжая кружить, прижимать, наклонять и ступать, шепнул:

— Раз-два-три-четыре. Раз-два-три-четыре. Женщина — это ты, это ты, это ты.

Бокал с коньяком выскользнул у меня из рук. Коротко звякнуло разбитое стекло, брызнула тоненькая струйка крови, мыльные пузырьки порозовели.

За окном шумно выдохнула сова. Среди ветвей послышалось чье-то смертное трепыханье. Ветер прошелестел в листве свое «уже-четыре-утра-скоро-я-затихну».

Я лежал в постели Якова, сосал порезанный палец и не мог заснуть. Я встал, остановил натужное круженье дряхлого граммофона и пошел по комнатам своего нового дома.

Прохлада воздуха сказала мне, что через двадцать минут птицы начнут свои предрассветные песни, а мне, как я уже говорил, — мне достаточно услышать, какая птица просыпается первой, чтобы знать, какое время года на дворе, и который час, и сколько мне еще осталось жить на свете. Зимой это малиновка, которая начинает в пятичасовой утренней темноте и будит воробья и славку, что присоединяются к ней, а к шести послышатся голоса черных дроздов и соек. На исходе весны первыми просыпаются жаворонки и соколы, а в разгар лета их предваряет только рыжая славка. У ворон, как и у человека, нет определенного времени побудки, но стоит проснуться одной вороне, как за ней просыпаются и все остальные.

— Ночью мир укрывается и спит, — сказала мне мать однажды утром, когда поднялась, чтобы раздать корм коровам, и увидела, что ее мальчик Зейде, эта бессмертная безотцовщина, уже не спит и к чему-то прислушивается. — А утром птицы клюют его одеяло и делают в нем разные дырочки.

12

Иногда Якову казалось, что Ненаше знает его хозяйство лучше, чем он сам.

— Может, ты уже бывал здесь когда-то? — то и дело удивлялся он, пытаясь шутливым тоном прикрыть свой страх.

— Может быть, — равнодушно отвечал Ненаше и однажды, вернувшись из очередного похода к камню Рабиновича, направился прямиком в сарай и с уверенностью ясновидца стал разрывать, раскапывать, разгребать и расшвыривать слежавшуюся рухлядь, пока не нашел то, что искал, — старые тяжелые кастрюли и сковороды счетовода-альбиноса.

Он прикинул на глаз их вес, руководствуясь толщиной стенок, и расплылся в счастливой улыбке.

— Это твоя посуда?

— Их владелец когда-то жил в соседнем доме, — сказал Яков, — а сейчас они мои.

Кастрюли заросли грязью. Ненаше поскреб их ногтем, и глаза его загорелись.

— Хороший повар родного сына продаст за такие кастрюли, — сказал он.

Он послал Якова за мотками металлической проволоки, а сам тем временем стал готовить всевозможные пасты для отдраивания и чистки посуды, смешивая в разных пропорциях золу и масло, лимон и песок. И по мере того, как он скреб и чистил все эти почерневшие кастрюли и сковородки, их металлический блеск все сильнее и сильнее проступал сквозь темную грязь, покуда они не засверкали тусклыми лучами красной меди — этого самого прекрасного, самого теплого и самого человечного из всех металлов.

Ненаше объяснил Якову, что медная утварь издавна предназначалась для властолюбивых поваров, людей внешне хладнокровных, но страстных, а также для неторопливых и выносливых сотрапезниц. Затем он вбил гвозди в стенки кухни, и три сковородки повисли на них, как три заходящих солнца.

— Теперь я сварю тебе особое блюдо, — сказал он. — Выйди, Шейнфельд, я позову тебя, когда все будет готово.

Яков вышел, обошел дом и, заглянув через окно, увидел, что итальянец повязал себе на бедра старый Ривкин передник, и его большие быстрые руки режут и смешивают, наливают и посыпают, и все это с такой уверенностью, что на лице Якова появилась улыбка, потому что он понял, что Ненаше когда-то видел искусного повара в процессе работы и сейчас просто развлекается, имитируя его.

И вдруг он застыл, не веря своим глазам, потому что Ненаше решительно и не выказывая никаких признаков боли сунул палец прямо в кипящий соус, булькавший в кастрюле. Он подержал его там несколько секунд, а потом сунул в рот. Его лицо изобразило детское любопытство, потом стало задумчивым. Он долго что-то подсыпал, помешивал, снова сунул палец, облизал, удовлетворенно кивнул и позвал Якова к столу.

Еда была ароматной и вкусной и не напоминала ничего, что Якову доводилось есть до этого.

— Жуй тщательно и ешь медленно, Шейнфельд, — сказал Ненаше. — А кроме того, тебе разрешается оставить в тарелке сколько угодно. Это хорошая привычка.

И, увидев недоуменный взгляд Якова, пояснил:

— Настоящая любящая пара никогда не ест слишком много. Если ты видишь в ресторане пару, которая ест слишком много, значит, они ненавидят друг друга, они хотят убить друг друга этой едой, а главное — они наполняют живот, чтобы иметь оправдание не идти потом вместе в постель.

И, помолчав немного, закончил:

— А самое важное, Шейнфельд, что в любви, что в еде, — это правила. В доме, где нет правил, Судьба буянит, Везенье мешкает, а Случай наведывается слишком часто. А в доме, где есть правила, Судьба выполняет, что ей велят, Везенье вообще ни к чему, а Случай стоит под окнами, стучит и кричит, но войти не может.

В доме оставалось несколько больших листов желтой бумаги, еще не нарезанной на записки. Ненаше нашел их и велел Якову написать на них кулинарные правила и запреты, порой весьма странные, и повесить их на стену в кухне:

«Нельзя хранить муку вместе с приправами».

«Нож должен быть длиннее диаметра пирога».

«Кориандр — это спятившая сестра петрушки».

«Во время еды свет должен быть таким же ярким, как для чтения».

«Груши нужно хранить так, чтобы они не могли прикоснуться друг к другу».

«Переднюю часть коровы едят зимой, а заднюю — летом».

«У всего, что пьют, есть свой партнер в том, что едят».

А в одно прекрасное летнее утро, когда оба они сидели в трусах в шатре и заучивали правило: «Яйца выливают сначала в маленькую мисочку и только потом — в общую миску», — итальянец внезапно, без всякого предупреждения, хлопнул себя по лбу и завопил:

— Кретино! Кретино! Кретино! Как я не подумал об этом раньше? Теперь я знаю, как поднять камень Рабиновича!

И с этого дня и далее он зарекся подражать людям, животным и птицам и на несколько дней даже гово-

рить стал новым голосом, который был таким странным и чужим, что Яков подумал, что это и есть его настоящий голос.

Начался новый этап. Теперь итальянец больше не
играл с деревенскими ребятишками и не дразнил коров и соек. Отныне он посвящал все свои свободные
часы наблюдению за движениями Моше Рабиновича и
заучиванию того, как и что он делает.

13

Как-то раз Номи получила письмо от своей подруги, девушки из Нахалаля, которая училась с ней в Иерусалиме на курсах мошавного движения[1]. Подруга пригла-
шала ее к себе на несколько дней.

— Ты едешь к нему? — спросила Юдит.

— Я не еду «к нему»! — рассердилась Номи. — И что
это вообще значит: «к нему»? Я еду к своей подруге и,
возможно, навещу «его» тоже.

Одед взял ее в Иерусалим в своей молочной автоцистерне.

— Где вы будете спать? — спросил он со скрытой
злостью.

— На улице.

— Я спрашиваю, где ты будешь спать. Номи, так от-
вечай и не умничай.

— Я подойду к незнакомым мужчинам с золотыми
зубами и пожелтевшими от сигарет усами и спрошу,
могу ли я переночевать у них, и если они скажут, что у

---

[1] Мошав (букв.: поселение; *ивр.*) — сельскохозяйственное поселение частно-кооперативного типа в Израиле.

них нет лишнего места, я скажу: ничего страшного, дорогой, мы можем поместиться в одной кровати.

— Если ты будешь продолжать в таком духе, я немедленно развернусь и верну тебя в деревню.

— Ничего ты не развернешься, и никого ты не вернешь. У тебя молоко скиснет за это время.

— А где твоя подруга? — спросил Одед после трехчасового молчания, когда над зданием иерусалимской «Тнувы» уже занимался рассвет.

— Она сейчас придет, — сказала Номи.

И действительно, девушка из Нахалаля встретила ее и привела в свою комнату в расположенном неподалеку Бухарском квартале, где Номи уже ждал Меир, который пригласил ее выпить сладкий крепкий чай в столовой для рабочих ночной смены в районе Бейт Исраэль.

Утренний холод стоял в воздухе. Номи прижала ладони к маленькой толстой чашке, так непохожей на тонкие русские стаканы в отцовском доме.

Соднце выползало из-за крыш. Над городом гремели колокола. Меир и Номи купили несколько свежих бубликов, и она, не удержавшись, съела парочку уже по дороге к нему домой. На спуске улицы Принцессы Мэри Меир снял три кунжутных семечка, прилипших к ее губам, — первое осторожным пальцем, второе — легким дуновением а третье — трогательно слизнув.

Он жил недалеко от книжного магазина Майера, в съемной комнате с толстыми стенами, которая сразу же поразила Номи красным ковром, глубокими подоконниками и низкой кроватью. Запах подушек на кровати был так похож на запах Меира, что нельзя было решить, кто у кого его перенял.

— Дура ты, Номинька, — сказала мать.

— Ты последний человек, который может мне советовать, — сказала Номи.

Я слышал, как они плакали близкими и разными голосами, которые не смешивались друг с другом, и несколько месяцев спустя, весной сорок шестого года, под большим эвкалиптом во дворе Рабиновича была поставлена хупа.

Я помню странные одежды незнакомых гостей, приехавших из Иерусалима и Тель-Авива, и стаю одичавших канареек, которая внезапно упала на нас сверху в сопровождении ликующей толпы щеглов и зеленушек. И я помню большой граммофон — работник Шейнфельда вынес его на плече из разноцветного шатра, поставил возле стены коровника и, не переставая крутить ручку, проигрывал на нем разные мелодии.

Яков не танцевал. Он сидел в стороне и вдруг подозвал меня к себе.

Шесть лет было мне к тому времени, и мне кажется, что первую речь, которую я слышал от Якова, я услышал именно тогда, на свадьбе Меира и Номи, когда он посадил меня к себе на колени и произнес слова, совершенно не подходящие для моего возраста:

— Вот так, Зейделе, каждый человек чувствует свою смерть. Три раза он чувствует ее — когда у него рождается ребенок, и когда этот его ребенок женится, и когда умирают его родители. Ты знал это?

— Нет, — сказал я.

— Так теперь ты знаешь.

Мне хотелось слезть с его колен и снова ходить меж столами, привлекая к себе взгляды, сласти и жалостливое внимание, но Яков придержал меня и продолжил свою странную речь:

— Три отца у тебя есть, Зейде, которые умрут раньше тебя, и особое имя против смерти у тебя тоже есть, а детей, так я опасаюсь, у тебя, наверно, совсем не будет. Это ты унаследовал от меня. У меня тоже нет детей. У меня есть только часть ребенка. Тридцать три с третью процента от тебя — вот что у меня есть, но когда ты родился, я плакал так, как настоящий отец плачет из-за целого ребенка. Люди говорят, что мы плачем от радости, но это не от радости, Зейделе, это от грусти мы на самом деле плачем, потому что многих знаков Ангела Смерти мы не можем понять, но этот знак мы хорошо знаем. Это его знак сказать, что теперь скоро твоя очередь. Но я уже чувствую, что ты хочешь бежать, Зейделе, так беги себе, играй. Сегодня у нас свадьба, нужно радоваться.

Городские родственники Меира с насмешливым недоумением посматривали на меня, перешептывались, разглядывая траурный вдовий наряд тети Батшевы, и страшно перепугались при виде Рахели, которая вдруг выскочила из коровника и помчалась сквозь расступившееся море испуганных людей и обваливающихся столов прямиком к тому месту, где сидела мама.

Неуверенные смешки встретили и пораженного очередной весенней немотой дядю Менахема, когда он начал раздавать чужим людям свои записки, в которых стояло: «Я потерял голос. Я дядя невесты и муж вдовы. Поздравляю!»

Потом дядя Менахем поманил меня. Его ласковая рука ободряюще похлопала меня по плечу, и перед моими глазами появилась другая записка: «Не обращай внимания, Зейде, пусть себе смотрят на нас».

Мать Меира, надутая, как наседка, все время жаловалась на запах, доносившийся со стороны гусятника Деревенского Папиша, и на грязь, которая липла к ее туфлям. В конце концов Глоберман схватил ее за руку и потащил танцевать, и ее лицо тут же заполыхало от усилий и близости, а также из-за стыда, внезапно причиненного ей ее собственным телом. Его огромные ступни двигались, точно дикие животные, вокруг ее ног и между ними, его рука изучала ее потрясенный копчик, его пальцы оценивали покорную жировую подушечку на скате ее спины.

— Не верьте своему возрасту, госпожа Клебанова, — страстно нашептывал Сойхер. — Вы дама красивая, мягкая и аппетитная, и скажу вам, что женщина, у которой есть такой красивый холмик на скате спины, не должна себя так мучить.

Странный и влекущий запах шел от его шеи, и госпожа Клебанова не могла себе представить, что это запах коровьей крови. Его ладонь снова поднялась, проверяя выступы позвонков на ее спине сквозь ткань плотного платья, и вдруг она испустила негромкий стон. Раздражающе-бесстыжие пузырьки жаркого и забытого золота поднялись в самых предательских местах ее плоти.

— С какой ты стороны? — зарделась она.

— Со стороны Рабиновича, — сказал Глоберман.

— Ты его брат?

— Нет, — вежливо поправил ее скототорговец. — Я отец его сына. — И он указал на меня пальцем. — Поздоровайся с тетей, Зейде, это мать Меира.

Двое приехавших с родителями детей, «маленькие буржуи», как назвал их дядя Менахем в своей насмешливой записке, — оба в темно-синих беретах и полуботинках, — вытащив перочинные ножи, пытались вырезать свои имена в мягкой коре эвкалипта. Но мама подошла к ним и процедила голосом, который слышал только я:

— Оставьте это дерево, маленькие мерзавцы, иначе я заберу у вас эти ножи и отрежу ими ваши уши.

Рахель угрожающе замычала, дети убежали, наглые и бесстрашные вороны камнем падали сверху и склевывали остатки со столов.

Через два дня после свадьбы небо заволокла черная весенняя туча, зарядил тяжелый дождь конца месяца Нисана и случилась первая большая ссора между Меиром и моей мамой.

Не помню, из-за чего она началась, но наутро Номи уложила свои вещи в чемодан, а книги — в ящик из-под фруктов, и Одед, застывший и бледный от ярости, отвез сестру и нового шурина в Иерусалим.

Даже во время свадьбы Ненаше неотрывно смотрел на Моше Рабиновича, приглядывался к нему и изучал. Теперь он уже бросил свои попытки поднять камень и сосредоточился только на его владельце. За минувший год он успел перенять большую часть мелких и серьезных привычек Моше, но не демонстрировал их никому, даже Якову.

Но однажды в сумерки, вскоре после праздника Суккот, когда дни уже заметно укоротились, а воздух пропитался сыростью и пахнул первыми холодами, Ненаше дождался, пока Моше будет возвращаться с молочной фермы, и пошел следом за ним.

Моше почуял что-то, но не знал, что именно он чует. Раз-другой он оглянулся, силясь разглядеть и опознать, и вдруг почувствовал, всей кожей и всем телом, что его Тонечка, его отражение и близняшка, поднялась из мертвых и идет следом за ним. Холодный озноб пробежал по его спине.

Ненаше, который ничего не знал обо всех этих былых и тайных связях и не представлял себе, что в своих попытках подражать Моше он станет похож также на его покойную жену, пошел по его следам и на следующий вечер.

И когда Моше испытал то же чувство, что накануне, он не колеблясь повернул назад и бросился в темноту позади, схватил потрясенного итальянца за ворот и крикнул:

— Где коса?! Сейчас ты мне скажешь, где она!

Ненаше затрясся. Моше был на полторы головы ниже, но его хватка была железной.

— Если бы ты сказала мне раньше, ты была бы сейчас жива! — кричал Моше.

И тут его руки, внезапно отчаявшиеся и обмякшие, выпустили свою добычу и упали как плети. Ненаше бросился прочь, в дом своего ученика, задыхаясь и торжествуя, хихикая и откашливаясь.

Тем временем ученик его уже начал разучивать следующую, чрезвычайно трудную часть танго — теперь по ходу танца Ненаше загадывал ему загадки, рассказывал истории, задавал вопросы и затевал споры, чтобы занять его мозг и предоставить тело самому себе.

Поначалу это было очень сложно. Если, к примеру, итальянец спрашивал его, сколько будет 235 минус 117, тело Якова мигом отвердевало, а испуганные колени начинали цепляться друг за дружку. Дошло до того, что однажды, когда Ненаше во время танца задал ему известную логическую загадку о человеке, встретившем на перекрестке вечного обманщика в компании всегдашнего правдеца, — Яков зацепился за ногу Ненаше и рухнул на землю.

Но вскоре его ноги обрели достаточный опыт и уверенность, чтобы освободиться от мозга с его мыслями. Через несколько месяцев он уже способен был продекламировать наизусть шесть признаков подобия треугольников, не переставая выделывать при этом ногами все антраша буэнос-айресского «пасадобля», и вести оживленный, даже слегка насмешливый спор о единстве тела и души, выполняя самые энергичные повороты в ритме «Джелеси».

14

К этому времени я уже учился в школе, и все дети там, от мала до велика, потешались надо мной, над моим именем, над моими тремя отцами и над моей матерью. Их приставания и злобность понуждали меня искать убежища среди ветвей деревенских деревьев, куда люди с нормальными именами не решались подниматься. Так я открыл для себя ворон, их гнезда и их детенышей.

— Ну, Зейде, — поймал меня как-то на улице Яков Шейнфельд, — может, теперь тебе повезет найти у ворон какое-нибудь золотое украшение и принести в подарок своей маме?

Я стал было объяснять ему, со всей детской серьезностью, что у науки нет доказательств, будто вороны воруют золото, но он рассмеялся — что позволял себе очень редко — и воскликнул:

— Ворона — это не научная птица!

— Хочешь зайти? — спросил он, когда мы дошли до ворот его дома.

Его работник варил в кухне и, когда я вошел, смешно поклонился мне и залаял, как собака. Яков налил чай и начал рассказывать, что в его деревне на берегах Кодымы был один *шейгец*, украинский парень, который каждый год отправлялся на поезде в город, «а в том городе жили очень-очень богатые люди». В городе этот *шейгец* высматривал покинутые вороньи гнезда и добывал золото и драгоценные камни, которые вороны украли у богатых дамочек через оставленные открытыми окна.

— Укравший у вора не вор, — провозгласил Ненаше из кухни.

— Только вороньи самцы воруют блестящие вещи, — сказал Яков. — И обрати внимание, Зейде, — они никогда не прячут их в семейном гнезде. Только в старом гнезде или даже в земле они их прячут, потому что не верят никому, даже своей госпоже вороне и, уж конечно, не детям-воронятам. А когда никто не видит, они приходят, одни-одни, посмотреть на свои сокровища, поиграть с ними и получить удовольствие. А тот *шейгец*, чтоб ты знал, Зейде, он всегда ездил в город без билета, на крыше вагона, но возвращаться он возвращался первым классом, и в сумке у него было полно золота, и две цыганки сидели у него на коленях.

В середине зимы, когда еще шли затяжные дожди, но дни уже начали удлиняться, вороны принимались ломать сухие ветки и строить из них новые гнезда. На грубый остов из толстых веток они клали хворостинки потоньше, а вогнутую чашу гнезда выкладывали соломой, полосками ткани, обрывками веревок и перьями. Они были настолько решительны и отважны, что я не раз видел, как они выдергивают пучки волос из хвоста свирепеющей коровы. К своим старым гнездам они никогда не возвращались, и там поселялись после них соколы и совы.

Потом ворона-самка начинала высиживать птенцов, а самец охранял ее со своего наблюдательного пункта на одном из ближайших деревьев.

Я уже умел различать направление его взгляда и находить по нему хвост самки, торчащий над краем гнезда, как косая черная палка. Когда я забирался к гнездам, чтобы рассмотреть их поближе, некоторые вороны яростно нападали на меня, тогда как другие только перелетали на соседнее дерево и издавали громкие протестующие крики. Однажды я обнаружил под одним из деревьев двух выброшенных из гнезда птенцов. То были жертвы кукушки. Два маленьких, уродливых вороненка, с голубыми глазками, оперенье только-только начало проклевываться на кончиках их крыльев.

На два класса старше нашего учился один мальчик, который непрерывно приставал ко мне, насмехался и обзывал разными прозвищами. Я сказал ему, что можно взять такого птенца домой, вырастить его и приручить. Но как только он взял птенца в руки, вороны с яростью набросились на него, стали бить крыльями и клевать в голову, так что он с воплем и слезами помчался домой.

Весь тот год вороны подстерегали его во дворе школы и возле родительского дома и при всяком удобном случае пытались причинить ему боль.

Эта история никак не связана с историей жизни моей мамы, и поэтому я ограничусь коротким замечанием в скобках, что то был первый и последний раз, когда я отомстил кому-либо и обнаружил, что, хотя я ценю и уважаю природный инстинкт возмездия, сама месть не доставляет мне ни малейшего удовольствия.

Иногда мы, деревенская детвора, собирались вокруг двора Шейнфельда в надежде, что его работник выйдет показать нам какой-нибудь фокус или в очередной раз потягаться с камнем Рабиновича. Наши глаза силились что-нибудь рассмотреть сквозь цветное покрывало шатра, наши ноздри пытались приподнять крышки кастрюль. Запахи кушаний, которые готовил Ненаше, были удивительней и вкуснее всего, что варилось в наших домах, а его причудливые повадки нас завораживали. Все знали, что он чужак, но никто не подозревал, что Ненаше был беглым итальянским военнопленным. Война давно уже кончилась, лагерь был ликвидирован, а его территория перепахана, сам Ненаше говорил на иврите, одевался как все мы, и только много позже я узнал, что это Глоберман, по просьбе Якова, выправил ему все необходимые документы и бумаги.

Шейнфельд неожиданно появлялся во дворе, описывая круги каким-то странным шагом, и все дети тут же поворачивались ко мне, словно хотели понять, что я думаю об этом назойливом мамином ухажере. Их родители тоже порой смотрели на меня таким же взглядом, будто пытались понять, что я думаю о самой маме.

Но у меня не было никакого мнения на этот счет, мама мне ничего не говорила, а я у нее ничего не спрашивал.

— Так, может, хотя бы ты, Зейде, может, хотя бы ты знаешь, чей ты? Может, сейчас, когда ее уже столько лет нет на свете, кто-нибудь наконец скажет? Может, ты сделаешь проверку в больнице, чтобы узнать, а? Я слышал, что у них есть теперь для этого специальный микроскоп. Но у тебя ведь все видно и без микроскопа. Посмотри сам, и ты увидишь, как это переходит от родителей к детям. Ступни у тебя большие, как у Глобермана, глаза голубые, как у Рабиновича, а плечи покатые, как у меня. Жаль. Если бы было наоборот, было бы намного лучше. Даже в нормальной семье ребенок не всегда похож на отца или мать. Иногда он больше похож на дядю, а иногда на брата дедушкиного отца. У нас в деревне одна женщина как-то родила дочь, которая была как точная копия первой жены ее мужа. Ну, что ты скажешь на такое, а, Зейде? Если бы она родила дочь, похожую на своего первого мужа, это тоже было бы не так уж приятно, но не очень трудно объяснить. Но такое?! Откуда это взялось? Это интересно, Зейде, все эти дела со сходством. Говорят, что не только дети и родители, но муж с женой тоже после многих лет становятся похожи. Может, это у них смешивается кровь? Или это его семя, что она его каждый раз получает и оно впитывается у нее там, внутри? А может, это, наоборот, из-за того, что когда у нее там становится мокро, он впитывает эту мокрость? Ведь у них у обоих очень нежная кожа там, и есть женщины, у которых там как очень сладкая река в эту минуту, чтоб я так был здоров, так что потом приходится даже вывешивать

простыни снаружи, чтобы они высохли. У нас в деревне была одна такая местная, украинка, так вся деревня
считала, сколько раз в неделю они вывешивали мокрые простыни, и шутники в синагоге говорили про
нее и ее мужа, что «коня и всадника его ввергнул в море»[1]. Ночные бабочки прилетали на эти простыни и
умирали на них тысячами тысяч, а собаки прибегали
даже из самых далеких деревень и сходили там с ума.
Так что ты думаешь, Зейде, если бы я оставался все эти
годы с Ривкой, может, сегодня я уже был бы похож на
нее и тоже стал бы красивым, а? Вот возьми Моше и его
Тонечку, они ведь и правда были очень похожи друг на
друга. Но я думаю, что так было уже с самого начала,
раньше, чем они встретились. Они были похожи прямо с рождения, наверно, поэтому они и влюбились
друг в друга, потому что для мужчины самое привлека-
тельное — это если женщина похожа на него. Тут он
немедленно хочет войти в это тело, даже не постучав в
двери. Как будто он сразу чувствует, что Господь дал ему
разрешение делать все, что он хочет. Хотел бы я, чтобы
у меня тоже был бы такой простой и хороший ответ на
мою любовь... В общем, что тебе сказать, Зейде, все эти
истории со сходством — это очень сложные дела. А тут,
у Рабиновича, был еще более интересный случай, что
девочка его Тони стала очень похожа на твою маму.
И походку ее она получила, и лицо, и не говори мне, будто ты сам не видел, как сильно они похожи. Оно у них
появилось медленно-медленно, это сходство, но под конец ты смотрел и мог голову дать на отсечение, что
Юдит и Номи — совсем как мать и дочь.

---

[1] Насмешливое обыгрывание библейской цитаты (Песнь Моисея,
Исход 15:1).

Солнце вошло в комнату. Я открыл шкаф. Большое зеркало смотрело на мои соломенные волосы, покатые плечи, большие ступни.

— В сущности, — сказал я себе вслух, — во мне нет ответов. Во мне есть только новые вопросы.

Песок, сыплющийся из ее пустых глазниц. Тени кипарисов, ползущие по ее могиле. Белизна ее оголяющихся от плоти костей.

— Потанцуешь со мной?

Его руки — старые, мертвые, сморщенные — протянуты ко мне. Его ноги подгибаются. Ледяная ладонь ищет опору на моем плече. Воспоминание о его хрупком подбородке ложится мне на ключицу.

— Потанцуешь со мной?

Солнце поднялось, и я стряхнул его руку со своего плеча, и вернулся в постель, и закрыл глаза, готовый и созревший для короткого сна.

— А на свадьбу, ты ведь знаешь, Зейде, на свадьбу она не пришла! Все пришли на праздник, который я приготовил, все ели еду, которую я сварил, и она надела свадебное платье, которое я сшил, но я только сам с собой, в одиночку, танцевал танец, который выучил для этой свадьбы. Как это так случилось, Зейде? Ведь она уже была на пути ко мне, так что там случилось?

15

Ненаше продолжал свои поиски и нашел в сарае старую, заржавевшую косу альбиноса. Он наточил ее изогнутое лезвие, скосил всю траву во дворе и сгреб ее в кучу вместе со старым терновником, который накопило там время. Потом вытащил из кармана рубашки помятую сигарету, хотя до того никто никогда не видел его курящим, закурил, с большим наслаждением втянул в себя дым, а непогашенную спичку швырнул на кучу. Пламя шумно взревело, выстрелив длинные факелы, и бросило красные отсветы на лица нового поколения любопытствующих.

— А теперь займемся едой для свадьбы! — провозгласил он.

Он взрыхлил землю вилами, вбил клинья, натянул проволоку, разбил грядки и посеял овощи. Вскоре за домом канареек проклюнулись лук и баклажаны, перцы и кабачки. В передней части огорода поднялись чеснок, и петрушка, и всевозможные травы, приятный запах которых сплетался со звуками танго и щебетом канареек. Несколько старых маков, которые ждали в земле вопреки всем законам, подумали, посоветовались и тоже решили взойти вместе со всеми.

Ненаше велел Якову удобрять овощи кровью, но тот испугался:

— Почему кровью? Разве в деревне мало навоза? Со всеми этими коровами и курами?

— А почему навоз? — удивился Ненаше. — Если бы ты сам был помидором, что бы ты выбрал?

Бойня, это маленькое и деятельное царство мясников и скототорговцев, располагалась по другую сторону эвкалиптовой рощи, и фигура Якова с двумя небольшими ведрами на перекинутом через плечо коромысле стала появляться там три раза в неделю.

Трупные мухи, изнуренные вожделением и голодом, тянулись за ним зеленоватой фатой смерти. Мангусты и шакалы, блаженно зажмурившись, терлись о его ноги, обезумев от запаха крови, поднимающегося из ведер.

Как раз тогда Яков подарил мне ящик для наблюдений, и я часто прятался в роще, наблюдая за птицами, которые слетались на бойню полакомиться некошерными ошметками, срезанными острым ножом мясника.

И людей я тоже видел. Видел, слышал и запоминал.

— Если госпожа Юдит узнает, что некоторые поливают свой огород коровьей кровью, они ее больше никогда не увидят, — сказал Якову Сойхер, когда они встретились на тропе, пересекавшей эвкалиптовую рощу. — Будь добр, запомни, господин еврей, что говорил тебе Глоберман.

Яков не ответил.

— Так что, Шейнфельд, — сменил тему Сойхер, — ты все еще танцуешь?

— Да, — ответил Яков с серьезностью влюбленных, с той наивной серьезностью, которая лишает жала любую насмешку.

— Дурак ты, Шейнфельд, — сказал Глоберман. — Но это ничего, на свете много дураков. Дуракам одиночество не грозит, они всегда в большой компании.

— С Юдит все мы дураки, — сказал Яков и с неожиданной смелостью добавил: — С Юдит ты тоже дурак, Глоберман.

Мое сердце громко застучало, грохоча по ребрам и стенкам ящика. Стальной наконечник Глобермановой палки осторожно прикоснулся к носкам сапог Якова.

— Да, Шейнфельд, — задумчиво сказал скототорговец. — С Юдит мы все дураки. Но ты к тому же еще и слабоумный. Ведешь себя как слабоумный и любишь как слабоумный, и конец твой тоже будет как у слабоумного.

— А какой конец бывает у слабоумного? — спросил Яков.

— Слабоумный кончает точно так же, как дурак, только это происходит на глазах у всех, — сказал Глоберман и после короткого холодного молчания, вставшего между ними, добавил: — И поскольку ты слабоумный, я дам тебе пример, который тебе поможет, Шейнфельд. Этот пример может понять даже такой идиот, как ты. Твоя любовь — это как если бы человек расхаживал со стофунтовой купюрой в кармане. Это ведь большие деньги, правда? И ты, наверно, думаешь, что с такими деньгами можно хорошо пожить, верно? Но на самом деле ты не можешь сделать с ними ничего. Со ста фунтами ты не можешь выпить стакан пива, не можешь купить себе кусок колбасы, не можешь зайти в кино, даже к проститутке пойти — ты и то не можешь. Потому что никто не даст тебе сдачи со ста фунтов и никто тебе ничего не продаст на них, точка. Вот это в точности твоя любовь.

— Большая любовь требует больших дел! — гордо объявил Яков. — А не какой-то мелкой сдачи.

Жалость и презрение смешались в голосе Глобермана.

— Не знаю, чему там твой работник, этот паяц, тебя учит и что говорит тебе Менахем Рабинович, когда ты бежишь к нему плакаться, — сказал он, — но любовь, чтоб ты знал, Шейнфельд, нужно разменять на мелкие деньги, а не замахиваться сразу на всё, не говорить слишком высокопарно и не жертвовать всей своей жизнью враз. Всех своих канареек ты выпустил для нее, и что ты получил взамен? Ничего! Ни ее ты не получил, ни сдачу со своих птиц ты не получил.

— Сейчас же закрой свой рот! — сказал Яков.

Глоберман развел руками в шутовском жесте отчаяния:

— И зачем я даю тебе советы? Сам не знаю. Я ведь тоже люблю эту женщину, и ее сын мне тоже дорог. Мне просто жалко тебя, Шейнфельд, потому что ты идиот и совсем сдурел с этим своим работником. О таких, как ты, мой отец говорил, что Бог смилостивился над ними, когда положил им яйца в мошонку, иначе они бы и их потеряли. Так сумей хотя бы воспользоваться тем советом, который я тебе сейчас дам. Ты должен принести какую-нибудь маленькую вещицу сегодня, рассказать какую-нибудь маленькую забавную историю завтра — вот что действует, Шейнфельд: что-то маленькое, но много-много раз.

16

Вспыхнула Война за независимость. Наши мужчины исчезли. С дороги то и дело слышались выстрелы, из-за холмов подымались далекие дымки. На деревенском кладбище появились новые могилы. Но Ненаше с его идеальным галилейским акцентом и ногами, оставлявшими босые следы, пошел в соседнюю арабскую деревню и вернулся оттуда, блея, как овца, с маленьким ягненком, который доверчиво бежал за ним следом.

Через две недели усиленной кормежки, прыжков в поле и игр в прятки и догонялки Ненаше привел ягненка к ореховому дереву, связал ему задние ноги веревкой, повесил вниз головой на одной из веток, взял старый, отслуживший свой век серп, оттянул ягненку шею и, не успел тот понять, что это не какая-то новая игра, одним гладким движением отрезал ему голову.

Судороги еще корежили обезглавленное тело, а Ненаше уже надрезал суставы его ног прямо над копытцами, прижался губами к надрезам и сильно подул.

— Обрати внимание, Шейнфельд, — сказал он Якову, хлопая обеими руками по маленькому тельцу.

Вдутый воздух отделил кожу от мяса, и когда Ненаше полоснул по животу ягненка, его шкура отделилась, как плащ.

— Если знать, как это делать, так это очень легко, а если не знать, то очень трудно, — поучительно сказал он.

Вороны, возбужденные ароматным соседством смерти, слетались и прыгали вокруг. Страсть и нетерпение сделали их такими смелыми, что они подходили вплотную к Ненаше и клевали его промокшие от крови туфли. Он бросил им внутренности, а ягненка испек на душистой золе, которая раньше была ветками апельсиновых деревьев в саду Ривки и Якова.

— Садись здесь, Шейнфельд, — сказал Ненаше, взял двумя пальцами маленький, пахучий кусок мяса, подул на него, чтобы остудить, и поднес к губам ученика. — И запомни, что есть правила, — продолжал он. — Ты посмотришь ей в глаза, и ее глаза посмотрят на тебя, а потом они медленно-медленно закроются. Это признак, что она доверяет тебе, и тогда у нее медленно-медленно откроются губы, и ты осторожно-осторожно поднесешь ей мясо, но не вложишь сразу внутрь, а подождешь немного, и тогда тебе будет знак: ее язык высунется изо рта, как маленькая рука, чтобы получить твой подарок. Тогда ты коснешься его мясом, и она откроет рот и возьмет. И знай — это большое доверие и большая любовь. Чтобы так открыть рот и есть с закрытыми глазами, нужно больше доверия, чем лежать с закрытыми глазами вместе.

Яков закрыл глаза, приоткрыл рот и высунул язык. Доверчивый, ищущий, почувствовавший запах и жар, язык принял положенную на него добычу и понес ее в рот.

— А сейчас ешь, Шейнфельд, ешь, — и еще один маленький кусочек лег ему на язык.

— После хупы вы будете сидеть вместе за столом, и вся деревня будет смотреть на вас, а ты будешь кормить ее точно таким вот образом. Немного, не вилкой, только кусочек и только пальцами. Ты будешь смотреть, как она жует, а она будет смотреть на тебя.

Яков открыл глаза, и смотрел, и жевал, и глотал. Шрам сверкал на его вспотевшем лбу. Смоченное слюной и слезами, двумя самыми нежными из всех жидкостей человеческого тела, мясо соскользнуло в него, и бедра его задрожали, а сердце размякло.

Ненаше заметил улыбку блаженства и неги, расплывшуюся на губах ученика, и поспешил вытащить пальцы из его рта. Потом он встал и положил на граммофон пластинку, и Яков никак не мог решить, то ли это музыка приноравливалась к движениям итальянца, или же он сам так ловко двигал ногами в такт звукам, совсем как маленькие девочки, когда они прыгают через скакалку.

И тут Ненаше повернулся к нему и спросил:

— Ты кончил с тем, что у тебя во рту?

Яков кивнул.

— Тогда вы будете танцевать вдвоем.

И, обхватив его руками, прижал к себе и повел шагами танго, этого танца сдержанной страсти, пересохшего рта и мучительной тоски тела.

Нескончаемые звуки танцевальных мелодий и запахи бесконечных выпариваний, кипячений и процеживаний поднимались над двором Шейнфельда и расстилались над всей округой. Все понимали их смысл и знали их цель, и тем не менее какая-то тайна продолжала окружать этот двор, и шатер в нем, и двух мужчин, которые жили в шатре, обучались там, упражнялись и готовились.

Тончайшая завеса, вроде той кисеи, что заслоняет лица наемных убийц, алхимиков и слишком молодых вдов, окутывала все их поведение.

Многие останавливались подле этого дома, пытаясь сокрушить его стены своими взглядами. Другие лишь замедляли шаг и с силой втягивали воздух.

— Тут молодые ребята погибают на войне, а эти двое играют в свои дурацкие игры, — сказал Одед, заглянувший на несколько часов в деревню. Он служил в бригаде Харель, водил бронированный грузовик и доставлял письма к Номи и от Номи из осажденного Иерусалима.

Яков объявил, что хочет мобилизоваться, но ему сказали, что он слишком стар, а неофициально объяснили, что он спятил, и он с облегчением вернулся в шатер — к своим танцам и своим кастрюлям.

Запахи, испарявшиеся из шатра Якова, не считались с направлением ветра и всегда врывались в наше окно. Но на маму они не производили ни малейшего впечатления, она никогда не останавливалась поглядеть на шатер и не прислушивалась к доносившейся оттуда музыке. Больше того — она ни на йоту не изменила свой обычный маршрут и проходила мимо Шейнфельдова двора своим ровным шагом — сначала ее проносящийся профиль и развевающееся платье, потом броня спины и холод глухого уха.

«Юдит нашего Рабиновича» доила коров Рабиновича, стирала одежду Рабиновича, варила еду для Рабиновича и получала плату от Рабиновича. Раз в неделю она встречалась с Глоберманом и пила с ним из общей бутылки, и дважды в неделю я ходил с ней на прогулки, вместе с ее коровой Рахелью, которая стала уже таким старым теленком, что ей нужно было показывать дорогу домой, потому что временами она ее забывала.

Бывший коровник уже превратился в маленький симпатичный домик, по стенам которого, как по щекам, вились разноцветные бакенбарды бугенвиллий, и ласточки тоскливо заглядывали в его окна, и слабый запах молока поднимался из трещин в штукатурке. Юдит растила там своего сына и ни на кого не обращала внимания.

Якова это ее поведение наполняло вполне понятным ужасом, но Ненаше нисколько не интересовался ни самой Юдит, ни ее поведением. Он действовал по правилам, которых не могла превозмочь ни одна женщина в мире, шел постепенным и продуманным путем, которого не мог нарушить никакой Случай и не могло изменить никакое Время.

Во время первого перемирия эта пара отправилась в Хайфу, в магазин свадебных нарядов, как будто затем, чтобы купить платье для невесты, и пока Яков щупал ткани, Ненаше внимательно рассматривал работавших там женщин, которые кроили и шили все эти наряды.

— Он шьет платье для меня, — сказал он им, всем телом прижимаясь к смущенному Якову.

Женщины рассмеялись, и тогда Ненаше запел пронзительным голосом деревенской воспитательницы:

> Кто не знает, кто не знает,
> Как работает портной.
> Нитку в ушко продевает,
> Ручку быстро он вращает,
> Так работает портной!

Женщины захлопали в ладоши, еще раз пропели куплет вместе с ним и так развеселились, что, ничего не заподозрив, позволили ему остаться в мастерской и сколько угодно наблюдать за их работой. Ночью он вернулся в деревню, уже полностью овладев искусством снимать мерку, кроить ткань и заделывать швы.

— Теперь мы начнем шить платье для свадьбы, и на следующий год все будет готово, — сказал он.

— Разве для этого не нужно снять мерку с невесты? — озадаченно спросил Яков.

— Хватит тебе болтать про эту невесту! — сказал Ненаше с неожиданной грубостью. — При чем тут невеста? Незачем ее видеть, и незачем с ней танцевать, и незачем ее измерять!

Он расстелил по полу большие, шумно шелестевшие листы бумаги.

— Ты просто опиши мне словами, как она выглядит, — приказал он.

Яков описывал, как мог, а итальянец ползал по листам, вычерчивая карандашом контуры платья и орудуя ножницами. Потом он разостлал свои вырезки на полу.

Весь этот процесс, который в моем пересказе занимает всего несколько строк и столько же секунд, в жизни растянулся на многие месяцы. Началом его стала покупка ткани, продолжением было планирование, обдумывание, вычерчивание и кройка, а по ходу дела шли дожди, созревали плоды, прирастала и убывала луна и птицы кочевали с континента на континент, и под конец Яков вымыл ноги, вытер их чистой тряпкой, наступил на белую бумагу, чтобы показать Ненаше, что на них уже нет никакой грязи, и прошелся по гладкой ткани.

Его пальцы и пятки горели так, что он не мог бы с уверенностью сказать, горят они от жара или от холода. Он наложил выкройки на ткань и стал вырезать по ним части будущего платья. Губы раздвинуты, язык высунут, воздух встал колом в клетке ребер, одни только пальцы движутся.

Закончив работу, он почувствовал огромную усталость и рухнул на кровать. А через несколько дней Ненаше пошел к Ализе Папиш и попросил на время ее «Зингер»,

— Дай ему, дай ему эту свою машинку! — сказал Деревенский Папиш жене. — Пожалей убогих.

Ненаше вернулся, таща на плече тяжелую швейную машину, и несколько следующих дней они занимались тем, что он соединял в одно целое все части свадебного платья, а Яков непрерывно рассказывал ему о Юдит.

Платье начало обретать форму — чистое, белоснежное, пустое.

— Ну, ты наконец чувствуешь? Ты чувствуешь? — спрашивал Ненаше, и Яков действительно всем сердцем и душой чувствовал томление ткани по коже, и платья — по телу, и то тоскливое желание пустой формы вобрать в себя и стать заполненной, которое он раньше считал присущим лишь ему одному.

А когда итальянец кончил первую наметку, улыбнулся и позволил Якову примерить то, что получилось, Яков ощутил, что кожа его горит, хотя ткань холодна, и из его груди сам собой вырвался крик восторга и боли. Но Ненаше разрешил ему побыть в свадебном платье лишь пару минут, потом забрал у него наряд, снова положил на швейную машину, и они, уже вместе, принялись заканчивать шитье.

Глобермана, единственного, кто понимал, к чему все идет, чрезвычайно забавляла и занимала эта история, и он снабдил Якова «важными адресами» поставщиков продовольствия. Сойхер, который во время войны поставил свой пикап, хитроумие и связи «на службу национальному делу», теперь, во времена недостач и трудностей, вернулся к своим обычным повадкам. Он сколотил целое состояние на контрабанде мяса и продаже его в рестораны, в задних комнатах которых кормились высокие государственные чины, и по ходу дела сумел завести связи с нужными людьми, у которых всегда можно было купить любые продукты, в том числе и для свадьбы. Он обещал Якову большую скидку и даже одолжил ему столовую посуду — дрезденский и пражский фарфор немецких тамплиеров, — тем самым подтвердив правильность подозрений о легендарном мародерстве, которое он когда-то учинил в домах немецких колонистов после их выселения.

— Я помогаю тебе против собственных интересов, — с улыбкой повторял он, — но в моем возрасте любопытство порой уже сильнее любовных желаний.

Тем временем все в деревне стали замечать, что Яков давно уже не показывается на люди, не беспокоит больше Юдит, не стоит под забором Рабиновича, не подстерегает на ее обычных путях и не обклеивает деревья и стены своими желтыми бумажками. И он действительно исчез из виду, потому что заперся у себя в доме и во дворе и целыми днями занимался теперь подготовкой, тренировкой и сдачей экзаменов.

Весь день он варил, и шил, и танцевал, удобрял, и сеял, и поливал, и сажал, а в полночь падал замертво в постель и лежал то ли во сне, то ли наяву, не то затверживая вслух, не то уплывая в молчаливых снах, то широко открывая, то плотно закрывая глаза, идя бустрофедоном по бесконечной борозде, туда и назад, туда и назад, шепотом уставшего быка повторяя: юдит-юдит-юдит-юдит-юдит-юдит-юдит-юдит-тидю-тидю-тидю-тидю-тидю-тидю-тидю-юдит-юдит-юдит-юдит-юдит-тидю-тидю-тидю-тидю-тидю-юдит-юдит...

Заманчивые запахи наплывали из кухонных шкафчиков, позванивали на полках тонкие бокалы, багровые солнца медных сковородок угасали на стене в нескончаемых закатах.

Несчетное множество тесных и крохотных шовчиков было прошито, прежде чем платье было завершено и повисло, пустое, в ожидании желанного тела, которое придет, усладится, наденет его и заполнит.

Потом Ненаше отгладил ткань, сложил платье и уложил его в длинную белую картонную коробку.

— Теперь все готово, — поставил он коробку в шкаф. — Остается только ждать знака.

17

Как и все ждущие знака люди, спрашивал Яков себя самого и Ненаше, каким он будет, этот знак.

Будет ли это крик стрижа в ту пору, когда стрижи не имеют привычки кричать? А может, крик стрижа именно в обычное для них время? А может быть, провозвестником будет ворон? Или персик, что созреет зимой? А может, солнце не закатится вечером? А может, взойдет, как обычно, утром? А может, сигналом будет яблочный лист? Желтый лист, который упадет осенью с какого-нибудь дерева в саду, подобно тысяче своих собратьев?

И как к этому готовиться? Сидеть дома и ждать? Или уходить и приходить, работать и жить?

Ненаше и Яков, как и все ждущие люди, высматривали знак, а знак, как все знаки вообще, медлил с приходом.

— Когда-то для этого были ангелы. Но сегодня ангелы уже не занимаются такими делами, и надо угадать знак самому. Поэтому я рассказал свой план двум людям, чтобы они мне помогли. Глоберману я рассказал, и Менахему Рабиновичу я рассказал. Менахем сказал, что это замечательный план, а когда я спросил, что в нем такого замечательного, он сказал: «Всякий план добиться женщины — это замечательный план, и я надеюсь, что тебе к тому же улыбнется удача». Это уже был не тот Менахем. После того как его младший сын погиб на войне, это уже был сломанный человек, а еще немного погодя он вдобавок перестал неметь с началом весны, и от этого сломался еще сильнее. «Видишь, — сказал он мне, — сейчас я уже весной могу говорить, но ни одна *курве* уже не приходит меня слушать». А Сойхер — тот просто начал смеяться. Я сказал ему: «Ведь мы с тобой хотим одну и ту же женщину, так, может, ты раз и навсегда перестанешь смеяться и просто скажешь мне, что ты об этом думаешь?» И я рассказал ему весь свой план от начала и до конца, что если я приготовлю все — свадьбу, и еду, и танец, и свадебное платье, и раввина, и *хупу*, и приглашенных, — тогда и она придет. Есть такой закон в природе, что если все готово и только одного не хватает, то это последнее тоже должно появиться. Ой, как же он смеялся, Глоберман, когда я ему рассказал этот свой план! «Ты все свои деньги угробишь на эту женщину, Шейнфельд! — сказал он мне. — Деньги, и жизнь, и силы, и всё». И он таки оказался прав. Именно так оно и вышло. Я действительно вложил в это все, что имел. Я был как тот человек, о котором я тебе рассказывал, тот, что рассчитал деньги до конца своей жизни. Или как тот корабль из французской книги, забыл ее название, у которого посредине моря кончился весь уголь, и тогда он начал сжигать дерево своего корпуса, а в конце, когда он причалил к берегу, от него уже ничего не осталось, одни железные ребра, как скелет какой-нибудь падали в поле. Но я все время, когда мне во сне снилась Юдит, видел то, чего Глоберман не понимал, — что у нее нет другого выхода, потому что судьба уже привязала к ней свою веревку. Иначе чего вдруг заявился ко мне сюда, прямо посреди ночи, такой человек, что прошел всю дорогу из

Италии, и воевал в пустыне, и попал в плен, и убежал, и пришел именно ко мне? Для того он и пришел, чтобы научить меня варить для свадьбы, и танцевать танго для свадьбы, и сшить платье для свадьбы. Но когда я сказал это Глоберману, он вдруг стал белый как стена, и губы у него стали тонкие от злости, и он начал на меня кричать: «Сейчас ты еще скажешь, Шейнфельд, что Гитлер, *да сотрется имя его*[1], что он всю эту свою войну начал только для того, чтобы этот твой итальянский попугай попал в плен и заявился к тебе устраивать твою свадьбу?!» Он на самом деле рассердился. Может, потому, что у него в Латвии погибло ужасно много родственников от немцев. Как стена, такой он был белый, когда так кричал. «Для тебя уже нет в этой войне сожженных детей, и нет убитых солдат, и нет сирот, и вдов, и лагерей, — один только этот сраный итальянец, который явился устраивать свадьбу для Якова Шейнфельда и госпожи Юдит, да?» Но я уже не обращал внимания на такие разговоры, потому что не всякий, кто понимает в животных, он понимает и в людях тоже. А кроме того, как может Сойхер говорить о войне, и о жизни, и о смерти? Он же сам как Гитлер для коров.

А затем, в один прекрасный день, во время обычной полуденной дремы, Ненаше вдруг вскинулся и вскочил с кровати, словно какой-то пузырь лопнул у него внутри. Никакого ангела не было и в помине, и тем не менее Ненаше оделся, вышел из дома и направился прямиком к камню Моше Рабиновича, который давно уже не навещал.

---

[1] Традиционная еврейская формула, сопровождающая упоминание злодея, преступника, имя которого должно быть вычеркнуто из списка когла-либо живших.

Медленно и спокойно шел он, не подпрыгивал на ходу и не боксировал в воздухе, и грудь его поднималась в ровном и глубоком дыхании, и маленькие глаза были прикрыты.

Несколько детишек, завидев его, побежали в деревню с криком:

— Ненаше идет к камню! Ненаше идет к камню!

И к тому времени, когда итальянец остановился перед двором Рабиновича, его уже дожидались многочисленные зрители. Ненаше не остановился ни на миг. Он подошел к камню и сказал ему:

— А ну-ка, подожди минутку! Я сейчас позову моего Моше, и уж он поднимет тебя с земли!

Собравшиеся испугались. И сам камень, наполовину погребенный в земле, тоже как будто содрогнулся. Даже Ненаше был удивлен, потому что не знал, откуда пришли к нему эти слова и чьим голосом они были сказаны.

Он вытер руки о штаны незабываемым движением погибшей женщины, тут же опустился на колени, обхватил камень и с устрашающим рыком Рабиновича вырвал его из земли, поднял и обнял, как младенца, прижимая к груди.

Потом он пошел с ним по деревенской улице во главе веселого победного шествия.

— Не иди за ним! Немедленно вернись в дом, Зейде! — крикнула мама из окна коровника.

Я не пошел за ним, но и в дом не вернулся, потому что как раз в эту минуту пара ворон опустилась с вершины эвкалипта на край глубокой ямы, которая осталась от вырванного камня. Я тоже подошел туда. Испуганные дождевые черви извивались во влажной земле, в яму скатывались шарики мха. Пузатые желто-прозрачные муравьи ползали вокруг. Вороны начали клевать и глотать, и вдруг один из черных клювов стукнул по чему-то твердому, и я нагнулся, чтобы протянуть руку и раскопать то, на что он наткнулся.

Мой мозг еще не успел понять и представить, но мое сердце застучало раньше, чем пальцы рассказали ему, чего они коснулись. Я соскреб мокрую землю и ощутил квадратный угол шкатулки. Я счистил несколько комков и увидел речные ракушки и дерево.

Ненаше донес камень до центра деревни, обошел вокруг больших фикусов возле Народного дома, пошел обратно по своим следам, с торжествующим криком уронил камень в его яму и вернулся в дом Шейнфельда. Даже не повернувшись к сопровождавшим его людям, он вошел в дом и тотчас сказал:

— Это был знак, Яков. День настал.

Он разжег печь, согрел себе воду для мытья, принял душ, поел и уснул.

Вечером он встал, натянул свой старый комбинезон, разобрал шатер и взял белую коробку со свадебным платьем.

— Прощай, Яков, — сказал он.

— Прощай, Сальваторе, — сказал Яков,

Итальянец дошел до коровника Рабиновича, постучал в дверь и протянул Юдит белую коробку с платьем.

— *Questo per te*, — сказал он. — Это для тебя, Юдит!

Не ответа ее ждал он, а ее рук. И когда они, помимо воли, поднялись и протянулись к нему, положил на них коробку, повернулся, пошел в центр деревни и там, на доске объявлений, повесил большой желтый лист, на котором было написано: «Юдит нашего Рабиновича и избранник ее сердца Яков заключат брачный союз в среду 1 февраля 1950 года, в 4 часа пополудни. Все друзья приглашаются».

Оттуда Сальваторе направился к большой дороге, вышел за деревню, и больше его никогда не видели.

18

— Я тогда уже умел танцевать и варить, и посуда была готова, и платье было готово, и итальянец поднял камень и первый раз назвал меня Яковом, как будто повысил меня в звании от Шейнфельда до Якова, от просто бедного солдата до большого генерала от любви. И вся деревня пришла читать объявление про свадьбу, которое он повесил. Слова были такие красивые и такие простые. Брачный союз... Избранник ее сердца... И точное число, и час, и день, и месяц, и год, чтобы все было ясно и чтобы Везенье со Случаем и Судьбой не смогли вмешаться. И через несколько дней я поехал на автобусе в Хайфу с красивой курицей, дать раввину, и сообщить ему дату, и посмотреть, чтобы он не забыл приехать, потому что ты ведь знаешь, как оно у этих пейсатых жуликов, — деньги за доброе дело ему, видишь ли, брать запрещено, но жирную курицу, только чтобы напомнить ему, что нужно сделать это доброе дело, — тут он пожалуйста. Так вот, Зейде, ты меня все время спрашивал, как я научился варить, и шить, и танцевать, да? Теперь ты знаешь. И не важно, что сказал Глоберман — мировая война была и для этого тоже. Чтобы англичане поймали Сальваторе в пустыне и

привезли его сюда в лагерь военнопленных, и чтобы
он убежал, и пришел ко мне, и научил меня всем этим
вещам и правилам. Потому что если не для этого была
война, так для чего же? Я тебя спрашиваю, для чего?
Что, для моей любви не полагается большая война?
Сначала я думал, что он научит меня варить итальян-
скую еду, все эти *локшн*, макароны их знаменитые, с
помидорами и сыром, но нет. Он сам мне сказал, что
для еврейской свадьбы еда тоже должна быть еврейская, и он пошел посмотреть у Ализы Папиш, как она
варит, и тут же начал варить, как будто сам родился на
Украине, и меня тоже при этом учил. И на свадьбу я
сделал селедку трех видов, одну со сметаной и зелеными яблоками для аппетита, одну с луком, и подсолнеч-
ным маслом, и лимоном для души и одну с уксусом, и
маслом, и лавровым листом для тоски, чтобы есть с
хлебом и шнапсом. И куриный бульон я сделал с *креплэх*, с вареничками, в котором кружки жира улыбались
тебе, как золотые монеты, и с укропом, нарезанным
так мелко, что ты вдруг слышал, как все люди вздыхают
над тарелкой, в которой каждый видел свою маму, как
дрожащую картинку в этих кружках в бульоне. И тесто
для *креплэх* я тоже сам сделал. Потому что в *креплэх*
то, что снаружи, важнее, чем то, что внутри. И эту курицу, которую в Киеве только богатые украинцы ели, курицу в чугунке, и это я сделал, и украинский борщ, с
картошкой, и капустой, и буряком, и говяжьим мясом.
Так хорошо этот итальянец знал правила, что он даже
записал мне: не забыть положить каждому половинку
зубчика чеснока возле тарелки борща, чтобы натереть
корочку хлеба. И салат из редьки, натертой на крупной
терке, с жареным луком, немного подгорелым, со сво-

им жиром. Сбоку у каждого немного хрена — не красного, а белого, такого горького, что слезы от него текут у тебя из носа, а не из глаз, и в живот он спускается тебе не через горло, а как ему захочется. И для питья я поставил холодный свекольник с ложкой сметаны в каждой чашке, красивой, как снежная гора среди крови. И гранатовый сок, который он приготовил еще до начала зимы, потому что я рассказал ему, как ты любишь гранаты, Юдит. И три вида варенья я сделал — из клубники, и из малины, и из черных кислых слив с того дикого дерева, что по дороге к вади. И все это было в тех красивых мисках, что дал мне Сойхер, от немцев, да сотрется их имя. Что тебе сказать, Зейде, — больших денег мне все это стоило. Я продал много своих бедных птиц для этого, и Сойхер тоже много чего мне дал, потому что, при всех своих деньгах, и крови, и насмешках, он был хороший человек, Сойхер, лучше всех нас он был, этот разбойник-убийца, и много продуктов он дал мне совсем даром. Он ведь заработал большие деньги в голодные времена. Он знал разные фокусы, как обмануть в документах про корову, и все инспекторы это знали, но поймать его ни разу они не поймали. Еду я сделал примерно на сто человек, но со всей Долины почуяли запах и тоже пришли. Сто человек расселись есть, а остальные остались смотреть и нюхать. И никто не жаловался, потому что не так для еды они все пришли, как из-за любопытства к моей любви и из-за моей серьезности в этом деле. Потому что когда любовь и серьезность идут вместе, Зейде, ничего не может встать на их пути. И такое красивое зимнее солнце светило, но для меня в этом не было ничего особенного, потому что свадьба, которую готовят во всех деталях — у такой свадьбы и погода будет хорошая. И я пошел к нашим деревенским столярам, и взял у них доски, и поставил на козлы, и белые скатерти я положил, и стулья для приглашенных — всё сам. А потом я умылся, и оделся, и в четыре часа после полудня в синих брюках и в белой рубашке я стоял, в праздничной одежде избранника ее сердца, и говорил всем: «Заходите, заходите, друзья, у нас сегодня свадьба, спасибо, что пришли, друзья, заходите». И все заходили, очень серьезные, и запах пищи над головой стоял, как тоска, ибо что есть «потребность в пище духовной», как сказано в Танахе, если не тоска души по своей еде? Потому что бывает еда для тела, как мясо и картошка, а бывает еда для души, как чарка самогона и кусок селедки. И тут приехал из Хайфы раввин со своими шестами, и балдахином, и *хупой* и подошел к столу, и Деревенский Папиш, про которого я не должен тебе рассказывать, как он любит этих пейсатых, сказал ему: «Рэбеню, у нас здесь не все так уж кошерно, у нас здесь, в основном, еда для неверующих», — и подмигнул мне двумя глазами сразу. Он ведь не может подмигнуть одним глазом, у него всегда оба глаза закрывались, когда он подмигивал. Я испугался, что если он говорит «еда для неверующих», так, может, он знает, что этот мой работник не еврей, а на самом деле итальянец по имени Менаше. Но этот раввин был умный еврей — он только глянул на Деревенского Папиша и сказал ему: «Господин еврей, что, я спрашивал тебя, все ли тут кошерно?» И Деревенский Папиш сказал: «Не спрашивал». И тогда раввин сказал ему: «Если я не спрашивал, почему ты отвечаешь?» И он ел, как будто у него завтра два поста сразу — брал руками, и причмокивал губами, и вытирал тарелку куском хлеба, потому что ты можешь что угодно говорить об этих раввинах, но глупыми их не назовешь. Потом он начал приставать, кто невеста, и где невеста, и почему она не приходит, и я сказал: «Мы уже приготовили в её честь все что положено и теперь будем надеяться, что мы заслужили, чтобы она пришла». И тогда раввин посмотрел на меня и сказал: «Господин еврей» — ему, наверно, нравилось так говорить — «Господин еврей, — сказал он, — это же не мессия, это всего-навсего невеста», — а я сказал: «Эта невеста — она для меня мессия». Этого он уже не мог вытерпеть, и он тут же поднялся со стула и сказал сердито: «Мессии здесь еще нет, но его осла я уже вижу». Это такая старая-старая шутка. И он уже хотел уходить, но четверо наших парней встали, и схватили его за руки, и посадили обратно на стул, и он стал ждать вместе со всеми, когда она придет. И мы все ждали и ждали, и что там случилось, я не знаю, но Юдит не пришла. Только ты вдруг прибежал, Зейде. Полчаса мы ждали, и только ты прибежал — маленький мальчик с белой коробкой со свадебным платьем, которую ты держал вот так, в руках, и вошел с ней во двор. Ты помнишь это, Зейде, нет? Как можно забыть такое? Ты вдруг вошел, и все сразу замолчали и стали смотреть на тебя, а ты подошел прямо ко мне, в такой тишине, что можно было услышать, как стучит сердце, твое и мое, и дал мне коробку с платьем, и сразу ты повернулся и побежал домой, не оглядываясь. Я крикнул: «Зейде, Зейде, что случилось, Зейде?!» — как сумасшедший, я кричал, никого не стесняясь, поднялся и кричал, но ты убежал и не оглянулся. Разве ты не слышал, что я кричал за тобой? Ты не помнишь? Как ты мог забыть такое? Ты убежал, а я открыл коробку и вынул перед всеми свадебное платье. Такое белое, и такое длинное, и такое пустое оно было без Юдит внутри, и громкий вздох вырвался у всех, потому что от свадебного платья всегда вздыхают, не важно — есть в нем невеста или нет. И тогда четверо парней буквально подтащили раввина ко мне и держали четыре шеста, и я встал под *хупой* с платьем и сказал ему: «Вот невеста, теперь начинай». И уже слезы начали течь у меня из глаз, как сейчас и как у тебя, Зейде, тоже, хотя я не понимаю, с чего ты должен плакать. С тобой ведь ничего не случилось. Тебе так даже лучше. А раввин посмотрел на меня и сказал: «Господин еврей, ты насмехаешься над раввином и над еврейской свадьбой», — и он уже опять хотел уйти, но эти четверо окружили его и схватили за руки. Тогда он, наверно, понял, что еврейский Бог стоит за эту свадьбу, потому что он тут же как миленький прочел все благословения и все, что полагается, и я надел кольцо на воздух, который должен был заполниться ее пальцем, на тот самый воздух я его надел, и я сказал, не запинаясь: «Ты посвящена мне по закону Моисея и Израиля», — и хотя ее там не было, все знали, кому я это говорю, и хотя она не пришла, она стала моя жена, и вся деревня была при этом, и все видели, что хотя она не пришла, она была там, Юдит, ты была там, и ты со мной, и ты моя.

19

Свадьба Якова Шейнфельда и Юдит нашего Рабиновича по-прежнему впечатана в памяти жителей нашей деревни и многих соседних, а также в памяти детей, которые были тогда младенцами, и даже в памяти их внуков, которые тогда еще не родились, она тоже живет. По сию пору есть люди, которые говорят о ней и, завидев меня, таращатся с любопытством и изумлением, как будто в моем теле хранятся ответы.

Но во мне нет ответа — только воспоминание.

Мне было тогда лет десять, и, несмотря на обвинения Якова, я хорошо все помню. Я помню, как Ненаше поднял камень Моше, я помню, как он пришел в наш коровник и дал маме большую белую коробку. Он сказал ей что-то на языке, которого я не понял, и голосом, которого я не знал, — и ушел.

Я помню дрожь ее рук, когда они с недоумением скользили по белизне коробки. Обреченную слабость ее тела, когда она села на один из мешков. Сияние, осветившее коровник от стены до стены, когда она развернула платье.

И я помню, как она встала, и разделась, и надела это платье на голое тело. Ее глаза закрылись, ее губы вздрогнули, она плыла в пространстве коровника, но наружу так и не вышла.

После того дня она надевала его снова и снова. На минуту, на несколько минут, на четверть часа, на час и на больше часу. А посреди ночи она тихонько выходила в нем во двор, и я видел, как она удаляется вдоль кормушек, точно удаляющаяся от Земли звездная туманность. Задумчивой была она теперь, закутанная в белоснежный наряд, и ни с кем не говорила. И со мной тоже.

А за три дня до того числа, который назначил работник Шейнфельда в свадебном объявлении, когда вся деревня уже готовилась к торжеству, окутанная неотступ-

ными запахами стиральных корыт и кипящих кастрюль, мама пришла к Моше и сказала ему, что слухи
верны — она действительно собирается бросить работу у него во дворе и дома, потому что решила заклю-
чить брачный союз с Яковом Шейнфельдом, избран-
ником ее сердца.

В полдень того дня Юдит разожгла дрова и кукурузные
кочерыжки, чтобы нагреть воду.

— Я хочу сейчас помыться, Зейде, — сказала она, — а
ты сбегай посмотри, что происходит во дворе у Якова.

Я побежал, вернулся и рассказал ей, что Шейнфельд
поставил столы, расстелил белые скатерти и расставил
посуду.

— Он, наверно, устраивает какой-то праздник, —
добавил я, сделав вид, будто не понимаю и не знаю.

Мама сидела в большом корыте, и пар шептался на
ее коже. Она велела мне намылить ей спину и полить
воду на волосы. Я сделал все, что она просила, а потом
стал перед корытом с развернутым полотенцем в руках, с закрытыми глазами, и сердце мое было заледе-
невшим, беспокойным, ненавидящим и тяжелым.

Она медленно поднялась, закуталась в полотенце,
села и причесалась, а потом долго вглядывалась в свое
лицо в зеркале.

— Иди сюда, Зейде, — сказала она.

Я подошел и стал рядом.

— Я собираюсь выйти сегодня замуж за Якова, —
сказала она.

— Хорошо, — сказал я.

— Он будет твоим отцом. — Она взяла меня за подбородок. — Только он.

— Хорошо, — сказал я.

— И мы останемся здесь, в деревне. Ты не должен ни с кем прощаться.

Она поднялась и прижала мою голову к каплям воды меж грудями, а потом отодвинула меня и принялась натягивать свое свадебное платье.

— Ты подождешь меня здесь, — сказала она.

И когда она повернулась, и вышла из коровника, и пошла туда, холодная тяжелая рука ударила меня по плечу, и я упал на землю.

— Как тебя зовут? — спросил знакомый мерзкий голос.

— Зейде! — крикнул я. — Я маленький мальчик, которого зовут Зейде! Иди, убей себе кого-нибудь другого!

И я поднялся, оттолкнул его от себя, бросился на мешки с комбикормом, освободил и вытащил шкатулку, которую спрятал между ними, и побежал за матерью.

Мертвая тишина стояла в деревне. На улицах не было ни души. Все ждали ее во дворе у Шейнфельда. Все, кроме меня, который бежал за ней, и Моше Рабиновича, который остался дома. Немногие звуки, разрезавшие воздух, казались удивительно маленькими и отчетливо резкими. Они двигались бок о бок в прозрачном воздухе — удары моего сердца, постукивание ее шагов, буря моего дыхания, карканье далекой вороны.

Я не крикнул ей остановиться, потому что знал, что глухое ухо и белое платье отделяют ее сейчас от всего мира — она не услышит, не остановится и не обернется. Я догнал ее, забежал вперед, встал перед ней и, протянув руки, открыл ее взгляду маленькую, грязную шкатулку.

Деревянная крышка в ракушках была закрыта, но когда мама воткнула в дырочку от ключа свою приколку, шкатулка открылась так покорно, что какое-то мгновение казалось, будто там таится одно лишь ожидание и ничего больше.

Она сунула руку внутрь и почувствовала что-то мягкое и влекущее. Длинная и толстая коса Моше Рабиновича медленно выползла наружу, и когда мама поднесла ее к глазам, старые девичьи банты развязались и золотой поток заструился меж ее пальцев.

— Это он послал тебя? — спросила она.

— Нет.

Она, конечно, сразу же поняла, что это то самое, что Моше все время искал. Но я думаю, что она не сразу поняла, что коса эта — его, и решила, наверно, что это коса какой-нибудь женщины, его Тонечки или еще какой-нибудь другой. И тем не менее ее руки уже ощутили то ласковое и глубокое тепло, которые ощущают руки, когда касаются самой глубокой правды.

— Где ты нашел это, Зейде?

— Под камнем Моше, — сказал я. — Когда работник Шейнфельда поднял его.

Мы стояли посреди пустой улицы. Мама положила косу обратно в шкатулку, отступила на несколько шагов, повернулась ко мне спиной, закрыла лицо рукой, и ее плечи задрожали.

— Под камнем, — засмеялась она. — Под камнем... Умная женщина... А почему ты там искал?

— Это не я, это вороны с эвкалипта нашли.

Она снова подошла ко мне, положив пальцы на губы, чтобы скрыть дрожь подбородка. Ее глаза метались в поисках убежища.

И вдруг она отперлась на меня всей своей тяжестью:

— Кто мог знать, кто мог подумать... Под камнем... И это он искал все время...

Я протянул ей руку и поддерживал ее своим десятилетним телом, пока мы шли вдоль всей этой безмолвной и пустынной деревенской улицы к нашему коровнику.

Моше метался там, среди четырех стен, белый и жесткий, как они, и мама протянула ему шкатулку.

— Это то, что ты ищешь?

Ее голос был низкий и ровный. Она открыла шкатулку и, не сводя с него взгляда, извлекла оттуда косу. Ее движение было медленным и продуманным, как взмах руки продавца тканей, демонстрирующего самый дорогой шелк в своей лавке.

Правая рука Моше поднялась к затылку тем движением, которое Юдит давно уже знала, но только сейчас поняла, и оттуда вернулась к горлу, спустилась и помяла большие мышцы груди в том месте, где у него должна была вырасти девичья грудь, если бы он выполнил желание своей матери, а затем опустилась еще ниже и пощупала пах, проверяя, и убеждаясь, и подтверждая, и во всем этом не было ни капли грубости, только лицо его на миг лишилось всей своей мужественности.

И лишь тогда она поняла, что это не коса его матери, или сестры, или другой женщины, а утраченная коса мужчины — коса самого Моше.

— Это твоя, Моше?.. — прошептала она, то ли спрашивая, то ли утверждая. — Это твоя коса?

— Моя.

Я стоял здесь же, в углу коровника, но они словно не видели меня.

— Возьми меня в жены, Моше, — сказала мама, — и я отдам тебе твою косу.

Короткими и бесцветными казались ее слова в холодном воздухе. Горячей и сверкающей была слеза, скатившаяся по ее щеке.

— А мальчик? — спросил Моше пересохшим ртом. — Чей он?

Мальчик, спрятавшийся в темном углу между мешками комбикорма, слышал, и видел, и не проронил ни слова.

— Возьми меня в жены, Моше, и дай мальчику твое имя.

Мама дала ему его косу, и не успел он прижать свои давние пряди к лицу и услышать их запах, как она уже сбросила с себя свадебное платье.

Ее тело было очень белым в полутьме коровника. Только загорелый треугольник выреза рабочей кофты и руки были смуглыми. Ее тело было моложе ее самой — нежное и сильное. У нее были маленькие сияющие груди, две неожиданно веселые ямочки на скате спины и плотные сильные бедра.

Она натянула свою рабочую одежду, наклонилась, подняла белую картонную коробку и вложила в нее свадебное платье.

— Отнеси это Шейнфельду, Зейде, — сказала она. — Отдай это ему, ничего никому не говори и сразу же возвращайся.

20

Всю ту ночь слышались на улице шаги людей, возвращавшихся со свадьбы Якова. Они топтались около дома Рабиновича, и это походило на молчаливую демонстрацию, пока наконец не разошлись один за другим.

Назавтра Одед привез Номи и ее младенца из Иерусалима. Она выглядела ошеломленной, встревоженной и счастливой. Она назвала маму «мамой», и они обе заплакали.

А ночью Моше пришел спать в коровник, и Номи забрала меня спать с ней и с ее сыном в доме, а утром разбудила меня для дойки.

— Они уехали побыть немножко вместе, Зейде, — сказала Номи. — А мы с тобой побудем здесь несколько дней сами и позаботимся о коровах.

Мама и Моше поехали в Зихрон-Яков, в маленький пансион с каменными стенами, дорожками из щебня и аллеей покачивающихся вашингтонских сосен, ведущих к воротам. Через десять лет после того, в один из своих армейских отпусков, я поехал туда, но зайти не решился.

— Вот, Юдит, — сказал Моше, — в таком месте мы должны были жить все эти годы, ты и я, с колясками и слугами.

И он взял ее за кончики пальцев и поклонился отточенным и забавным поклоном, которого нельзя было ожидать, глядя на его громоздкое тело.

Юдит погладила его затылок трепещущими кончиками пальцев. Глуховатые, томительные звуки виолончели и скрипки звучали в воздухе. Девушка и трое парней играли в музыкальной комнате пансиона.

«А менч трахт ун а год лахт». — Человек строит планы, а Господь Бог посмеивается себе в бороду. Никто не знал, и никто не разгадал. Ни быстрое постукивание дятла по стволу сосны, ни паренье коршуна, ко-

торый рассекал воздух, точно маленький алмаз сте-
кольщика.

Четыре дня пробыли они там в самом начале февраля 1950 года, а мы с Номи присматривали за двором и
за коровником.

Сухие и сильные холода царили тогда по всей Стране, и когда они вернулись автобусом, Моше сказал
Юдит, что таким был мороз, который он помнит со
времен своего детства на Украине.

У подножья горы Мухраха, когда автобус повернул
налево, а потом поднялся и повернул направо и перед
ними открылась Долина, широко разостлав их взгляду
свои поля, Юдит вздохнула, прижалась к нему и сказала:

— Вот мы и вернулись домой, Моше. Дома лучше
всего.

В ту же ночь, когда Одед пришел, чтобы отвезти Номи
и ее ребенка в Иерусалим и мама разбудила меня попрощаться с ними, Номи вдруг сказала:

— Почему бы Зейде не поехать со мной в Иерусалим на несколько дней? По радио сказали, что у нас,
возможно, будет снег.

— Он должен идти в школу, — сказал Моше.

— Это неповторимый случай, — сказала Номи. —
Тут, в деревне, никогда не бывает снега. Вы побудете
еще немного вдвоем, а Зейде увидит настоящий снег.

— Он пропустит праздник Ту би-Шват[1], — сказала
мама.

— Тут и без него достаточно деревьев, — сказала
Номи.

---

[1] Ту би-Шват — 15 число еврейского месяца Шват (соответствует январю — февралю); праздник посадки деревьев.

Мама засмеялась и приготовила еще два бутерброда с яичницей в дорогу. Она собрала для меня маленькую сумку, и Номи взяла меня за руку, а своего ребенка понесла в другой руке.

— Одеду уже пора, пошли быстрее.

И мы оба поспешили к молочной ферме.

— Я не успел попрощаться с Моше и поцеловать маму, — сказал я на бегу.

— Скажешь, когда вернешься, — засмеялась Номи, — а поцелуй отдай мне.

Всю дорогу я проспал. Проснувшись, я увидел, что Одед изменил своему обычаю и въехал с машиной прямо внутрь жилого квартала, нарушив его предрассветный покой ревом своего мотора.

— Хочешь погудеть, Зейде? — И не успела Номи возразить, как я уже потянул за тросик и воздух содрогнулся от могучего гудка.

— Из-за вас я поссорюсь со всеми соседями, — рассердилась она.

— Только не возвращайся к нам горожанином, Зейде, — сказал мне Одед, снова погудел и уехал.

Лет десять было мне тогда, и никогда в жизни я не чувствовал такого сильного холода. Назавтра стало еще холодней, Номи закутала мне шею красным шерстяным платком, и Меир повез меня посмотреть на Старый город, что по ту сторону границы[1].

Мы поехали в город в тряском автобусе, который был похож на корову и назывался «Шоссон». Меир спросил, хочу ли я дать деньги водителю, и я получил

---

[1] С 1948 по 1967 год Старый город Иерусалима находился во владении Иордании и был отделен от остальной части города границей.

странную сдачу — бумажные полгроша, которых я никогда не видел. С площади Сиона мы пошли пешком, дошли до большой бетонной стены, посмотрели через ее амбразуры и потом направились к большому дому, на крыше которого стояла статуя женщины, а по коридорам торопливо и отрешенно шли монахини.

Человек лет пятидесяти с покрасневшими глазами и седой щетиной остановился возле нас, обмотал руку молитвенными ремешками, посмотрел на город и на нас и забормотал монотонный напев, слова которого сильно отдавали лакрицей:

— Ради Авраама, и Ицхака, и Яакова, ради памяти благословенного царя Давида, да поможет мне Господь, да явится к нам с небес спасение, помощь нам, в память о праведнике и учителе нашем Моисее, и учителе нашем царе Давиде, и учителе нашем царе Соломоне, имена, да будет с ними мир и райский покой...

— Паразит! — проворчал Меир, но велел дать ему бумажку, которую я получил от шофера.

21

Так много вещей случились со мною в ту иерусалимскую неделю впервые.

Я впервые попробовал в кафе горячее какао.

Номи впервые поцеловала меня в шею и в губы, а не только в щеки.

Я впервые был в книжном магазине.

Впервые в жизни у меня умерла мать.

Ночью их младенец раскричался, и я услышал, как Номи встала его покормить, и ее удивленный восторженный крик, когда она выглянула в окно.

— Вставай, Зейде! — поспешила она ко мне и затрясла за плечо. — Вставай, вот снег, который я тебе обещала.

Я встал, посмотрел и впервые в жизни увидел снег. Вся земля уже была укрыта белым, и в световом конусе уличного фонаря метались колючие снежинки — большие, перистые, невесомые и бесцельные.

Утром соседские дети вышли играть в снежки, и Номи сказала:

— Иди и ты во двор, Зейде, поиграй с ними.

— Нет, — сказал я.

— Это хорошие дети, — сказала она. — Там есть твои одногодки.

— Они будут смеяться надо мной, — сказал я. — Ты сказала им, как меня зовут?

— А как тебя зовут? — наклонилась она ко мне, сделав страшное лицо, и тут же рассмеялась низким голосом. — Как тебя зовут, мальчик? Скажи быстрее, пока я тебя не поймала.

— Меня зовут Зейде, — сказал я. — Иди, убей себе кого-нибудь другого.

И Номи схватила меня за руку, и мы вдвоем выбежали из дома.

Мы долго играли с детьми. Лицо Номи порозовело от холода и радости. Снег не переставал падать, и снежинки окаймили ее волосы. Ее глаза сияли, горячий и сладкий пар подымался от ее щек.

Потом мы слепили большую снежную бабу, и когда Номи втыкала ей нос, вдали появилась маленькая черная фигурка, которая бежала в нашу сторону, спотыкаясь и падая, поднимаясь и приближаясь.

— Это Меир, — сказала Номи, и лицо ее так побледнело, что стало почти невидимым.

А большая, черная, спотыкающаяся фигура все приближалась к нам по широкому снежному простору.

— Что-то случилось, — сказала Номи. — Наверно, ему сообщили что-то по телефону, на работе.

А Меир все резче вырисовывался и приближался, пока не подошел вплотную, и не взял Номи за руку, и не отвел ее в сторону, к столбу ограды, к ужасу известия, к ее хриплому воплю — Юдит, Юдит, Юдит, Юдит, — летящему, кружащемуся, падающему и чернеющему, как крыло ворона на снегу, к ее медленному падению и к облакам пара, с которыми вылетало из ее рта каждое «ю» каждой такой «Юдит», и Меир поднял ее и поддержал, а мне сказал:

— Мы потом расскажем тебе, Зейде, после...

Ранним утром примчался Одед, одолжив у деревенского товарища джип и шестнадцать часов подряд прокладывая себе путь по белым, невидимым дорогам, следы которых только он мог угадать под толстым снежным одеялом.

Он поспал всего час, поднялся, выпил одну за другой четыре чашки горячего чая, съел две плитки шоколада и полбуханки хлеба и повез нас среди кружащихся, порхающих, завораживающих снежинок, которые превращали свет его фар в суматошное призрачное марево, обратно в деревню, на похороны мамы.

22

Утром 6 февраля 1950 года Моше Рабинович проснулся, и Юдит открыла глаза, которые прежде всегда были серыми, а теперь стали очень голубыми и новыми в сети морщинок.

Моше подошел к плите, чтобы приготовить ей кофе, который она любила, и, только вскипятив молоко, вдруг понял, что его разбудило: полная тишина, полог безмолвия, накрывший улицу и поглотивший все обычные звуки деревенского утра. Ни писка цыплят, ни мычанья телят, ни стука насоса. И когда Моше распахнул ставни, он увидел, что все вокруг покрыто глубоким, тяжелым и неожиданным снегом, который падал всю минувшую ночь напролет.

Белые и нежные, снижались снежные хлопья, невесомые и покачивающиеся, слипались они, пока не улеглись толстым одеялом. Чужие, северные Ангелы Смерти, нарядные посланцы Судьбы, что сбились с пути и забрели по ошибке в неположенные им края, чтобы присоединиться к смертоносным уродцам этой южной страны — змеиному яду, солнечному зною, безумию крови и звонкому удару камня.

Долина стыла в мертвенном изумлении. Мыши и змеи замерзли в своих норах. Застывшие бульбули, с посеревшими от холода хохолками, камешками падали с веток. Молодые деревца, высаженные школьниками в Ту би-Шват, за три дня до этого, исчезли, как не бывало. Большие кактусовые кусты лежали вокруг родника, сломавшись под тяжестью снега. В деревенских садах рухнули непривычные к такой тяжести деревья, а могучая верхушка эвкалипта во дворе Рабиновича, точно песочные часы, отсчитывала последние перед смертью снежинки.

Такой рассказ, думаю я порой по ночам, требует для себя формы, русла и завершения.

Это рассказ о проливном дожде, о бурлящем вади, об обманщике-ревизионисте, о задержавшемся муже и о женщине, которая ему изменила и поэтому потеряла дочь, и приехала жить и работать в коровнике одного вдовца, доить его коров и растить его детей.

Такая история, утешаю я себя, отказывается быть вымыслом.

Это рассказ о скупщике скота, который так и не научился водить машину, и о мальчике, над которым не властны ни смерть, ни страсть, о бесстрашных воронах, о бумажных корабликах, об отрезанной косе, и о дяде, кожа которого пахла цветочным семенем, о двух гранатовых деревьях и о вилах, рана от которых так воспалилась.

Раз-два-три-четыре. Такая история предполагает причинные связи.

Рассказ о самой красивой в мире женщине и о белой яхте, названной ее именем, рассказ об итальянце, который умел подражать любым птицам и животным, был специалистом по танцевальному шагу и знатоком правил любви, рассказ о дереве, которое ожидало, и о лампе, которая упала, и о бесплодной корове, и о бурной ночи, и об альбиносе, который завещал птиц своему соседу и перевернул всю его жизнь.

Прислушайся — это те три братца из семейки вершителей судеб, это они хохочут и трясут землю: если бы обманщик не рассказал, да кабы вода в вади не поднялась, да если бы не была продана корова. Раз-два-три-четыре. Раз-два-три-четыре. Раз-два-три-четыре.

Но коса была спрятана, и змея укусила, и альбинос пришел, и обманщик солгал, и муж задержался, и женщина забеременела, и там, в том коровнике, жила и работала, спала и плакала, и в нем родила себе сына, того самого, над которым не властна смерть, который вырос и сам навлек на нее ее кончину.

Потому что человек строит планы, а Господь ухмыляется в бороду, и камень был поднят, и коса была найдена, и снег падал, и верхушка эвкалипта, чьи могучие широкие ветви с их сырой и мягкой плотью не привыкли к тяжести, поддалась ей и рухнула, надломившись.

Разумеется, дело обстояло именно так. Потому что если не так, то как же?

— Юдит! — крикнул Моше из окна.

Она не подняла глаз, только чуть наклонила голову, и ожидание удара задрожало в ее позвоночнике.

— Юдит!

И вопль человека, крик вороны и треск ломающегося дерева прорезали белое безмолвие снега, как три черных всхлёста бича.

Вся деревня слышала, только мать не услышала, потому что стояла повернувшись к нему глухим ухом, тогда как ее здоровое ухо было забито ветром, свистевшим в листьях падающей верхушки эвкалипта, и не слышало ничего.

Как огромная дубина, ударила древесная крона, швырнула ее на землю, и тишина тотчас вернулась в мир снова. Та тонкая, прозрачная тишина, что чиста и светла, словно прозрачный хрусталик глаза, и такой же остается, не истаивая, и поныне.

Люди уже сбегались со всех сторон, торопясь тем крестьянским бегом, что намного быстрее, чем кажется по его тяжести, и сердца их замирали еще до того, как они увидели голубую головную косынку, и расколовшиеся вороньи яйца, и раздавленную курицу-несушку, и мамино платье, проступающее сквозь завал зеленого и белого.

Сломанную верхушку привязали к огромной кобыле Деревенского Папиша. Из слесарной мастерской принесли блок, и Одед, забравшись на обломанное дерево, привязал его к основанию нижней ветви.

Деревенский Папиш крикнул своей кобыле: «Ну, падаль, н-ну!» — как будто это она была виновата, трос натянулся, блок заскрежетал, и бревно поднялось над Юдит.

Никто не бросился к ней. Люди неподвижно стояли вокруг, и глаза их были прикованы к шее цвета тонкой слоновой кости, чистый блеск которой не притемнили ни годы, ни печаль, ни смерть, и к чулкам, немного спустившимся с нежных и сильных ног. Было холодно, и сухой ветер играл черными с проседью волосами на затылке и темным платьем мертвой женщины, то прижимая вздувающуюся ткань к бедрам, то снова взмахивая ею, словно пытался ее оживить.

Долгие минуты качалось бревно над телом, но никто не осмеливался шелохнуться. И кобыла тоже стояла неподвижно — сильные, вросшие в землю ноги, дрожащие от усилий мышцы, влажный запах над кожей и два столба белого пара из ноздрей.

Потом из толпы вышла Ализа Папиш, схватила Юдит за руки и принялась оттаскивать ее вбок, а Моше пошел на склад, принес точильный камень и напильник, и пока вороны кружились над его головой, призывая к мести, начал точить свой тяжелый топор размеренными движениями палача.

23

Лет десять было мне, когда мама умерла, и больше всего мне запомнилась та ночная поездка по окутанным белизной дорогам, в тепле грубого армейского одеяла и большой плотной шинели, в полном молчании.

Номи держала мою руку, а ее возмущенный младенец непрерывно кричал на руках своего отца. Он вопил так утомительно и непрерывно, что, когда мы добрались до деревни, встретивший нас Яков Шейнфельд сказал Номи, что, поскольку он не собирается идти на похороны, она может оставить ребенка у него.

— И тогда его крики не будут мешать тебе побыть с Юдит, — сказал он.

— Я тоже могу остаться с ним, — поторопился предложить Меир.

— Ты пойдешь со мной, — сказала Номи. А Шейнфельду передала ребенка и сказала «спасибо».

Ребенок надрывался от крика, и Яков все пытался его успокоить.

Вначале он насвистывал ему, как свистят канарейки, потом стал складывать маленькие желтые кораблики из бумажных листков, которые снова заполняли его карманы, и наконец завернул орущего младенца в одеяло, которое когда-то сшил для меня, и пошел с ним погулять по заснеженному полю.

Там, возле того места, где много лет спустя построили автобусную остановку, он ходил с ним, и качал его, и давал ему пососать размоченное печенье. А потом, когда омерзительный младенец в конец концов замолчал, Яков поднял голову и увидел людей, возвращавшихся с

Литературно-художественное издание

Меир Шалев

Как несколько дней...

Серия «ИЛЛЮМИНАТОР» / 080

Директор издательства С.Пархоменко

Главный редактор В.Горностаева

Художник А.Бондаренко

Редактор В.Бару

Корректор А.Асланянц

Компьютерная верстка К.Москалев

Эксклюзивный дистрибьютор книг
издательства «Иностранка» —
книготорговая компания «Либри»
тел.: (495) 951-56-78; e-mail: sale@libri.ru
Генеральный директор П.Арсеньев

Изд. лиц. ИД № 02194 от 30.06.2000 («Иностранка»)
Подписано в печать 05.04.2007. Формат 70×100/32.
Бумага офсетная. Гарнитура «Гарамон».
Печать офсетная. Усл. печ. л. 18,85.
Тираж 7000 экз. Заказ № 5684.

Издательство «Иностранка»
119017, Москва, Пятницкая ул., 41
www.inostranka.ru
e-mail:mail@inostranka.ru

Отпечатано на ОАО «Тульская типография»
300600, Тула, проспект Ленина, 109

кладбища небольшими группками печали и тихого разговора, и телегу, едущую за ними и пишущую по снегу черточками колес и точками лошадиных копыт.

— Заходите, друзья, заходите, — сказал Яков.

Он расстелил на снегу свой плащ, положил на него ребенка, опустился на колени и заплакал. Солнце внезапно сверкнуло желтизной в разрыве облаков и осветило занесенные снегом просторы, и когда возвращавшаяся с кладбища пустая телега поравнялась с Яковом, он увидел Юдит, будто она снова медленно плыла перед ним, — по широкой, безбрежной, золотисто-зеленой, бескрайней реке снова плыла она перед ним.